CLEÓPATRA e FRANKENSTEIN

COCO MELLORS

Tradução Dinaura Julles

Copyright © 2022 Coco Mellors
Capa copyright © 2021 Hachette Book Group, Inc.
Título original: Cleopatra and Frankenstein
Tradução para Língua Portuguesa © 2023 Dinaura Julles
Todos os direitos reservados à Astral Cultural e protegidos pela Lei 9.610, de 19.2.1998. É proibida a reprodução total ou parcial sem a expressa anuência da editora.

Editora Natália Ortega
Editora de arte Tâmizi Ribeiro
Produção editorial Ana Laura Padovan, Brendha Rodrigues, Esther Ferreira e Felix Arantes
Preparação de texto Adriano Barros
Revisão Carlos César da Silva, Fernanda Costa e Rodrigo Lima
Capa Jo Thomson Pintura da capa Gill Button
Adaptação da capa Tâmizi Ribeiro
Foto da autora Ryan Pfluger

Dados Internacionais de Catalogação na Publicação (CIP)
Angélica Ilacqua CRB-8/7057

M483c

    Mellors, Coco
      Cleópatra e Frankstein / Coco Mellors ; tradução de Dinaura Julles. — Bauru, SP : Astral Cultural, 2023.
      448 p.

    ISBN 978-65-5566-369-3
    Título original: Cleopatra & Frankstein

    1. Ficção inglesa I. Título II. Julles, Dinaura

23-2325   CDD 823

Índice para catálogo sistemático:
1. Ficção inglesa

BAURU
Rua Joaquim Anacleto Bueno, 1-20
Jardim Contorno
CEP: 17047-281
Telefone: (14) 3879-3877

SÃO PAULO
Rua Augusta, 101
Sala 1812, 18º andar
Consolação
CEP: 01305-000
Telefone: (11) 3048-2900

E-mail: contato@astralcultural.com.br

Conteúdo sensível: este livro contém cenas de uso de drogas, assédio, transfobia e tentativa de suicídio, que podem desencadear gatilhos.

Para minha mãe, que acreditou.

Parta-me ao meio como uma noz
Tire de mim a parte vazia
Deixe a que procria.
— Omotara James

Vamos ficar com fome por mais um tempo.
Vamos evitar de nos ferir se pudermos.
— Maya C. Popa

CAPÍTULO UM

DEZEMBRO

Ela já estava dentro do elevador quando ele entrou. Ele acenou com a cabeça e se virou para fechar o portão de ferro com um som estridente. Eles estavam no prédio de uma antiga fábrica em Tribeca, do tipo que ainda funcionava com os raros elevadores de carga. Estavam apenas os dois, lado a lado, olhando para frente enquanto o mecanismo gemia em movimento. Para além do trançado da porta de metal, eles observaram as paredes de cimento do prédio deslizarem.

— O que vai comprar? — perguntou ele olhando à frente, sem se virar para ela.

— Como?

— Me mandaram aqui por causa do gelo — disse ele. — Do que você precisa?

— Eu, de nada. Estou indo para casa.

— Às 22h30 da véspera do Ano-Novo? Essa é a coisa mais triste ou mais sábia que já ouvi.

— Que seja a mais sábia, então — brincou ela.

Ele deu uma gargalhada sincera, embora ela não estivesse muito para brincadeiras.

— Inglesa? — ele perguntou.

— De Londres.

— Sua voz me lembra a sensação de morder uma maçã-verde.

Agora ela riu, com menos naturalidade.

— Como assim?

— Em uma palavra? Crocante.

— Ao contrário de morder uma maçã *Pink Lady* ou uma *Golden Delicious*?

— Você entende do assunto. — Ele fez um aceno de cabeça respeitoso. — Mas é loucura sugerir que você soe como uma *Golden Delicious*. Isso é sotaque do Meio-Oeste.

Eles chegaram no térreo com um impacto suave. Ele abriu a porta para ela passar.

— Você é um homem estranho.

— Sem dúvida.

Ele correu na frente para abrir a porta do prédio.

— Poderia acompanhar este homem estranho até a loja de conveniência? Eu só preciso ouvir você dizer mais algumas palavras.

— Hum, como o quê?

— Cookies, por exemplo.

— Você quer dizer "biscuit"?

— Sim, exatamente!

Ele cobriu as orelhas com prazer.

— B-i-s-c-u-i-t. Isso me derrete.

Ela tentou parecer cética, mas estava se divertindo, ele podia ver.

— Você se derrete com facilidade — comentou ela.

Ele a surpreendeu ao parar para considerar essa observação com honestidade genuína.

— Não — ele disse finalmente. — Não costumo ser assim.

Eles estavam na rua. Em frente a eles, uma loja que vendia letreiros de neon banhava a calçada com flashes de amarelo, rosa e azul. MILLER LITE. NUS AO VIVO. TINGIMOS PARA VOCÊ.

— Onde fica? — ela perguntou. — Eu bem que gostaria de mais alguns cigarros.

— A uns dois quarteirões naquela direção. — Ele apontou para o leste. — Quantos anos você tem?

— Vinte e quatro. Idade suficiente para fumar, se você estava pensando em me dizer para não fazer isso.

— Você tem a idade perfeita para fumar — ele respondeu.

— Tempo armazenado para resolver e satisfazer. Não é isso o que diz o poema de Larkin?

— Ah, não recite poesia. Você pode *me* derreter sem querer.

— "Eu canto o corpo elétrico!" — ele gritou [declamando Whitman]. — "Os exércitos dos que eu amo me rodeiam e eu os envolvo!"

— La-la-la! Eu não vou te ouvir!

Ela pressionou as palmas das mãos contra os ouvidos e correu à frente dele pela rua. Surgiu um carro tocando uma música pop alegre. Ele a alcançou sob a luz e, hesitante, ela tirou as mãos da cabeça. Ela estava usando luvas de pelica rosa. As bochechas estavam rosadas também.

— Não se preocupe, só me lembro disso. Você está segura.

— Estou impressionada por você sequer ter memorizado um — disse ela.

— Eu sou mais velho que você. Minha geração teve que decorar essas coisas na escola.

— Quantos anos você tem?

— Sou mais velho. Qual é o seu nome?

— Cleo — ela respondeu.

Ele assentiu com a cabeça.

— Apropriado.

— Como assim?

— Cleópatra, a destruidora de homens original.

— Mas eu sou apenas Cleo. Qual o seu nome?

— Frank.

— Abreviação de...?

— Abreviação de nada. Por que diabos Frank seria uma abreviação?

— Não sei. — Cleo sorriu. — Frankfurt, frankincense, Frankenstein...

— Frankenstein parece certo. Criador de monstros.

— Você faz monstros?

— Tipo isso — explicou Frank. — Faço propagandas.

— Tinha certeza de que você era escritor — disse ela.

— Por quê?

— Crocante — disse Cleo, arqueando uma sobrancelha.

— Eu abri uma agência — disse Frank. — É para onde vão as pessoas que não fazem sucesso como escritoras.

Eles caminharam até encontrarem a loja vinte e quatro horas brilhando na esquina, ladeada por baldes de rosas fechadas e cravos borbulhantes. Frank abriu a porta para ela com um ruído metálico. Na fluorescência radiante do interior da loja, eles se olharam de frente pela primeira vez.

Frank devia estar, ela calculou, entre o fim de seus trinta ou no começo de seus quarenta. *Olhos gentis*, foi o primeiro pensamento dela. Eles se apertaram automaticamente quando encontraram os dela. Cílios longos e emplumados que tocavam as lentes dos óculos, emprestando uma suavidade surpreendente ao seu rosto anguloso. Cabelo escuro encaracolado, denso como lã de carneiro, um pouco mais fino no alto da cabeça. Agora, ao sentir o olhar dela, ele passou a mão pelo cabelo, consciencioso. A pele do dorso da mão e do rosto era sardenta, ainda estava bronzeada apesar do inverno. Combinava com o cachecol de caxemira bege, enfiado em um sobretudo bem cortado. Ele tinha a constituição leve e ágil de um ex-dançarino, um corpo que sugeria economia e inteligência. Cleo sorriu em sinal de aprovação.

Ele retribuiu o sorriso. Como a maioria das pessoas, ele notou o cabelo dela primeiro. Pendia sobre os ombros dela em duas cortinas douradas, abrindo-se para revelar o tão esperado primeiro ato: o rosto. E era um espetáculo, o rosto dela. Ele sentiu instintivamente que poderia observá-lo por horas. Ela desenhara grossas asas negras sobre as pálpebras, no estilo dos anos 1960, terminando cada movimento com uma estrelinha dourada. As bochechas estavam polvilhadas com algo brilhante e dourado também; brilhava como champanhe na luz. Um casaco pesado de pele de carneiro a envolvia, combinado com as luvas de pelica cor-de-rosa que ele havia notado antes e uma boina de lã branca. Nos pés, botas de cowboy creme bordadas. Tudo nela era deliberado. Frank, que passou grande parte de sua vida cercado de pessoas bonitas, nunca conhecera ninguém que se parecesse com ela.

Constrangida por aquele olhar direto, Cleo virou-se para examinar uma prateleira inoportuna, lotada de latas de comida para gato. Ela estava usando muita maquiagem e se preocupava se estava parecendo uma palhaça sob a luz.

— Meu irmão — disse Frank para o homem atrás do balcão. — Feliz Ano-Novo.

O homem ergueu os olhos do jornal, no qual lia a respeito de mais torturas sancionadas pelo governo do país. Ele se perguntou o que poderia fazer esse homem branco pensar que eles eram irmãos, e sorriu.

— Para você também — respondeu.

— Onde fica o gelo?

— Não tenho gelo. — Ele deu de ombros.

— Que tipo de loja de conveniência não vende gelo?

— Esta — disse o homem.

Frank ergueu as mãos, resignado.

— Certo, não tem gelo. — Ele se virou para Cleo. — Você quer cigarros?

Cleo estava escaneando os preços dos cigarros na prateleira. Ela pegou a carteira, que, Frank notou, não era realmente uma carteira, mas uma bolsinha de veludo recheada de papéis e embalagens. Os longos dedos vacilantes examinaram seu conteúdo.

— Quer saber? — ela perguntou. — Eu tenho uns papéis para enrolar cigarro aqui. Vou pegar só um saco de tabaco. Pequeno. Quanto custa?

Frank observou toda a postura do homem se voltando para frente enquanto ela se dirigia a ele. Era como ver a parte da frente de uma geleira se dissolver no mar; ele se derreteu.

— Lindeza — ele murmurou. — Quanto você quer pagar?

Um rubor estava subindo pelo pescoço dela até o queixo.

— Eu pago — ofereceu Frank, mostrando o cartão de crédito. — E... — Ele pegou uma barra de chocolate ao leite. — Este também. Caso você fique com fome.

Cleo olhou com gratidão, mas não hesitou.

— Um maço de Capris, por favor — disse ela. — O vermelho.

Já do lado de fora, Cleo observou a rua acima e abaixo.

— Você nunca vai conseguir um táxi nesta noite — disse Frank. — Onde você mora?

— East Village — ela respondeu. — Perto do Parque Tompkins Square. Mas vou a pé; não é muito longe.

— Vou com você — ele afirmou.

— Não, você não pode ir — ela protestou. — É muito longe.

— Eu pensei que não era longe.

— Você vai perder a contagem regressiva.

— Foda-se a contagem regressiva — disse Frank.

— E o gelo?

— Você tem razão. O gelo é importante.

Cleo ficou sem jeito. Frank riu. Ele começou a marchar para o norte e ela não teve outra opção, a não ser segui-lo. Ele procurou-a com o olhar, viu que ela estava trotando para alcançá-lo, e diminuiu a velocidade.

— Você não está com frio?

— Ah, não — disse ela. — Você está? Você quer meu *chapeau*?

— Seu o quê?

— Chapéu. É uma boina, então me refiro a ele em francês.

— Você fala francês?

— Só um pouco. Eu sei dizer "*Chocolat chaud avec chantilly*" e "*C'est cool mais c'est fou*".

— E o que significa?

— "Chocolate quente com chantilly" e "É bacana, mas é louco". As duas frases são muito úteis, acredite. Então, você quer?

— Acho que não fui feito para usar a boina.

— Bobagem — disse Cleo. — O mundo é o seu *chapeau*.

— Quer saber de uma coisa? — Frank tirou o chapéu de Cleo e o colocou na cabeça, em um gesto corajoso. — Você tem razão.

— *Magnifique* — respondeu ela. — *Allez*!

Eles caminharam para o leste rumo a Chinatown. Um grupo de mulheres usando cartolas prateadas e óculos escuros que foram novidade em 2007 passou por eles. Uma assoprou uma língua de sogra perto da cabeça de Frank, e o grupo explodiu em gritos de alegria. Ele puxou a boina para trás da cabeça.

— Seria pouco festivo da minha parte dizer que odeio o Ano-Novo? — perguntou ele.

Cleo deu de ombros.

— Eu costumo comemorar apenas o Ano-Novo Lunar.

Frank esperou, mas ela não deu mais detalhes.

— Então, qual foi a melhor parte do ano passado para você? — ele perguntou.

— Apenas uma?

— Pode ser qualquer coisa.

— Nossa, tenho que pensar. Bom, eu mudei de antidepressivo e agora consigo atingir o orgasmo novamente. Para mim, foi uma vitória.

— Uau. Certo. Não era bem o que eu esperava. Essa é uma ótima notícia.

— Tanto clitoriano quanto vaginal. — Cleo fez sinal de positivo. — E você? Qual foi a melhor coisa que aconteceu no ano passado?

— Meu Deus, nada que se compare com isso.

— Não precisa ser nada tão pessoal! Desculpe, a minha foi estranha. Fiquei com vergonha.

— A sua foi ótima! Assunto de grande importância. Eu trato da minha tristeza à moda antiga, com grandes doses de álcool e punição.

— E está dando certo para você?

Frank imitou o sinal de positivo dela e continuou andando.

— De qualquer forma, acho realmente impressionante que você esteja se cuidando — disse ele.

Outro grupo de foliões se dividiu entre eles, abafando essa última afirmação. Ele andou em volta dos foliões para alcançá-la, e repetiu o que tinha acabado de falar.

— Muito gentil você dizer isso. Eu só tenho muitas... — Ela acenou vagamente em direção a uma pilha de lixo espalhada na calçada bem ao lado deles. — Coisas da minha família. Eu tenho que ter cuidado. — Ela limpou a garganta. — De toda a forma, me fale a respeito do seu ano.

— O melhor momento do ano passado? Provavelmente apenas assuntos relacionados ao trabalho. Ganhei um prêmio por um anúncio que dirigi. Foi muito bom.

— Que maravilha! Qual prêmio?

— É chamado de Leão de Cannes. É meio que muito importante no meu setor. É bobagem, na verdade.

— Não, não é. Eu adoraria ganhar um prêmio por alguma coisa.

— Você vai ganhar — disse ele com confiança.

Eles passaram por dois homens de aparência estranha, mijando em um muro, na presença de um silêncio confortável. Frank ofereceu a mão à Cleo enquanto ela pulava os dois rastros de urina. Ela balançou a cabeça.

— Homens!

A mão de Cleo permaneceu na dele, e então ela retirou-a para vasculhar a bolsa.

— E então — recomeçou ele —, há alguém em especial com quem você está, hum, tendo esses orgasmos?

Frank estava se esforçando para dar um tom de "amigo curioso" à pergunta, mas ficou preocupado em soar mais "conselheiro de clínica de saúde sexual apreensivo".

— O clitoriano *e* o vaginal? — Cleo brincou.

Frank limpou a garganta.

— Sim... Eles.

Cleo olhou-o com esperteza, de canto de olho.

— No momento, só eu mesma.

O rosto dele se abriu em um sorriso involuntário. Ela riu também.

— Ah, você gosta dessa ideia, né? E você? Todo mundo da sua idade já não devia estar casado?

— Não, já mudaram essa lei. Agora é opcional.

— Graças a Deus — disse Cleo e acendeu um cigarro.

Eles seguiram para o norte até a Broome Street, passaram por vitrines que vendiam plantas para casa e livros sobre psiquismo, candelabros e *mixers* para cozinha industrial. Eles conversaram sobre as resoluções de Ano-Novo e o que está fora de moda, e quem eles conheciam na festa (Cleo: uma pessoa; Frank: todo mundo). Eles conversaram sobre o anfitrião da festa, um famoso chef peruano chamado Santiago, que Frank conhecia há vinte anos. A colega de quarto de Cleo era *hostess* do restaurante de Santiago, e por isso tinha sido convidada, embora essa colega de quarto tenha fugido com um artista performático islandês logo depois de ela ter chegado. Eles falaram sobre Pina Bausch e Kara Walker e Paul Arden e Stevie Nicks e James Baldwin.

— Tem uma coleção de ensaios que eu adoro, do curador Hans Ulrich Obrist — disse Cleo. — Chama-se *Sharp Tongues, Loose Lips, Open Eyes* [Línguas Afiadas, Lábios Soltos, Olhos Abertos]... Não consigo me lembrar do resto.

— Um homem de poucas palavras.

— Ah, você o leu?

— Não, é que esse título é... Deixa pra lá. Eu continuo com a intenção de ler mais — ele admitiu.

Cleo deu de ombros.

— Então compre um livro e leia.

— Certo. Eu não tinha pensado nisso.

— De qualquer forma, em um dos ensaios ele fala sobre ser capaz de dizer se uma pessoa é generosa como amante pelo seu nível de curiosidade. Você deve ir contando mentalmente quantas perguntas ela faz em um minuto. Se forem quatro ou mais, então ela gosta de agradar.

— E se ela não perguntar nada?

— Então você pode deduzir que a pessoa não come boceta. Ou, você sabe, pau, se essa for a sua praia.

— Boceta — logo respondeu Frank —, é a minha praia.

Ela olhou-o com um dos seus jeitos divertidos.

— Eu meio que percebi.

— E você?

— Minha praia? Pau. — Ela riu e inclinou a cabeça para pensar melhor. — Talvez eu levasse para a praia uma bolsa de bocetas. Mas só uma, pequena. Como aquelas carteiras elegantes que se usam para ir à ópera.

Frank concordou com a cabeça.

— Uma bolsinha de festa de bocetas.

— Exato. Ao contrário, por exemplo, de uma mala de paus.

— Uma maleta de pênis.

— Uma valise de cacetes.

— Uma mochila de pirocas.

O rosto de Cleo se iluminou com uma risada, e então, rapidamente ela o abaixou entre as mãos como se estivesse apagando um fósforo.

— Credo! Eu pareço carnívora. Vamos mudar de assunto, por favor.

— Então... — Frank respirou fundo. — O que você faz? De onde você é? Quando você se mudou para Nova York? Você tem irmãos? Quando você faz aniversário? Qual é o seu signo? Pedra da sorte? Tamanho de sapato?

Cleo deu outra gargalhada. Frank sorriu.

— Vá em frente, então — disse ele. — De onde você é?

— Você quer mesmo saber tudo isso de mim?

— Eu quero saber tudo sobre você. — E ficou surpreso ao perceber que falava sério.

Cleo disse que se mudou muitas vezes na infância, mas sua família acabou se estabelecendo no sul de Londres. Os pais se separaram quando ela era adolescente, e o pai, um engenheiro afável, mas distante, logo se casou novamente e adotou o filho da nova esposa. A mãe morreu quando Cleo estava no último ano de faculdade na Central Saint Martins. Ela ainda não tinha encontrado um jeito de tocar nesse assunto. Cleo não tinha família em casa, o que a fazia se sentir desconectada, mas também, ela logo acrescentou, completamente livre.

Sem nada que a prendesse a Londres, e com uma pequena herança de sua mãe que poderia garantir um voo e dois anos de aluguel barato, ela se candidatou a uma bolsa de estudos de pintura em um programa de pós-graduação em Nova York. Ela chegou à cidade quando tinha vinte e um anos. Para ela, aquele diploma de artes plásticas significava dois anos em uma órbita tranquila da sua cama para uma tela, para bares, para as camas de outras pessoas e de volta para a tela. Ela havia se formado na primavera anterior e desde então prestava serviços como designer de tecidos para uma marca de moda. O pagamento não era dos melhores e não ofereciam benefícios, mas proporcionava a ela dinheiro suficiente e tempo livre para alugar um quarto razoável no East Village, que ela também usava como estúdio de pintura. Seu maior medo agora era que seu visto de estudante venceria no início do verão, e ela não tinha planos sobre o que fazer depois.

— Você pinta todos os dias? — perguntou Frank.

— Todo mundo sempre pergunta isso. Eu tento. Mas é difícil.

— Por quê?

— Às vezes o processo é como... Já sei, sabe quando você está arrumando um armário...

— Um guarda-roupa?

— Sim, como você é americano, vocês dizem guarda-roupa. Primeiro, você tem que tirar tudo de lá, e tem aquele momento em que você olha ao redor e vê uma bagunça total. E você pensa, *Merda*, por que eu fui começar a fazer isso? Está pior do que antes de começar. E então, lentamente, parte por parte, você vai organizando tudo. Mas antes de colocar em ordem, você tem que fazer bagunça.

— Entendi. Pode continuar.

— A pintura é assim para mim. Sem dúvida, há um momento em que eu tiro tudo de mim, e é só... é o caos na tela. Sinto que nunca deveria ter começado. Mas então eu continuo, e, de alguma forma, as coisas encontram sua ordem. Eu sei quando terminei porque sinto... Eu sinto esse *clique* que significa que tudo está no seu lugar. Tudo está onde deveria estar. Paz total.

— Quanto tempo isso dura?

— Por volta de uns sete segundos e meio. E então eu começo a pensar na próxima obra.

— Parece cansativo — disse Frank.

— Mas esses sete segundos e meio são...

Ela olhou para o céu de forma dramática. Frank esperou.

— Como você diria, eles me derretem — disse ela.

Passaram por um homem de smoking e boá de penas verde, vomitando sobre um hidrante.

— Acho que as boás de penas deveriam voltar à moda — disse Cleo.

— Acho que você é uma pessoa excepcional — disse Frank.

— Você não me conhece o suficiente para dizer isso — disse Cleo, claramente encantada.

— Sou um bom juiz dessas coisas.

— Então terei que acreditar em você.

Eles estavam em Little Italy, bairro de ruas repletas de restaurantes italianos aparentemente idênticos com toalhas de mesa xadrez vermelhas e vasilhas plásticas de macarrão presas nas janelas. Acima da cabeça, fios de lâmpadas vermelhas, brancas e verdes lançavam losangos de luz na rua abaixo. Na janela de um apartamento, no terceiro andar, um grupo de pessoas estava fumando, lançando a fumaça para fora, as silhuetas dos corpos visíveis contra a luz amarela do cômodo onde estavam.

"Feliz Ano-Novo!", eles gritaram para ninguém em especial. Cleo e Frank passaram por uma pizzaria tranquila na esquina, onde um homem solitário empilhava cadeiras de plástico para aquela noite.

— Você quer pegar uma fatia? — perguntou Frank.

Cleo passou os dedos pelas borlas da bolsa.

— Não tenho dinheiro.

— Vou comprar alguma coisa para você — disse ele.

— Tire o *"alguma coisa para"* — ela disse com suavidade. — E você terá a verdade.

— Você acha que eu estou tentando comprar *você*?

— No fundo, todos os homens não estão sempre tentando comprar mulheres?

— Você realmente acredita nisso?

— Eu *só* não desacredito.

— Isso é muito injusto.

— Então me diga por que estou errada.

Ele se virou para ela e exalou lentamente. Ele só queria mesmo uma fatia de pizza.

— Acho que os homens são ensinados a comprar coisas para as mulheres, sim. Não porque queremos possuí-las ou controlá-las, mas porque é uma forma de mostrar que estamos interessados ou que nos importamos e que não exige muita, não sei bem como dizer... Vulnerabilidade. Não somos ensinados a nos comunicar do jeito que vocês são. Recebemos essas ferramentas muito limitadas e primitivas para nos expressar, e, sim, pagar a porra de uma refeição é uma delas. Mas as mulheres também *esperam* isso de nós.

Cleo estava doida para interrompê-lo, mas ele levantou a mão, determinado a terminar.

— Vale para as duas coisas. Você diz que estou tentando comprá-la, mas ficaria ofendida se eu não me oferecesse para pagar.

— Eu não ficaria! — ela explodiu. — E a única razão pela qual vou *deixar* você pagar é porque estou falida agora.

— Então agora eu *posso* pagar? Veja, isso é que eu chamo de besteira. Você quer as duas coisas. Você quer ser tão íntegra e superior, mas assim que isso fica inconveniente para você, tudo bem se um homem pagar a conta.

— Você está de sacanagem? Talvez eu esteja falida por causa, sei lá, da diferença salarial entre os sexos, ou pelos anos de sexismo sistêmico que limitaram minhas oportunidades de trabalho, ou por eu ter que largar meu último emprego como babá porque o pai da criança não parava de dar em cima de mim, ou...

Agora foi a vez de Frank interromper.

— Não é por isso que você está falida! Você está falida porque tem vinte e quatro anos e é uma artista que trabalha meio período! Você não pode atribuir todos os seus problemas ao fato de ser mulher!

Cleo aproximou seu rosto ao de Frank e falou tão baixinho que suas palavras foram quase um suspiro. Ele teve a esperança insana de que ela estivesse prestes a beijá-lo.

— Sim, eu posso — disse ela.

Frank se virou e entrou na pizzaria.

— Você é bacana — ele disse por cima do ombro. — Mas você é louca.

— Soa melhor em francês! — ela gritou de volta.

Cleo acendeu outro cigarro e bateu os pés na calçada como um cavalo de corrida inquieto. Ela pensou em ir embora só para irritá-lo, mas sabia que logo se arrependeria. Não havia nada a fazer a não ser esperar e fumar. Frank pediu duas fatias de pizza, espiando com ansiedade por cima do ombro para ter certeza de que ela ainda estava lá fora. Ele já havia decidido que se ela fosse embora, ele correria atrás dela e pediria desculpas. Mas a parte de trás da cabeça loira ainda estava à vista, agora envolta em uma nuvem de fumaça.

Ao voltar, ele entregou a ela uma fatia. Um fio âmbar de óleo corria pelo frágil prato de papel.

— Aqui está. Para compensar os anos de sexismo sistêmico.

— Babaca — disse Cleo e deu uma mordida.

— Você está nos Estados Unidos agora — disse Frank. — Aqui, eu sou apenas um imbecil.

Eles caminharam com as fatias pela Elizabeth Street. À frente deles, um casal estava na calçada de um bar sob um mar de luz de lampião, representando um drama atemporal entre duas pessoas. A mulher estava agachada, chorando em longos e altos gemidos enquanto o namorado balançava os ombros, repetindo: "Tiffany, escute, escute, Tiffany, Tiffany, escute..."

— Eu odeio dizer isso — sussurrou Frank enquanto eles passavam. — Mas eu não acho que Tiffany está escutando.

Cleo virou para trás para olhar para eles.

— Você acha que eles estão bem?

— Eles vão ficar bem. A véspera de Ano-Novo é a noite de brigas primordial para todos os casais. Fogos de artifício e brigas. Os dois componentes básicos de uma boa noite de Ano-Novo.

— Acabamos de ter nossa primeira briga? — ela perguntou.

Frank deu-lhe um guardanapo.

— Eu não sei — disse ele. — Você nem se importou.

Cleo riu.

— Precisaria de muito mais do que isso para me tirar do sério. — Ela amassou o guardanapo e jogou-o com destreza em uma lata de lixo que estava no canto. — De todo modo, brigar pode ser uma coisa boa. Pense em Frida Kahlo e Diego Rivera. Eles se divorciaram, voltaram, se separaram novamente...

— Mas você já pensou que eles criaram a arte apesar das brigas, não por causa delas?

— E quem se importa? — falou Cleo entre mordidas na pizza. — A questão é que eles deram conta.

Frank concordou sem convicção. Ele pegou o prato de papel dela e o dobrou, formando um quadrado limpo junto com o seu. Ele esperava passar logo por um contêiner de reciclagem.

— Sou louca para ir à casa deles na Cidade do México.

— Há muitas filas de turistas — disse Frank. — E avisos de *Não Toque* em todas as superfícies.

— Que chato. — Cleo parecia desanimada.

— Mas ainda vale a pena ver — acrescentou Frank rapidamente. — Há uma coleção emoldurada de borboletas pendurada acima da cama de Kahlo sobre a qual Patti Smith escreveu um poema quando a visitou. E todas as roupas dela, é claro. Ela tinha um estilo incrível, assim como você.

Cleo sorriu, feliz com o elogio.

— As roupas, eu adoraria ver.

— Vamos na semana que vem — propôs Frank. — A cidade inteira está cheia de arte. É o lugar perfeito para você.

— Semana que vem? Simples assim?

— Claro. Por que não? Fechei o escritório e tenho milhares de milhas aéreas que preciso usar.

— Tudo bem. — Ela riu. — Estou dentro. — Ela balançou o cabelo. — Cidade do México, porra!

Frank, que tinha planejado trabalhar a semana toda no escritório vazio, nunca havia sido um viajante espontâneo, mas gostava da ideia de que poderia ser. Ele tinha os meios, mas não o incentivo. E aqui estava Cleo, com o oposto. Os dois se viraram ao mesmo tempo. Ele hesitou, então a puxou para um abraço. O cabelo dela cheirava a sabonete, amêndoas e cigarros. O peito dele cheirava a lã úmida e uma colônia cara que ela reconheceu, tabaco adoçado com baunilha.

— E eu não estou tentando comprar você — acrescentou ele, soltando-a. — Eu só gostaria de visitá-la com você.

— Eu sei. Eu também gostaria de visitá-la com você.

Atravessaram a rua Bowery e vagaram pelo East Village, onde a alegria na rua assumia um toque sutil de agressão. As pessoas gritavam na frente dos bares e entravam e saíam pelas portas. Mais casais brigavam em mais esquinas. Na entrada do parque, um grupo de *crust punks*, vestidos com roupas militares surradas e jaquetas de couro com tachinhas, balançam com delicadeza fogos de artifício de estrelinhas acima dos cabelos emaranhados. Um pit-bull, que usava um lenço no pescoço com o símbolo da anarquia desenhado, ergueu os olhos do travesseiro sob as patas para ver, com espanto mudo, as faíscas caindo.

Eles chegaram a um prédio com escadas externas em St. Mark's. O vidro fumê da porta da frente estava rabiscado com grafites incompreensíveis. Frank se perguntou, não pela primeira vez, que marca esses rabiscadores anônimos pensavam que estavam deixando. Cleo virou-se para ele, tímida outra vez.

— Você quer sentar no meu saguão comigo?

— Por que seu saguão?

Cleo escondeu o rosto com as mãos.

— É melhor do que o meu apartamento — ela falou por entre os dedos.

Ela deslizou as chaves na porta e chamou-o para entrar. Frank não achou educado mencionar que o saguão dela era apenas uma escada. Cleo sentou-se nos degraus de linóleo gastos e acendeu um cigarro.

— Você fuma aqui?

— Todo mundo fuma. — Ela deu de ombros.

Ele observou-a exalar duas correntes de fumaça das narinas.

— Eu não posso acreditar que não notei você no Santiago — disse ele.

— Cheguei tarde. Eu... É besteira, mas eu não conseguia decidir o que vestir. É uma espécie de ansiedade social, eu acho. Se estou nervosa para ir a algum lugar, troco de roupa umas cem vezes. Vai ficando cada vez mais tarde, o que, claro, só me deixa cada vez mais ansiosa. No geral, acabo hiperventilando com uma pilha de roupas no chão. Parece bobagem, mas, na verdade, é terrível.

Frank assentiu com compaixão.

— Então, o que você acabou vestindo?

— Esta noite? Ah, apenas uma coisa que eu fiz.

— Posso ver?

Cleo ergueu uma sobrancelha. Ela pressionou o cigarro entre os lábios e levantou-se para desabotoar os botões de madeira do casaco de pele de carneiro. O que ela estava usando não era bem um vestido, mas uma rede feita de fios dourados brilhantes. Era um trançado solto, apenas o suficiente para sugerir o corpo ali dentro. Ele podia ver, sem muita clareza sob a treliça brilhante, o contorno dos mamilos e do umbigo dela. Ela era como um peixe liso e ágil preso em uma rede brilhante.

— Me deixe subir — pediu ele.

— Não — respondeu ela, sentando-se novamente. — Minhas colegas de quarto podem estar em casa. E... — ela exalou fumaça e disse em tom sério — nós vamos transar.

— O que há de errado nisso?

— Vou embora daqui a alguns meses.

— Acho que podemos terminar antes disso.

Cleo reprimiu um sorriso.

— Só não quero me apegar — explicou ela.

Ela olhou para baixo entre os joelhos. Frank se agachou na frente dela.

— Acho que já é tarde demais.

— Acha?

— Eu me apeguei no momento em que ouvi você dizer biscuit.

Cleo olhou para ele sob as pálpebras aladas.

— Biscuit — ela enunciou com suavidade.

Frank apertou seu coração.

— Viu? Estou ferrado.

— Não, *eu* estou ferrada — disse ela. — Sou eu que tenho que ir embora.

— Para onde você vai?

— Não sei. Ouvi dizer que Bali é bacana.

Ela não se sentia tão à vontade a respeito disso quanto parecia.

— Não vai voltar para casa na Inglaterra?

— A Inglaterra não é minha casa.

Cleo apagou o cigarro no degrau de metal da escada. Ele sentiu que havia algo mais naquela história mas não se intrometeu. Ela olhou o relógio para evitar mais perguntas.

— Já é mais de meia-noite!

— Isso não está certo — disse Frank.

— É sério — disse ela. — Nós estamos conversando já faz...

— Não, quis dizer *isso*. A véspera de Ano-Novo não deveria ser tão boa.

— É para ser ruim?

— É para ser boa. Sabe de uma coisa? Nunca, nem uma vez na minha vida, ela superou minhas expectativas.

— Você sabia que na Dinamarca eles pulam de uma cadeira para ilustrar o salto para o Ano-Novo?

— Você é escandinava?

— Por quê? Só por que eu sou loira? — Cleo revirou os olhos. — Não, Frank. Eu só sei de algumas coisas.

— Você sabe mesmo. — Frank se levantou e bateu a poeira de sua calça em um gesto teatral. — Certo, vamos fazer o mesmo.

— Pular? Mas não temos cadeira.

— Uma escada, na beira, é tão boa quanto uma cadeira.

Cleo olhou para a escada atrás deles.

— Mas vamos até o alto — disse ela. — Começar o ano com um estrondo.

Eles subiram até o primeiro patamar. Teriam que saltar uns dez degraus para pousar no térreo. Era o tipo de brincadeira que as crianças fazem, desafiando-se a subir cada vez mais alto. Ele pegou a mão dela. Ela apertou a dele. Os dois pularam.

CAPÍTULO DOIS

JUNHO

Cleo não queria vestir branco, mas esperava um bolo de casamento. Ela mesma poderia ter pedido um em uma das padarias italianas do Lower East Side, o tipo de lugar onde todas as superfícies estavam cobertas de açúcar ou de poeira, mas deixou o planejamento da refeição para Santiago, que era conhecido por seus jantares extasiantes e orgiásticos. Santiago achou que eles deveriam renunciar a um bolo tradicional, e já que nada mais no casamento com Frank estava se mostrando tradicional, ela preferiu não insistir.

Na verdade, Cleo não insistiu em nada a respeito do casamento. Ela comprou um vestido para a ocasião, mas o que escolheu era azul. Era final de junho, quente demais para qualquer coisa elaborada, e a ideia de vestir branco sempre lhe parecera ridícula. Ela não era virgem desde os catorze anos. Ela deixou Frank enfiar as mãos em sua calcinha, na escada, na primeira noite em que se conheceram. Parecia que ele estava traçando o alfabeto no clitóris. *L, M, N, O... PIMBA!* Não, não havia nenhuma razão para vestir branco.

Ela encontrou o vestido que estava usando enterrado nos fundos de uma loja vintage caríssima na Perry Street, uma peça de seda deslizante muito mais barata do que todo o resto; depois, ela se preocupou porque poderia realmente ser uma camisola. Quando Cleo a deslizou pela cabeça, ela sentiu como se tivesse levado uma faca até a superfície do céu, cortado um pedaço dele e o tivesse vestido. Frank conseguiu superá-la, entretanto, aparecendo na prefeitura em um smoking marfim de três peças. Cleo estava esperando nos degraus, comendo um cachorro-quente do carrinho de rua que ficava ali perto — ela nunca tinha comido um antes e pensou que hoje era um dia de estreias — quando viu a cartola branca dele balançando sobre a rua cinza. Ela largou o cachorro-quente meio comido e balançou a cabeça para trás, com alegria.

— E então? — Frank virou-se para que ela pudesse recebê-lo. Uma família de turistas que estava atrás dele tirou uma fotografia.

— Você é um exibicionista incorrigível.

— Olha, quando você diz isso — disse Frank — ainda soa como um elogio.

Ele passou a mão pelo declive sedoso das costas dela e segurou-a por trás.

— Não parece que vamos a dois casamentos diferentes? — ela perguntou.

— Você está fantástica — disse Frank. — Parece um laguinho.

— Você parece... — Cleo fez uma pausa para observá-lo por inteiro. — Com você mesmo.

Era verdade. Partes iguais do Chapeleiro Maluco e de um astro do *glam rock* envelhecido, Frank demonstrava uma naturalidade surpreendente vestindo smoking.

— Estou cheirando a naftalina? — Frank esticou o pescoço para ela cheirá-lo, e ela enfiou o nariz na pele bronzeada acima do colarinho.

— Não. Sabonete e... — Ela curvou a cabeça para trás. — Gim?

— Tomei um pouco antes de sair. Eu precisava! É o dia do meu casamento! Venha, vamos entrar.

— *Nosso* casamento, querido — corrigiu Cleo.

— Nosso, seu, meu, deles... — Frank começou a cantarolar. Ele agarrou a mão dela, e eles subiram os degraus de dois em dois.

O que é um casamento, Cleo se perguntava, *senão um sonho privado tornado público, uma fantasia suspensa entre dois mundos como uma cama de gato?* Mas Cleo nunca sonhou em se casar. O que ela fantasiava era com sua primeira exposição solo como artista, um dia dedicado exclusivamente a ela. O que a assustava era que estava sendo mais fácil imaginar a abertura da exposição do que as próprias pinturas. Ela estava aflita com a ideia de ser uma daquelas artistas que se preocupam mais em ser artista do que em fazer arte. Era um medo tão básico, tão desesperadamente comum, que ela nunca o mencionara para ninguém, nem mesmo para Frank.

Como eles não tinham pensado em convidar uma testemunha, Frank voltou correndo para fora e pediu ao vendedor de cachorro-quente para se juntar a eles. Ele surpreendeu os dois ao chorar baixinho durante toda a cerimônia, que durou menos de cinco minutos. Expulso de volta ao sol, Cleo o abraçou enquanto Frank insistia em esmagar uma nota de cem dólares na palma da mão dele antes de se despedir. O casal vagou para o norte até a Canal Street, depois parou e eles sorriram com timidez frente a frente, sem saber o que fazer. Frank ergueu a mão, ainda segurando a dela, para olhar o relógio.

— Temos algumas horas até o jantar. Quer tomar um drinque?

Cleo balançou a cabeça. Eles haviam convidado trinta pessoas para o jantar de casamento, mas, sem dúvida, apareceriam mais. Tudo havia sido apresentado como capricho, uma personificação vertiginosa da idade adulta. Isso não era irracional para Cleo, que acabara de completar vinte e cinco anos, mas Frank já estava na casa dos quarenta. Velho demais, pensou ela, para se considerar jovem demais para se casar. Ela deu uma olhada ao redor. Do outro lado da rua, uma vitrine anunciava leituras de aura por dez dólares.

— O que você acha?

Frank parecia cético.

— Você acha que eles vão me oferecer uma bebida lá?

Eles abandonaram o sol da rua e atravessaram a cortina de contas da loja silenciosa e escura. Cheirava a incenso e refeição para viagem. O som agudo e pungente da música de harpa substituiu a dissonância da Canal Street do lado de fora. Atrás de um balcão que exibia uma variedade de cristais e joias com contas, uma chinesa de meia-idade sorriu para eles.

— Vocês se casaram hoje? — ela perguntou, apontando para o smoking de Frank. — É bom que tenham vindo aqui.

Ela apontou para Cleo se sentar em uma cadeira de espaldar alto, em frente a uma câmera antiquada apoiada em um tripé, e mostrou a ela onde colocar as palmas das mãos de cada lado, em dois discos de metal.

— Tão bonita — comentou ela, olhando para Cleo. — Agora, não se mova.

Ela desapareceu debaixo de um pedaço de pano preto preso na parte de trás da câmera, apertou um botão, que emitiu um *puf* suave, e então reapareceu. Cleo não esperava sentir nada muito profundo quando a foto foi tirada, mas ela esperava um pouco mais do que o tipo de eficiência brusca que se pode encontrar no departamento de trânsito. Frank ocupou o lugar dela, e ela observou-o enquanto ele ajustava a gravata borboleta. Ela viu um flash do eu dele mais jovem, o estudante ansioso do ensino médio tirando a foto para o anuário. Ele olhou para a lente da câmera por baixo dos longos cílios e sorriu, tímido, como se quisesse agradar. A engenhoca soltou outro *puf*, e Cleo sentiu um aperto no coração. Ela o amava de verdade.

Depois eles ficaram no balcão de vidro, olhando para as suas fotos. A aura de Cleo era roxa e amarela, enquanto a de Frank era vermelha e verde.

— Isso significa que somos compatíveis? — perguntou Cleo, ansiosa.

— Há quanto tempo vocês estão juntos? — perguntou a mulher.

— Seis meses — disse Frank.

A mulher fez um sinal de cabeça afirmativo.

— Oitenta por cento do relacionamento — disse ela — é tolerar a diferença.

— Quais são os outros vinte por cento? — perguntou Frank.

A mulher deu de ombros.

— Trepar.

Ela fez o restante da leitura de forma brusca e superficial. A aura de Frank sugeria que ele era criativo, carismático e preocupado com dinheiro. A de Cleo dizia que ela era intuitiva, sensível, teimosa e precisava beber mais chá de ervas. E só. Frank pagou a mulher e fez uma reverência afetada antes que Cleo pudesse puxá-lo de volta pela cortina de contas. Ela olhou para ele com os olhos semicerrados pelo sol.

— O que você acha? — ela perguntou. — Somos compatíveis?

— Bem, nós já demos conta de pelo menos vinte por cento do relacionamento.

Então ele passou os braços ao redor dela e eles se beijaram por um longo tempo, sem autoconsciência ou ostentação, enquanto ao redor deles pirâmides brilhantes de frutas murchavam no calor de Chinatown, fileiras de relógios de diamantes piscavam ao sol e mulheres abriam e fechavam os leques como pensamentos ainda não percebidos.

...

— Felicitações e congratulações!

Santiago sorriu para eles enquanto abria a porta, o corpanzil parcialmente coberto por um avental listrado manchado de molho. Ele estava empunhando uma garrafa de champanhe em uma mão e uma colher de pau na outra. De cabelos rebeldes e constituição robusta, ele lembrava a Cleo algum deus mitológico amistoso. Ela se submeteu a receber um beijo molhado em cada bochecha e a receber na boca uma colherada de beterraba dourada. Por detrás dele, todas as superfícies da cozinha grande estavam cobertas de comida. Havia beterraba com queijo de cabra, filé mignon fatiado ao molho de pimenta-preta moída, ceviche embebido em limão, aspargos assados, mariscos banhados em vinho branco, cuscuz marroquino, lascas de erva-doce e parmesão, três outros tipos de salada, uma composta inteiramente de flores comestíveis.

— O maior chef do mundo — disse Frank, passando o braço ao redor da larga cintura de Santiago. — Lembra de quando você trabalhava naquele lugar que anunciava carnes processadas como se fossem uma coisa boa? E olhe para você agora!

Cleo atraiu a atenção de Santiago e sorriu. Todo mundo que Frank conhecia era o *maior* do mundo. Sua meia-irmã Zoe era a maior atriz, seu melhor amigo Anders era o maior diretor de arte e o maior jogador de futebol amador, e Cleo, bem, Cleo era a pintora mais talentosa, a pensadora mais lúcida, a mulher mais bonita do mundo. Por quê? Porque Frank não poderia ter se casado com mais ninguém.

Frank pegou uma das flores comestíveis da tigela de madeira e a colocou na língua, depois gesticulou para Cleo fazer o mesmo. Ela mordeu um cacho de pétalas amarelas e fechou os olhos. Tinha um sabor apimentado e um pouco doce, como alcaçuz misturado com páprica. Frank fez um som de aprovação e pegou outra.

— Eu sabia que não poderia decepcioná-los — disse Santiago, observando-os. — Vocês dois entendem de prazer. — Ele fez sinal para eles se sentarem à mesa de jantar.

Recentemente, Santiago havia aberto seu próprio restaurante e estava em uma onda de sucesso comercial e de crítica. O loft era uma mistura de objetos falsos e móveis de design extravagante; mesas laterais de blocos de concreto e engradados de caixas de leite vintage misturados com tapetes de couro e espreguiçadeiras modernistas. O efeito era espalhafatoso e impressionante, como um cachorro andando sobre as patas traseiras.

— Como foi a cerimônia? — ele perguntou. — Você sabe que eu também me casei na prefeitura? — Ele piscou para Cleo. — Foi como esta ameaça à sociedade chegou aos Estados Unidos.

— Foi fantástico — disse Frank, usando um pano de prato para abrir a garrafa de champanhe. — Nossa testemunha foi o cara do carrinho de cachorro-quente da rua. Kamal. Gente boa. Ele chorou!

— Você está mentindo para mim. — Santiago bateu palmas de alegria.

— Eu tinha comprado um cachorro-quente dele antes — falou Cleo. — Então ele não era um completo estranho.

— Você não podia ter pedido a alguém de um dos outros casamentos para ser sua testemunha?

— E que graça teria? — perguntou Frank.

— A gente não perde a piada — disse Cleo, apontando para Frank.

— E é por isso que nós o amamos — respondeu Santiago, dando um tapinha no ombro de Frank. — Minha sogra foi nossa testemunha. Parecia, perdão por dizer isso, mas é verdade, que ela estava sentada em um espeto de kebab o tempo todo. Mães desaprovadoras, você sabe como é.

Ele sorriu para Frank.

— Frank não precisa se preocupar com isso comigo — disse Cleo, e emitiu um som que não era bem uma risada.

Frank tocou o alto da cabeça dela. Santiago pegou a garrafa e serviu três taças de champanhe.

— Devíamos mandar uma garrafa disso para Kamal — disse Frank, bebendo quase tudo em um só gole.

— Eu não sabia que você já tinha se casado antes — disse Cleo a Santiago.

— Para conseguir o visto — explicou Santiago. — Ela era uma dançarina que eu conhecia. Mas nós estávamos apaixonados também, você sabe, por um momento.

— O que aconteceu? — Cleo perguntou.

Frank encheu o copo de novo.

— Poxa, cara, ela morreu — disse Santiago. — Overdose. Sim, foi um choque terrível. Linda mulher, linda alma.

Cleo gostaria de fazer outra pergunta, mas Santiago se levantou para verificar a comida, e Frank queria ouvir música, e a conversa se esvaiu como fumaça.

Quando os convidados do casamento começaram a chegar, eles já haviam acabado com duas garrafas de champanhe e provado todos os pratos. A ex-colega de quarto de Cleo, Audrey, foi a primeira a chegar. Quadris estreitos, lábios grossos, coberta de tatuagens de citações de livros que ela só havia lido em parte, ela era o que Frank chamava de uma das desgarradas de Cleo. Cleo foi beijá-la, mas Audrey mostrou a longa língua rosada.

— É assim que os monges tibetanos se cumprimentam — disse ela.

— Eu pensei que você fosse coreana — rebateu Frank.

Audrey revirou os olhos. Cleo cobriu a boca de Frank com a mão.

— Os monges tibetanos bebem champanhe? — ela perguntou e entregou um copo a Audrey.

Audrey mostrou a língua novamente e colocou uma pílula nela.

— Só quando misturado com Clonazepan. — Ela tomou-o com um gole, depois foi procurar Santiago, em cujo restaurante era *hostess*.

Em seguida, Quentin, o amigo mais próximo de Cleo, chegou. Os dois se conheceram durante as primeiras semanas de Cleo em Nova York e se tornaram inseparáveis, um tão solitário e à deriva quanto o outro. Quentin crescera entre Varsóvia e Nova York; a avó era uma herdeira polonesa que acreditava que não existiam gays no seu país, o que significava que Quentin não precisaria trabalhar nem um dia da sua vida, mas também teria que ficar no armário em troca disso. Para a família de Quentin, Cleo tinha sido a namorada dele nos últimos dois anos.

— Eu ainda não perdoei você por não me pedir para ser sua dama de honra — disse ele, beijando Cleo. — Mas eu trouxe um presente de casamento. E custou muito caro.

— Querido, eu não acho que você deveria dizer isso a eles.

Esse era o namorado ocasional de Quentin, Johnny. Johnny tinha os trejeitos de um rato pelado e a mesma expressão furtiva, como se procurasse sempre um buraco por onde desaparecer. Ele era uma escolha estranha para um parceiro de Quentin, cuja natureza era como a grande estreia de espetáculos.

— Sempre pensei que você seria o primeiro a se casar com ela — disse Frank.

— Eu também — concordou Quentin com tristeza.

Os outros convidados chegaram, e Cleo ocupou seu lugar à cabeceira da mesa. Ela distribuiu pratos, apresentou conhecidos e aceitou parabéns quando a sala ficou alegre e barulhenta. A maioria era de amigos de Frank; publicitários, arquitetos e designers, pessoas que encontraram a interseção entre criatividade e economia, que fizeram coisas bonitas, mas não sofreram para isso. Ela sorriu, encheu os copos e tentou se concentrar nas conversas que aconteciam ao seu redor.

— As pessoas não sabem, mas o polonês é uma língua muito poética — comentou um acadêmico careca, que não falava polonês, a Quentin, que falava. — Você sabia que quando traduziram *Os Flintstones*, fizeram tudo em rimas?

— Desculpe, eu nunca retornei a ligação — exclamou um convidado para outro do outro lado da sala. — Joguei meu telefone pela janela depois de um corte de cabelo ruim!

Cleo se levantou e tentou passar pelos convidados para ir ao banheiro.

— ... E agora ele só quer falar de ayahuasca — dizia uma mulher de turbante à Zoe. — Ele vai ao Peru para as cerimônias e age como se tivesse aprendido uma habilidade rara. Para mim, querida, é uma droga, não um diploma.

— Meu professor de teatro disse que neutralizou completamente o ego — disse Zoe. — Pelo menos por algumas semanas.

Zoe era o único membro da família que eles convidaram. Com dezenove anos, ela também era a pessoa mais jovem ali.

Frank e Zoe, apesar de serem meio irmãos, não eram quase nada parecidos, em parte por causa da diferença de idade, em parte porque o pai de Zoe era negro e o de Frank, assim como sua mãe, era branco. De óculos, sardento e cabelo encaracolado, Frank era bonito e charmoso, mas quase nunca era a pessoa mais bonita da sala. Zoe, por outro lado, era estonteante. Seu rosto tinha a simetria de uma escultura de Brâncuşi. O cabelo era um emaranhado de cachos com raios de cobre e ouro. Ela parecia não ter poros. Toda vez que Cleo olhava para ela, não conseguia deixar de procurar uma falha.

A mulher de turbante virou-se para incluir Cleo na conversa. Cleo conseguiu se lembrar do trabalho dela como crítica gastronômica, mas não do seu nome. *Este era*, ela pensou, *um tipo de lapso de memória comum aos nova-iorquinos.*

— Cleo, você cria — ela declarou com vivacidade. — Você acha que tomar ayahuasca melhoraria sua pintura?

— Acho que preciso do meu ego — disse Cleo, e riu. — É praticamente a única coisa que me leva para a tela nos dias de hoje.

— Bem, Frank diz que você é muito talentosa — fungou a crítica gastronômica de turbante. — Talvez sua geração recupere finalmente a proeminência da pintura para o mundo da arte.

Cleo sorriu de forma graciosa. Mesmo nos seus textos, essa crítica tinha um jeito de fazer elogios com ar de má vontade, como se tivesse apenas um número finito deles e nunca tivesse certeza se era a ocasião certa para utilizá-los.

— É o que espero — disse Cleo.

— Não que Frank fosse tendencioso ou algo do tipo — disparou Zoe.

Cleo ficou decepcionada. Toda vez que se encontrava com Zoe, ela ficava com a sensação de que a garota não gostava dela. Claro, isso só a deixou mais ansiosa por uma opinião positiva de Zoe, embora ela sentisse o desconforto de estar ciente de que estava procurando a aprovação de uma adolescente mal-humorada. Cleo havia mencionado a tensão para Frank antes, mas ele escapou do conflito com sua habitual leveza.

A crítica gastronômica parecia ter perdido o interesse na conversa agora que ela não estava mais falando, e um silêncio constrangedor surgiu entre Cleo, que ainda estava se esforçando para parecer despreocupada, e Zoe, cujos olhos dourados estavam pousados nela com uma calma predatória. Felizmente, Frank logo começou a chamar o nome de Cleo do outro lado da sala.

— Cley, você precisa ouvir essa história do Anders! — ele gritou, ainda rindo. — Você também, Zo!

Frank havia abandonado a cartola e o casaco, mas deixou o guardanapo enfiado na camisa. Os óculos estavam ligeiramente tortos, um sinal revelador de que ele já estava a caminho de ficar bêbado. Zoe apressou-se, e Cleo foi seguindo atrás dela.

— Sente-se aqui, minha noiva — disse Frank e puxou Cleo para o colo.

— Então eu vou começar do começo — disse Anders.

Zoe, para quem não havia lugar disponível, observava por cima do ombro de Anders. Anders era da Dinamarca e trabalhou durante muitos anos como diretor de arte de Frank, antes de sair para chefiar o departamento de arte de uma revista de moda feminina. Assim como Zoe, ele era atraente em grau que beirava a injustiça, na verdade, era um ex-modelo, mas enquanto Zoe parecia irradiar seu próprio calor, Anders emanava uma frieza nórdica.

— Então — começou Anders —, eu lesionei meu joelho jogando tênis.

— Em um jogo que eu ganhei, se bem me lembro — disse Frank.

— Você só se "lembra" dos jogos que ganha — resmungou Anders. — E não é uma vitória se seu oponente está machucado, é? De qualquer forma, eu fui para casa e a dor estava muito forte, quase insuportável. Lembrei de ter uns relaxantes musculares que sobraram de uma lesão de anos atrás. Estavam vencidos, mas pensei "tudo bem, vou tentar tomar um". Tomei, me esqueci de tudo, passei a tarde na cobertura do prédio com os amigos tomando cerveja, talvez uma garrafa de rosé. Percebi que precisava ir ao banheiro, então entrei no elevador e apertei o botão do meu andar. Naquela época, eu morava em um apartamento onde o elevador dava direto para...

— Ótimo apartamento — comentou Frank.

— Sim, era muito bom — concordou Anders. — Aí, de repente, percebi que...

— O que aconteceu com ele? — perguntou Frank.

Anders fez um gesto de pouco caso com as mãos.

— Christine ficou com ele depois que terminamos, você sabe disso. Ela ainda mora lá com o filho.

— Aquela puta — disse Frank.

— Frank — disse Cleo.

— Cleo — disse Frank. — Você não conhece aquela mulher. Se você olhá-la por dentro, em vez de um coração, encontrará um ábaco.

— Você não deveria chamá-la... — disse Cleo.

— Você prefere que eu a chame de vadia?

— Prefiro que você não a chame de nada.

— Qual é o plural de ábaco, afinal? — perguntou Frank. — Abaci?

— Não é — disse Zoe com confiança.

Cleo duvidava que Zoe já tivesse visto um ábaco.

— O elevador desceu — continuou Anders. — As portas se abriram e percebi que não conseguia me mexer. Estava paralisado, fodido. Se eu soltasse o corrimão, tombaria como uma árvore.

— Já passei por isso. — Frank assentiu. — Duas pastilhas de ácido em uma fazenda no norte do estado quando eu tinha dezesseis anos. Acabei deitado em um chiqueiro de porco a noite toda.

— O que você fez? — perguntou Zoe.

— Nada — disse Frank. — Eu não consegui sair do chiqueiro.

— Não *você* — falou Zoe.

— Eu também não conseguia fazer nada! — disse Anders. — Esperei, fiquei esperando recuperar o movimento logo, e finalmente o elevador foi chamado para outro andar. As portas se abriram e uma jovem família estava no apartamento olhando para mim. Esqueci de mencionar que estava só de shorts, sem camisa, sem tênis, e não podia nem abrir a boca para pedir desculpas.

— Sexy — ofereceu Zoe.

— Nem pense nisso — repreendeu Frank.

— Fiquei ali olhando, como um grande viking babando, enquanto eles se escondiam no canto do elevador — disse Anders. — Eles tiveram medo de mim!

Frank riu e estendeu a mão atrás de Cleo para pegar um dos profiteroles que Santiago estava desfilando pela sala enquanto cantava "That's Amore".

— No final, voltei para a cobertura e todos ficaram perguntando onde eu estive — continuou Anders. — Expliquei a situação, disse como finalmente me arrastei de bruços do elevador até o banheiro, me apoiei no toalheiro para fazer xixi, o que, como você pode imaginar, não deu muito certo. E sabe o que eles disseram? "Ei, cara, isso parece incrível! Você tem mais comprimidos?" Estou lhe dizendo, naquele momento, percebi que nunca vou entender os americanos.

Zoe, cansada de ficar de pé, ou talvez de não ser o centro das atenções, espremeu-se ao lado de Anders, no estreito conjunto de caixas de maçãs em que ele estava empoleirado, um movimento que teria sido difícil se Zoe não fosse leve como uma pomba. Anders sorriu, revelando uma boca de dentes irregulares e desiguais, e a perfeita simetria de seu rosto se desfez momentaneamente.

— É verdade, os americanos são todos viciados em comprimidos — concordou Frank. — Já ouvi isso antes.

Zoe bagunçou o cabelo loiro de Anders. Cleo se perguntou se eles iriam dormir juntos, ou se já tinham dormido. Isso não era difícil de imaginar, já que Anders tinha dormido com todo mundo, inclusive com Cleo.

— Não estou dizendo que são todos viciados em drogas — disse Anders. — Estou apenas apontando que há uma diferença cultural em termos de atitudes em relação à automedicação. Me ajude aqui, Cleo.

Aconteceu logo depois que ela conheceu Frank, quando ela ainda pensava que sairia do país em alguns meses, depois de uma festa com um open bar, posteriormente letal. Após uma transa breve e insatisfatória no seu sofá Chesterfield, Anders a dispensou sem formalidades. *Tenho certeza de que você prefere ir dormir em sua própria cama.*

— Anders acha que todo mundo nos Estados Unidos está usando alguma coisa — explicou Frank.

— O *boom* da indústria farmacêutica aqui fala por si — rebateu Anders.

Tudo o que Cleo precisava saber sobre luxúria e humilhação ela aprendeu no momento em que se viu voltando para casa, depois de sair do apartamento de Anders com o sêmen dele ainda cobrindo seu estômago. Nenhum dos dois havia contado a Frank.

— Está bom, vamos reduzir ao mínimo as críticas culturais — disse Frank. — Já que Cleo está prestes a se tornar uma de nós.

— O quê? — Cleo retornou à conversa ao ouvir seu nome.

— Você está se tornando americana — disse Zoe, incisiva.

— Certo? Não é para isso que serve tudo isto?

Ela apontou o longo dedo ao redor da sala.

— É. Quer dizer, não — gaguejou Cleo.

— Primeiro é preciso pedir um visto permanente — explicou Anders. — É isso o que ela quer dizer. — Ele dirigiu a ela um olhar tranquilizador.

— Primeiro vem o amor, depois vem o casamento, depois vem um pedido de *green card* e um monte de papelada — cantou Frank.

A bainha do vestido de Cleo tinha virado sobre o joelho. Ela olhou para baixo para alisá-la e notou, pela primeira vez, uma pequena etiqueta de seda na costura. Escrito em cursivo feminino havia uma palavra: "*Intimates*". Então era uma camisola. Ela tinha usado uma camisola no seu casamento. Lentamente, Cleo inclinou a cabeça.

— Só nunca perca seu sotaque — pediu Zoe, passando o braço ao redor da cintura de Anders para garantir ainda mais o seu assento. — Os sotaques britânicos são tão difíceis de acertar. Meu preparador de voz diz que tenho um sotaque parecido com o Cockney.

— Eu nunca perdi o meu — lamentou Anders. — Infelizmente.

— Verdade, você ainda soa como o Exterminador do Futuro. — Frank riu.

— Ele era austríaco, seu imbecil — disse Anders.

Cleo olhou para cima ao ouvir o seu nome sendo chamado do outro lado da sala. Ela se virou para ver o rosto de Audrey espiando pela porta do banheiro, murmurando *Socorro*. Cleo se levantou, pediu licença e deu um beijo na boca de Frank. Outra lufada de vinho.

— Não se esqueça de beber água — disse ela.

Audrey estava debruçada sobre a pia quando Cleo entrou, esfregando ferozmente uma mancha de vinho tinto que estava na frente de sua blusa. Parecia uma tentativa inútil até que Audrey se lembrou de que o truque para as manchas de vinho tinto era derramar vinho branco sobre elas, algo referente a neutralização. Cleo correu para a cozinha, voltou com uma garrafa de *pinot grigio* da geladeira e, seguindo as instruções de Audrey, começou a espirrar o vinho no peito de Audrey, enquanto ela estava na banheira, ofegante.

— Que merda, estou encharcada. Saiu?

Cleo olhou para a blusa de Audrey, que agora estava com um tom amarelado de urina e a mancha vermelha inalterada no centro. Audrey a puxou do corpo, fazendo um barulho ao desprender o tecido molhado de sua pele, e o inspecionou. Elas trocaram um longo olhar, então caíram na risada. Audrey tirou a blusa e ficou de sutiã.

— Você acha que eu posso usar isso?

— Espere — disse Cleo, saltando para fora da banheira e abrindo o cesto de roupa suja. Ela tirou uma camisa que parecia limpa o suficiente e a ofereceu para Audrey. Era tão comprida que parecia um vestido nela. Ela prendeu-a na cintura com o cinto, depois se inspecionou no espelho.

— Nada mal. — Ela levantou o colarinho. — De qualquer forma, a única roupa da qual alguém vai lembrar é da sua.

Cleo sentou-se na borda fria da banheira com os joelhos unidos. O cabelo dela formava uma cortina ao redor do rosto inclinado para baixo.

— Audrey — ela sussurrou. — Parece que estou vestindo uma camisola?

Audrey se virou e se ajoelhou na frente dela.

— Essa é uma pergunta muito estranha, Cley — disse ela. — Você parece um verdadeiro anjo.

Audrey puxou a cortina de cabelos e beijou-a no rosto, depois voltou para o espelho para acertar o delineador com a ponta do dedo.

— Anders é bonito como um *serial killer* — falou o reflexo de Audrey. Cleo concordou lentamente, tentando manter o rosto neutro. — Eu já te contei sobre a vez que ficamos juntos?

— Vocês ficaram?

Cleo ficou surpresa ao sentir uma pontada de ciúme.

— Há séculos — disse Audrey. — Foi como um armário, com uma chavinha para fora, caindo em cima de mim.

Cleo sentiu o rosto começar a ficar vermelho de vergonha. Mas não, era outra coisa, algo mais leve, mais quente. Era o riso.

— E ele tentou enfiar, você sabe, atrás — disse Audrey.

— Não!

As duas garotas estavam rindo. Audrey encostou-se na pia para recuperar o fôlego

— Talvez seja por isso que ele nunca me telefonou — ela suspirou.

— Você acha?

— Se eu gostasse de anal — disse ela —, a minha vida toda poderia ser diferente.

A sobremesa havia sido servida enquanto elas estavam no banheiro. Além da torre de profiteroles, havia bandejas de prata com morangos mergulhados em chocolate branco, pratos de cerejas Rainier vermelhas e amarelas, tigelas de chantilly e doce de leite morno, potes de amêndoas cobertas de açúcar rosa e uma caixa de charutos de chocolate. Os convidados mal tocaram nos doces. Cleo suspeitava que havia tanta cocaína circulando que metade deles não tinha apetite algum. Ela se consolou um pouco ao pensar que o bolo pelo qual ansiava em segredo — em três camadas com *buttercream* e glacê enfeitado, fitas de cetim branco e uma cascata de rosas cor-de-rosa suave — também não teria sido apreciado.

Santiago bateu no copo com uma colher e pediu silêncio. Ele estava se equilibrando com dificuldade em um engradado de leite, envolvendo a sala com um sorriso. "Discurso!", gritou um dos convidados fumando à janela. "Silêncio para o discurso!"

Alguém foi abaixar a música e a conversa silenciou de repente, como se o botão de volume controlasse a sala toda.

— Não sou bom com palavras — começou Santiago, batendo nervosamente com a colher na coxa. — Eu expresso meus sentimentos por meio da minha comida. Mas eu queria dizer algo para comemorar esta linda ocasião entre dois queridos amigos, um velho e um novo.

— Você quer dizer um velho e uma jovem! — alguém gritou para uma saraivada de aplausos.

— Mas os dois são jovens de espírito — retrucou Santiago. — Cleo e Frank, vocês dois se conheceram nesta mesma casa.

Ou, pelo que entendi, no meu elevador. Agora vejo vocês dois sentados aqui, tão felizes e apaixonados, cercados de amigos, e espero que não se importem se eu expressar um pouco do meu orgulho de casamenteiro. E então eu ofereço a você estes versos de *Dom Quixote* que são muito amados no meu país: "*El amor mira con unos antojos que hacen parecer oro al cobre, á la probreza riqueza, y á las lagañas perlas*".

Santiago olhou em volta esperando um vago murmúrio de aprovação.

— Ah, vejo que tenho que traduzir para vocês, gringos. Significa "O amor olha através de óculos que fazem o cobre parecer ouro, a pobreza parecer riqueza e as lágrimas parecerem pérolas". — Ele se virou para Cleo e Frank com um sorriso caloroso. — Mas, é claro, aos meus olhos vocês dois já são ouro.

A sala irrompeu em aplausos e em um barulho de talheres batendo nos copos.

— Agora — disse Santiago, radiante. — Vamos nos embebedar e dançar.

Eles empurraram os móveis para perto das paredes, empilharam pratos de comida pela metade e cigarros apagados na mesa de jantar. O som de uma banda brasileira estridente, agitada e alegre, encheu a sala. Uma das amigas de Cleo, uma dançarina treinada na Companhia de Dança Batsheva que virou babá, executou uma sequência de movimentos acrobáticos que resultou na derrubada de vários potes de peônias e um maquiador francês sendo chutado no rosto. Garrafas vazias empilhadas no balcão da cozinha, na mesa, nos peitoris das janelas. Todo mundo queria colocar a próxima música.

Cleo estava dançando descontraída, apoiada em Quentin, quando Frank a pegou no meio do giro e a levou pelo corredor, longe dos convidados, para o quarto de Santiago. A cama estava coberta de presentes. Ele fechou a porta quando entraram.

— Eu nem vi você direito — queixou-se ele, puxando-a para si.

Eles se beijaram de um jeito profundo e com vontade. Podiam ouvir as pessoas rindo lá fora. Alguém mudou a música, e o som de uma velha faixa de soul deslizou por baixo da porta, o familiar *riff* de guitarra enchia a sala. Frank a pegou nos braços e a guiou ao redor da cama. Ele era um dançarino surpreendentemente suave com uma confiança que vinha com a idade. Foi uma das coisas que a deixou mais feliz a respeito dele.

— Nossa primeira dança. — Frank estava rindo. — A primeira dança de casados.

Ele curvou-a para trás, perto do chão, e o coração dela parou. Ele estava bêbado. Ele a deixaria cair. Mas ele a puxou de volta e a segurou, balançando devagar os quadris dela no ritmo dele. Então ele foi baixando as alças do vestido, uma de cada vez. Cleo ficou em uma poça de seda azul no chão. Ela estava usando calcinha de renda branca com uma rosinha cor-de-rosa no centro, sua única concessão ao traje tradicional de noiva.

Ele recuou para admirá-la. Ela se sentia muito jovem, muito bonita. Encantar os outros, encantar-se com eles, era o que ela sempre desejara. Frank a puxou para frente e beijou-a nas orelhas, no pescoço, nos ombros, nos mamilos. Ele se ajoelhou para beijá-la no peito, no umbigo, nos quadris.

— Você tem um gosto — ele disse, tendo na boca o sabor da pele dela. — Delicioso.

Ele pegou-a e sentou-a na cômoda. Cleo apoiou a cabeça no espelho. Em frente a ela, a janela emoldurava um quadrado de céu lavanda na janela. Ele separou as pernas de Cleo e se ajoelhou diante dela. Com delicadeza, Frank deslizou a calcinha para o lado e a puxou para sua boca. As mãos dela estavam no cabelo dele, segurando a parte de trás da cabeça. A língua de Frank era como uma pequena chama. Cleo virou os olhos para o teto e gemeu. Então Frank deslizou os dedos para dentro dela, movendo-os lentamente enquanto a chama de sua língua a lambia, e havia apenas calor, sem nenhum pensamento. Ela colocou os dedos em sua boca. *Demais.* Ela jogou a cabeça para trás com um grito agudo.

A cabeça de Frank reapareceu. Os olhos dele circundavam a cabeça dela.

— Você está bem?

Cleo se virou para ver o que ele estava olhando. Era uma rachadura fina no meio do espelho. Pendurado na fissura estava um único fio de cabelo loiro. Ela tocou a parte de trás da cabeça com as pontas dos dedos.

— Está sangrando? — ele perguntou.

— Acho que não — disse ela. — Eu nem senti.

Frank sorriu.

— Porque você estava ocupada com outra coisa.

Ele foi inspecionar a cabeça dela e a beijou suavemente no topo.

— O que vamos dizer para o Santiago? — ela perguntou.

— Ele não vai notar — disse Frank, confiante. — Vamos. — Ele a tirou da cômoda e entregou-lhe o vestido que estava no chão. — Fuja da cena do crime.

Saíram do quarto e encontraram Quentin enfraquecido, apoiado na parede do lado de fora. Ele tinha uma caixa embrulhada para presente nas mãos.

— Eu sei — disse ele — o que vocês dois estavam fazendo.

— O coração dela já é seu — disse Frank, e riu. — Me deixe ficar com o corpo.

— Não seja vulgar — disse Quentin. — Quer abrir o seu presente de casamento?

Cleo desamarrou as fitas de gorgorão e deslizou a tampa da caixa, afastando camadas esvoaçantes de papel de seda. Dentro havia um ovo Fabergé. Era o creme e o azul dos céus pintados por Michelangelo, envoltos em uma treliça dourada cravejada de brilhantes. Cleo tirou-o da caixa com cuidado; ele estava sobre quatro pernas douradas em arabesco, como uma carruagem em miniatura, e parecia surpreendentemente pesado nas mãos dela.

— É tão lindo — ela suspirou. — Ah, Quentin.

— Não é verdadeiro — disse Quentin logo. — Da Rússia imperial ou coisa do tipo. Eles valem uns três milhões de dólares. Mas é da mesma empresa. E, bem, eu achei que você ia gostar.

Frank passou o braço pelos ombros de Quentin e os apertou.

— É ótimo — falou ele. — Tão a cara da Cleo.

— Tem mais — disse Quentin. — Quando o primeiro desses ovos foi dado à família real russa, havia uma surpresa dentro. Uma gema de ouro, e dentro dela havia uma galinha de ouro, e dentro dela havia uma pequena coroa. Cada ovo deve ter uma surpresa dentro. Então... Abra.

No alto da peça havia um fecho dourado segurando cada lado da treliça. Cleo clicou nela e o ovo se abriu. Dentro havia um pedestal dourado fino, projetando-se a partir de um piso azul-celeste. Ele continha um baú pequeno de metal incrustado de pedras.

— Abra esse também — falou Quentin.

Cleo levantou a tampa do baú com a ponta do dedo. Dentro havia um frasco de pó branco. Frank explodiu em gargalhadas.

— Acho que esta parte do presente é para o Frank — disse Cleo.

— Para vocês dois — corrigiu Quentin. — E para mim.

— Obrigada — falou Cleo, fechando o ovo e beijando o rosto de Quentin. — É meu novo objeto favorito.

Ela foi colocá-lo na cama de Santiago, mas Quentin agarrou-a pelo braço e puxou-a para o banheiro.

— Não, não — disse ele. — Você vai entrar aqui comigo.

Cleo entregou o ovo a Frank com um sorriso cansado. Era claro que ela estava destinada a passar a maior parte do seu casamento no banheiro.

— Vou entreter a plebe — disse Frank. — Vá.

Quentin puxou-a e fechou a porta. Ele retirou sua própria droga e pegou as chaves.

— Eu teria me casado com você, você sabe. — Ele levou uma chave até a narina e cheirou-a com força. — Se você precisasse de mim.

— Eu amo Frank. — Sua voz estava mais afiada do que ela pretendia. — Não é só pelo *green card*.

— Eu sei, eu sei — disse Quentin. — É tão estranho que você seja realmente casada.

Cleo estava olhando no espelho, prendendo o cabelo em uma trança, mais para ter o que fazer com as mãos. Ela tocou a parte de trás da cabeça com cuidado. Lá estava o ponto sensível da batida no vidro. Quentin ofereceu a chave, mas ela balançou a cabeça. Ele deu de ombros e inalou-a ele mesmo.

— Há razões piores para se casar com alguém — disse Cleo.

— Existem melhores — disse Quentin, esfregando as gengivas com o dedo.

— E como você saberia? — Cleo disparou.

— Ei. — Quentin se aproximou e se colocou atrás de Cleo. Ele passou os braços em volta da cintura e apoiou o queixo no ombro dela. — Calma. Ninguém acha que você fez algo errado. Eu sei que vocês se amam. Eu sempre vou te amar melhor, só isso.

— Eu sei — disse Cleo. — Limpe o nariz.

Quentin pegou um pedaço de papel higiênico e assoou o nariz nele, inspecionando o conteúdo antes de jogá-lo na lixeira.

— Eu definitivamente te amo mais do que Johnny me ama — disse ele. A voz era firme e intensa. — Acho que ele está me roubando. Bem, acho que ele está roubando minhas vitaminas. Eu não estou brincando! Centenas de dólares em vitaminas. Mas quando perguntei, ele ficou louco e alegou que devo ter tomado todas e esquecido. Quem por acaso toma tantas vitaminas e se esquece? Ele não deixou nem meu magnésio, que você *sabe* que eu preciso para ficar estável.

— Isso é terrível — disse Cleo, reprimindo um sorriso. — O magnésio é... Bom, é fundamental, realmente. Essencial.

— Pelo menos você sabe que Frank nunca vai roubar suas paradas — falou Quentin. Ele olhou-a de alto a baixo. — Não que você tenha muita coisa para ser roubada.

— Sabe, eu gostaria que ele colocasse isso no juramento — disse Cleo, desviando-se do insulto antes que ele pudesse ser absorvido. — Eu prometo te amar, te proteger, e nunca roubar suas paradas inúteis.

— Ou segurar sua mão na chama de um fogão — disse Quentin. — Como o meu pai fez com a minha mãe.

Quentin tinha um talento especial para levar uma conversa do claro ao escuro, como apagar uma luz.

— Ele realmente fez isso? — perguntou Cleo.

Ele estava olhando para baixo. Seus longos cílios lançavam sombras de plumas sobre seu rosto.

— Polônia. — Quentin deu de ombros como explicação.

— Eu não sabia — disse Cleo.

— Por que você saberia? — Ele olhou para cima e de repente seu rosto estava vívido com a possibilidade. — *Agora* você vai cheirar uma carreira comigo?

Cleo revirou os olhos e cedeu com um leve aceno de cabeça.

— Você está linda — ele falou enquanto ela se ajoelhava ao lado dele sobre o assento do vaso sanitário. — Como uma noiva criança.

Do lado de fora do banheiro, um grupo estava se reunindo em volta da porta da frente, lutando para encontrar os sapatos e encher os copos. As tigelas de creme e doce de leite estavam marcadas por pontas de cigarro. Zoe estava desmaiada no sofá com o paletó do smoking de Frank sobre ela.

— Você está aí — disse Frank enquanto caminhava até ela. Ele estava esfregando os olhos com os nós dos dedos, para frente e para trás, como uma criança sonolenta. — Vamos subir na cobertura do prédio para ver os fogos de artifício. Fogos de artifício de casamento.

— E qual é a diferença? — Cleo perguntou, mas Frank já estava desaparecendo, subindo a escada.

No alto do prédio, o horizonte cintilante de Manhattan se estendia diante deles contra um céu preto aveludado.

— Eu tinha alguns fogos de artifício que sobraram do feriado prolongado — disse Santiago, desempilhando os pacotes de néon. — Mas eu tenho alguns novos para esta ocasião.

Memorial Day, o dia em homenagem aos soldados mortos nos Estados Unidos. Parecia ter sido há muito tempo, mas, na verdade, passaram-se apenas algumas semanas. O visto de estudante de Cleo tinha vencido no final do mês, e a empresa para a qual ela trabalhava como designer têxtil não podia financiá-la. Como um último "Viva!", ela presumiu, Frank levou-a para sua cabana que quase nunca era usada, no norte do estado. Como nenhum dos dois sabia dirigir ou era dado a tarefas domésticas, foram três dias de camas desfeitas, cereais para o jantar e pura felicidade particular.

Frank foi para o outro lado da cobertura e tentou montar um dos fogos de artifício, apoiando-o entre duas garrafas de vinho. Ele cambaleou para frente, espalhando as garrafas ao redor dos pés.

— Ei, cara — disse Santiago, vindo por trás para segurá-lo. — Pode deixar que eu faço isso. Vá assistir com a Cleo.

— Quem tem um isqueiro? — Frank gritou, ignorando-o. Ele bateu nos bolsos da calça. Alguém jogou um para ele, mas escapou, voando pela lateral da cobertura para o além, na escuridão. Anders surgiu pela porta e, trocando um longo olhar com Santiago, conseguiu levar Frank de volta para onde uma multidão de convidados havia se reunido para assistir. Cleo segurou a mão dele.

Foi no trem, na volta para casa de Hudson, que Frank a pediu em casamento. Ela estava sonolenta, apoiada no ombro dele, o rosto dele pressionado contra o topo da cabeça dela. *Cleo, minha Cleo.* Uma faixa preta de rio corria ao lado deles, mal distinguível dos campos escuros e das árvores distantes. *O que você acha?* Ela podia ver o reflexo esbranquiçado do rosto de Frank brilhando na janela. Parecia um santo. *O que você acha de nos casarmos?*

Santiago gritou para que todos se afastassem enquanto ele e Anders acendiam os primeiros fogos de artifício. Raios brilhantes de luz dispararam atrás deles, estáticos por um instante no formato de estrelas. O céu crepitava com a luz. De repente, Frank soltou a mão dela correu pela cobertura, curvado para a frente. Ele se atirou em direção a um foguete e o acendeu direto na mão, lançando-o em um ângulo que por pouco não atingiu o ombro de Anders.

— Que porra é essa? — Cleo podia ouvir Anders gritando, enquanto Frank corria de volta.

Ele pegou a mão dela novamente e apertou-a com força. Faíscas caíram sobre eles. Os fogos de artifício ganharam força, iluminando os rostos da multidão na cobertura em flashes. Cleo observou o perfil de Frank na luz. *Bum, Bum, Bum.* Ele estava olhando para frente, o maxilar cerrado, os olhos úmidos e reflexivos.

Ela não havia contado a Quentin qual tinha sido o verdadeiro juramento de Frank. Ele a surpreendeu ao pedir para dizer algo no final da cerimônia, depois que o roteiro de sempre havia sido lido. Ele estava visivelmente nervoso, sua sociabilidade habitual havia desaparecido. Quando enfim abriu a boca, falou uma única frase. *Quando a parte mais sombria de você encontra a parte mais sombria de mim, ela cria luz.*

CAPÍTULO TRÊS

JULHO

Menos de um mês depois do casamento de Cleo e Frank, Quentin e Johnny se separaram. Cleo havia parado de passar todo o seu tempo livre com Quentin, o que significava que de repente ele tinha muita energia extra para dedicar a Johnny — e encontrá-lo carente. Acabou que Johnny era apenas mais uma rainha católica irlandesa com problemas com bebida. Ele tinha pais republicanos que ele adorava secretamente, e um tipo de pelo no corpo que poderia ser descrito como uma pele de animal. Quentin estava melhor sem ele.

Agora que Johnny tinha ido embora e Cleo estava sempre ocupada com Frank, Quentin tinha tempo para fazer o que quisesse, como ficar acordado a noite toda assistindo anime, fumar na cama, ou ir a orgias exclusivas para convidados — que era exatamente o plano para aquela noite. O convite estava guardado no seu armário na academia: "Nós queremos você. Evento Privado. Envie um e-mail para saber dos detalhes". Ele já tinha ouvido falar dessas festas antes, dirigidas por uma rede clandestina de gays cuja missão era trazer de volta o sexo grupal pré-Aids em ambientes seguros e glamourosos. Esse era seu primeiro convite, e o conhecimento de que ele tinha sido observado, escolhido, gerou uma extensa onda de prazer.

Johnny nunca teria permitido isso. Ele era muito sério, muito crítico. De qualquer forma, Quentin só pretendia dormir com ele uma ou duas vezes, mas Johnny se insinuara na vida de Quentin com sua ajuda agressiva. Para a festa de aniversário de Quentin, com tema da Revolução Francesa, por exemplo, Johnny comprou um livro antigo de receitas francesas e se ofereceu para fazer qualquer bolo que Quentin quisesse. Quentin escolheu uma torta de peras formada por centenas de pétalas de massa, dobradas e vitrificadas individualmente, não porque gostasse, em especial, de tortas de pera, mas porque parecia a mais trabalhosa. Johnny tinha feito a torta para ele sem reclamar, e quando Quentin ficou diante do brilho âmbar das suas velas de aniversário de 26 anos, olhando para aquelas centenas de pétalas de massa dobradas e vitrificadas individual-mente, ele teve certeza de que a torta era prova de um amor tão puro, tão obediente, que ele nunca encontraria outro igual.

Mas desde quando admitiu para Cleo que Johnny o estava roubando, ele ficou cada vez mais desconfiado de que talvez fosse ele, e não Johnny, quem estivesse tirando proveito. Tudo veio à tona alguns dias antes, quando Quentin, que gostava de manter o apartamento grande de arenito a uma temperatura baixa de vinte graus durante os meses de verão, foi vestir seu suéter de caxemira laranja favorito. Depois de procurá-lo em vão, ele desceu as escadas e encontrou Johnny usando-o.

— Esse suéter é meu — disse ele.

— E daí?

— Você sabe que é o meu favorito. Comprei na liquidação da Barneys Warehouse com Cleo.

Johnny revirou os olhos.

— Você está um pouco obcecado, querido.

— Com a Barneys?

— Com Cleo.

Quentin emitiu um som suave, entre o desdém e o cons-trangimento.

— Ela é minha melhor amiga.

— Não deveria ser eu? — perguntou Johnny.

Ele comeu uma colherada do cereal de chocolate orgânico de Quentin que estava na tigela de cerâmica de Quentin. Um fio de leite marrom escorria de seu queixo pela frente do suéter de Quentin. Johnny lambeu os dedos e cutucou a mancha. Quentin vacilou. O dedo de Johnny só conseguiu aprofundar ainda mais o leite nas fibras do tecido. Um leve gotejamento marrom ainda era perceptível sobre a caxemira laranja. Quentin podia sentir o calor aumentando atrás dos seus olhos.

— Tire isso — disse ele.

— O quê? — Johnny riu. — Não.

Quentin levou as mãos trêmulas às têmporas.

— *Tire!* — ele gritou.

A boca de Johnny se abriu por um instante. Manchas marrons de chocolate se acumularam nos cantos. Ele levantou e arrancou o suéter, revelando a barriga macia e sardenta por baixo.

— Pelo amor de Deus, Quentin! — Johnny arremessou o borrão laranja contra ele. — É apenas um *objeto*. É importante? Te faz feliz?

— Não me deixa infeliz — respondeu Quentin.

— Objetos não são pessoas, Quentin — disse Johnny com a satisfação presunçosa de quem é de fato obtuso.

— *Objetos* não me tratam como um imbecil — rebateu Quentin. — *Objetos* não roubam minha identidade.

— *Roubar sua identidade?* — Johnny apertou o peito nu e lançou olhares suplicantes pela sala, como se estivesse se apresentando para uma plateia um de *talk show* diurno. — Cleo te disse isso?

Ela não tinha dito, na verdade — ela sempre manteve a boca diplomaticamente fechada sobre o assunto Johnny — mas era interessante fazer Johnny pensar que ela tinha falado.

— Ela está apenas tentando me proteger — disse Quentin em um tom afetado. — É isso o que os *melhores* amigos fazem.

Johnny fechou a cara em uma carranca nada atraente.

— Vadia britânica — zombou ele.

— Você gostaria mais dela se ela fosse de Ohio como você? — retrucou Quentin.

— Pela centésima vez, Quentin, Cincinnati é uma das cidades mais *europeias* dos Estados Unidos.

Quentin não conseguiu conter a gozação.

— Veja só! — exclamou Johnny. — Você é um esnobe tanto quanto ela. Vocês dois me deixaram sozinho por uma *hora* no casamento dela. É óbvio que ela não acha que eu sou bom o bastante para você.

— Talvez seja porque você não é — disse Quentin.

Johnny suspirou de um jeito dramático.

— Tudo o que eu fiz foi te amar — disse ele. — Você está muito fodido para entender esse sentimento.

— Talvez — disse Quentin. Ele se abaixou para pegar o suéter e pendurou-o no ombro, juntando a ele todo o seu orgulho. — Mas vou me contentar em saber como é a caxemira italiana.

Quentin ficou orgulhoso dessa fala, que ele achava que parecia saída de um filme, alcançando o timbre certo entre resignação e esperança. Ele estava orgulhoso até que Johnny deu um passo em sua direção e lhe deu um soco no queixo. Parecia um fogo de artifício explodindo na sua cara.

— Vocês dois se merece mesmo — cuspiu ele.

Em situações normais, Quentin o corrigiria com desdém (*merecem*, e não *merece*), mas ele estava atordoado demais para dizer qualquer coisa enquanto Johnny saía de casa, ainda sem camisa. Ao som da porta batendo, Quentin se surpreendeu quando caiu em prantos. Ele apoiou a lateral do rosto com a mão e esperou que o choro passasse. Como isso não aconteceu, ele ligou para Cleo.

Em meia hora, ela estava na cozinha dele, usando um vestido bordado tradicional mexicano, o cabelo preso em duas longas tranças nas costas, amarradas com fitas brancas. Ele achava o estilo dela muito boêmio para seu gosto, mas gostava do fato de ela sempre cuidar bem da aparência. Ela colocou uma garrafa do refrigerante japonês favorito de Quentin e uma caixa de Advil na mesa da cozinha, na frente dele, inspecionando-lhe o rosto com olhar de preocupação.

— Você está aborrecido — comentou ela. — O que aconteceu?

— Ele estava usando meu suéter — disse Quentin, mal-humorado. — Além de ser um psicopata.

— Você tem ervilhas congeladas?

Ela abriu a porta do freezer para revelar uma grande garrafa fosca de vodca e três pacotes de cigarros poloneses. Ergueu uma sobrancelha para Quentin. Ele deu de ombros.

— Assim ficam frescos.

Cleo retirou a garrafa e a enrolou em um pano de prato. Ela se sentou em frente a Quentin e segurou-a com cuidado junto ao queixo dele. Os olhos dele não paravam de lacrimejar.

— Dói? — ela perguntou.

Quentin balançou a cabeça e enxugou o rosto com o dorso da mão.

— Eu não sei por que estou... — Ele parou e esfregou as mãos na calça. Tentou rir, mas um soluço escapou-lhe da garganta.

— Está só sensível — disse Cleo, segurando o rosto dele com a palma da mão. — Ele atingiu sua parte sensível, foi só isso.

Quentin inclinou a cabeça e pressionou-a contra a testa dela. Estava prestes a dizer que todo ele era a parte sensível, quando o telefone dela tocou e ela se afastou.

— Vou dizer a Frank para nos encontrar aqui, posso? — perguntou ela. Quentin sentiu uma pontada de irritação.

— E se não pudesse?

— Quentin. — Ela adotou sua voz maternal, mas severa. — Você sabe o quanto ele trabalha, e os finais de semana são o único tempo que passamos juntos. Por favor, não crie problemas com isso.

— Você não pode simplesmente escapar? — lamentou Quentin. — Você escapa das coisas o tempo todo. É uma das suas maiores qualidades.

— Mas eu não quero. Eu estive pintando a manhã toda e agora quero ver meu marido.

— Você pode simplesmente chamá-lo de Frank. Eu odeio toda essa baboseira de "meu marido".

— Mas ele é meu marido!

— Só porque você precisava de um visto.

— Pela centésima vez, *não* é só um casamento para conseguir o visto. — Ela suspirou, cansada. — Por que você está agindo assim? Você gosta de Frank, lembra? Ele me faz mais feliz do que qualquer outra pessoa que eu já conheci...

Cleo iniciou um monólogo sobre a felicidade conjugal dela e de Frank, mas Quentin havia perdido o interesse. Quentin gostava de Frank — ele estava sempre pronto para festas e, ao contrário do bando de skatistas sujos e de artistas de rua que Cleo costumava namorar, tinha pelo menos um pouco de dinheiro —, mas ele não era a pessoa certa para Cleo. Quentin era. Quentin suspeitava, no fundo, que ele e Cleo terminariam juntos, não como um par romântico, é claro, mas como verdadeiras almas gêmeas, envelhecendo juntos em alguma casa decadente no centro da cidade, cercados por cães de raça e casacos de pele vintage. Frank teria sido apenas um breve interlúdio nas metáforas da heterossexualidade tradicional para Cleo. Ele e Cleo pertenciam um ao outro, pareciam mais uma família do que suas famílias verdadeiras jamais foram. Elas eram praticamente irmãs.

— ... Até parei de tomar antidepressivos — Cleo dizia. Quentin voltou a prestar atenção.

— Querida, não. Isso *não* é uma boa ideia para você. Lembra-se da Cleo triste do passado? Ninguém precisa dela de volta.

— Isso foi só porque eu era solitária e, você sabe, todas as coisas com minha mãe. Minha vida é realmente diferente agora. Eu tenho Frank, tenho uma boa casa...

— A casa dele.

— *Nosso* lar. Eu só acho que estou muito mais bem preparada para ser feliz agora. Eu sei quem eu sou.

Quentin sentiu uma onda de preocupação, seguida por uma onda de apatia. No final, ela iria fazer o que quisesse.

— É a sua vida. — Ele deu de ombros. — Só quero fazer uma pergunta. E você tem que responder honestamente. — Ele olhou profundamente nos olhos dela. — Quando foi a última vez que você esteve com um homem heterossexual, estou falando de *qualquer* homem heterossexual, e ele disse algo mais interessante do que aquilo em que você já estava pensando?

Cleo riu e se virou.

— Vou pedir a Frank para trazer o almoço — disse ela.

— Vou entender como um nunca.

Quando Frank chegou, carregado de pacotes de sushi para viagem, o queixo de Quentin estava roxo, dolorido e latejando sem parar. Cleo correu para cumprimentar Frank como se ele fosse um soldado voltando da guerra com espólios mexendo nos recipientes plásticos de sopa de missô, salada de algas e arroz.

— Pelo menos agora você pode dizer que levou um golpe estando de pé — ofereceu Frank. — Isso é mais do que posso dizer.

Quentin olhou Frank de cima a baixo.

— Isso não é surpresa nenhuma — disse ele. — Por que é mesmo que você está aqui?

Cleo lançou-lhe um olhar suplicante.

— Ei, eu estava preocupado com você — respondeu Frank, tirando a mão da Cleo. — De qualquer forma, pode ser bom ter um homem por perto, você sabe, caso ele volte.

— Pela minha experiência, em geral ter um homem por perto é o problema — disse Quentin.

Frank riu.

— Nada de desentendimentos por aqui.

Mas quando Johnny voltou naquela noite, Quentin ficou feliz por Frank estar lá. Eles estavam assistindo a um dos documentários favoritos de Quentin, *Princesa Diana: Sua Vida em Joias*, enquanto bebiam Screwdriver, o coquetel à base de vodca que já estava quente, quando ouviram a porta da frente se abrir. Johnny gritou o nome de Quentin. A voz soou grossa e abafada. Cleo colocou a mão na perna de Quentin e fez sinal para que ele não se mexesse. Frank se levantou e foi para a sala da frente. Quentin podia ouvi-los murmurar, depois a voz de Johnny ficando mais alta, exigindo vê-lo. Quentin se livrou de Cleo e foi para o saguão.

— Ele não quer *me* ver? — Johnny estava gaguejando. — *Eu* não quero ver ele.

— Tudo bem — disse Frank, conduzindo-o em direção à porta. — Por que você não volta quando estiver sóbrio?

— Você sabe que ele pensa que é mulher, certo? — Johnny continuou. — Todos os seus vestidos... — Johnny começou a gargalhar. — Ele nunca vai encontrar alguém melhor do que eu.

Para além da porta da frente, Quentin podia ouvir o lamento de uma sirene passando. Pensou que, se você prestasse atenção em Nova York, sempre poderia ouvir uma sirene tocando. Alguém, em algum lugar, estava sempre sendo machucado.

— Tudo bem, eu vou — disse Johnny.

Quentin espiou o corredor. Johnny estava parado no degrau mais alto da varanda, com a silhueta contra a luz amarela da rua. Ele se virou para ir embora, depois mudou de ideia e cambaleou até encarar Frank outra vez.

— Homens gays querem namorar *homens* — disse ele. — Essa é a *realidade*.

— Chega — disse Frank. — Vá dormir até passar o porre.

— Estou te *vendo*, Quentin! — Johnny gritou por cima do ombro de Frank. — Aberraçãozinha trans!

Frank fechou a porta e ficou de costas para Quentin. Johnny ainda estava gritando algo sobre a realidade lá fora, na rua. Quentin observou as costas de Frank. O que ele estaria pensando? Ele estaria julgando-o? Teria pena dele? É provável que ele tenha pensado que se tratava apenas de mais um viado fodido com um *closet* cheio de vestidos. Ele devia achá-lo patético. Frank se virou e atraiu a atenção dele. Ele se aproximou e apertou o ombro de Quentin.

— Eu devo dizer — começou Frank — que eu gostava mais dele quando o conhecia menos.

Quentin não falava com Johnny desde então, mas não conseguia parar de pensar no que seu ex havia dito. O que a *realidade* tinha a ver com tudo isso, afinal? Quentin odiava a realidade. A realidade era suada e feia. Eram manchas de desodorante em roupas pretas e creme para aftas e contas dos serviços públicos. Eram namoradas falsas e jantares formais em ternos mal ajambrados. Era seu pai ensinando-lhe em um inglês ruim a ser homem. Era toda a Polônia, aquele país que era uma loja velha de sucata, com seus cachorros vadios e florestas secretas onde os homens fodiam uns com os outros na escuridão e depois voltavam para casa para suas esposas. Não, Quentin queria *fantasia*, e era exatamente por isso que ele iria à orgia naquela noite.

Parecia que a noite não chegaria nunca. O sol poente lançava uma luz dourada sobre os prédios enquanto Quentin passeava pelo bairro com sua dachshund, Lulu. Era o início da noite, quando as lojas ainda estavam abertas, mas os bares e restaurantes já começavam a encher, e um ar de indústria e frivolidade impregnava as ruas. Ele entrou no apartamento e despejou comida de cachorro em uma tigela, pensando em para quem ele poderia telefonar.

A mãe, não, pois ela estava mergulhando com seu novo namorado em uma ilha particular na qual, ela disse-lhe encantada, os telefones celulares não eram permitidos. Ele tentou o número do pai, mas a ligação caiu direto na caixa postal; já passava da meia-noite em Varsóvia. Tentou Cleo outra vez. Sem resposta. Pensou em ligar para Johnny. Em vez disso, abriu a caixa de entrada do correio eletrônico, desceu até o e-mail com o endereço da orgia, relendo-o novamente em busca de alguma pista, mas a informação era a mesma, é claro. Então ele tentou o traficante de drogas, que atendeu no segundo toque.

Pediu o de sempre e empoleirou-se no parapeito da janela para acender outro cigarro. O céu lá fora estava ficando de um azul-escuro ferido.

O endereço informado era em uma parte do Brooklyn à qual ele nunca tinha ido. O único edifício não residencial era uma lavanderia, algumas portas abaixo. As luzes haviam sido deixadas acesas durante a noite, iluminando o piso de vinil xadrez e as fileiras de máquinas de lavar prateadas.

Ele preparou drinks de soda com vodca antes de sair, muito fortes, o que ele percebia agora enquanto balançava a cabeça. Ela parecia um tanque de água sendo sacudido de um lado para o outro. Ele decidiu não comer naquele dia, o que pode ter sido um erro. Entrando, sob o fraco halo de luz lançado pela janela da lavanderia, tirou o frasco do bolso do paletó e o inspecionou. Já estava meio vazio. Ele deveria ter trazido dois, ele pensou com irritação, enquanto inalava as pequenas saliências no dorso da mão. Era sua maneira menos favorita de usar cocaína, bagunçada e ineficiente, mas ele queria ser rápido. Ele se sentiu melhor quase instantaneamente, aquela clareza afiada e amarga que direcionava sua mente para o foco de novo, dando a ele um propósito.

Ele não tinha dito a ninguém que estava vindo aqui. Quando Cleo ligou de volta, ele já estava no táxi e não queria ser convencido a desistir. Suspeitava que mesmo garotas como ela, do tipo liberal e sexualmente aventureira, no fundo, tinham um pouquinho de nojo do que os homens faziam juntos. Ele não podia se imaginar tendo o mesmo tipo de conversas francas com ela que outras amigas mantinham durante o brunch, rindo sobre o tamanho do pênis e orgasmos indescritíveis. *E então eu deixei ele mijar na minha boca enquanto o namorado dominador dele assistia! Mais uma rodada de mimosas!*

Ele já tinha visto uma vez o jeito como Cleo recuou quando contou a ela sobre as saunas que frequentava antes de conhecer Johnny. Eles estavam no banco de trás de um táxi que ia de uma festa para outra; ele havia usado tanta cetamina que mal conseguia levantar a cabeça — *como um bebê, como um bebê*, ele continuava dizendo. Enquanto ele tagarelava com ela sobre o que pediu para aqueles homens fazerem com ele, o que ele mesmo fez com eles, ele viu, como se fosse a uma grande distância, Cleo virar o rosto devagar, lentamente em direção à janela, deixando para ele apenas uma parte do seu perfil, majestoso e distante, focando o olhar no brilho úmido dos semáforos distantes, e uma vergonha — ele quase podia sentir o gosto agora, junto com o da cocaína na garganta —, uma terrível e amarga vergonha se apoderou dele. *Basta, já basta.*

Ele tocou a campainha e foi levado para um hall de entrada escuro, onde um homem careca vestindo uma tanga de couro e coleira de cachorro com tachinhas estava sentado em um banquinho, vigiando uma segunda porta.

— Nome? — ele perguntou e examinou a lista para confirmá-lo. — Comprovante de negativo?

Quentin tirou um pedaço de papel. Ele tinha feito o teste no início daquela semana de preparação e ficou surpreso com o alívio que sentiu ao receber resultado negativo. Ele usava preservativos, mas houve algumas vezes com Johnny em que eles os abandonaram. Não havia nada como fazer um teste de HIV para se convencer imediatamente de que você tinha a doença. O careca olhou e assentiu.

— Tire todas as roupas e pertences antes de entrar. Não pode haver celulares lá dentro.

Quentin riu, mas o homem olhou para ele sem expressão, esperando.

— Você está falando sério? Tirar a roupa aqui?

Quentin pensou em dar meia-volta, mas parecia um desperdício, depois das horas de expectativa, mais a corrida de táxi e o dinheiro das drogas; não, ao menos era preciso ver o que havia lá dentro. Ele tirou a camisa, ajoelhou-se para desafivelar as sandálias de gladiador. Com alguma dificuldade, conseguiu tirar o short de couro. Ele dobrou com todo o cuidado possível e entregou para o porteiro.

— Estas são peças de colecionador — disse Quentin. — Elas valem mais do que você.

— A cueca também — disse o careca.

Quentin esfregou a ponta do nariz, respirou fundo e tirou a cueca. Em troca, o homem entregou-lhe uma pulseira de plástico com uma plaquinha redonda numerada, não muito diferente do tipo dado em piscinas públicas.

— E o que vem agora? — perguntou Quentin. — Uma inspeção completa das cáries?

— Com isso você pode entrar — disse ele. — Só não deixe ninguém pegar a pulseira.

— Essa coisa fabulosa? — disse Quentin. — Eu nem sonharia com isso.

O homem se movimentou no banquinho indicando que Quentin deveria passar. Ele abriu a porta e entrou em um corredor longo e estreito que levava a outra porta, atrás da qual ele podia ouvir a batida repetitiva e contundente da música techno e a ondulação sombria das vozes de homens. Ele teria adorado outra dose, uma carreira pequena para fazê-lo passar pela porta, mas é claro que as drogas ficaram junto com as roupas. Nu, exceto pelo bracelete amarelo, Quentin se sentiu exposto de um jeito nada erótico. Na verdade, ele pensou, toda a experiência até agora tinha sido tão sexy quanto uma revista na entrada do presídio.

Ele abriu a porta e entrou no que parecia ser uma grande sala de estar. Um mural que brilhava no escuro, decorado com imagens de banhistas gregos musculosos, cobria uma parede inteira. Fontes de pedra falsa com jovens querubins mijando água estavam espalhados pelo espaço. Luzes estroboscópicas piscavam no alto. Na frente de uma cabine improvisada de DJ, atrás da qual um homem besuntado de óleo rebolava, ostentando um gigantesco conjunto de chifres de carneiro, uma pequena multidão de homens nus estava dançando. Tudo parecia barato;

eles batalharam por um paraíso grego e acabaram com um restaurante grego.

Quentin andou ao redor da sala, onde cortinas pretas separavam áreas menores e privadas. Ele espiou pelo espaço em uma delas e viu uma pilha de homens, cinco, talvez seis, fodendo uns aos outros. A cena o fez lembrar do interior de uma colmeia, com toda aquela atividade fervilhante. Bisbilhotando a próxima área, ele olhou nos olhos de um homem de pescoço grosso bombeando violentamente em uma figura encapuzada que estava abaixo dele, de quatro. Ele sustentou o olhar de Quentin por um momento longo e feroz antes de voltar o olhar para a cabeça dele.

Quentin estava pensando se deveria ir embora — ele não se sentia desinibido o suficiente para entrar na pista de dança, menos ainda em uma das áreas privadas — quando viu um garoto alto andando com grande velocidade e deliberação na sua direção. Ele estava sorrindo de um jeito que parecia sugerir que estava esperando por Quentin.

— Zdravstvuyte — ele disse, colocando a mão de leve no ombro de Quentin.

Quentin olhou para ele em silêncio. Ele era impressionante, com a cabeça recém-raspada que dava ao crânio uma aparência vulnerável de recém-nascido. O rosto estava cheio de contradições; olhos pálidos e sensíveis sobre um nariz torto de boxeador, lábios femininos bem desenhados e um queixo forte e quadrado. Quentin deixou seu olhar vagar por seu torso sinuoso até seu pênis longo e reto, aninhado em uma cama de cabelo escuro.

— Foi você quem colocou o bilhete no meu armário? — perguntou Quentin, sentindo-se ridículo.

— Bilhete? — O sorriso do garoto se transformou em confusão. — Desculpe, não. É que eu tinha a certeza de que você era russo.

— Não — disse Quentin. Então, sentindo que o estava decepcionando, acrescentou: — Polonês. Eu sou originalmente polonês.

— Ah! — O rosto do garoto se iluminou outra vez. — É por isso então.

— Por que você achou que eu era russo?

O garoto olhou para Quentin de alto a baixo, discretamente.

— Suas sobrancelhas — ele falou e riu.

Era um som vívido e surpreendente, como água jorrando de repente de uma torneira que parecia seca. As sobrancelhas de Quentin eram, de fato, muito comentadas. Aveludadas e escuras, com cílios longos e grossos combinando, eram um dos poucos benefícios que ele conseguia pensar por ser do Leste Europeu.

— Desculpe, não sou russo — disse Quentin, pensando desesperadamente em algo para dizer.

— Polonês é melhor — respondeu o garoto e deu de ombros. — Vocês têm menos problemas.

Ele agarrou a mão de Quentin e apertou-a. A mão dele era macia e áspera, como a língua de um gato. Quentin podia sentir o seu pênis se mexer com o toque dele.

— Eu sou Alex — disse o rapaz.

— Quentin. Posso pegar uma bebida para você? — ele perguntou.

— Pode — falou o garoto, ainda sorrindo. — E eu pego uma para você também. Ouvi dizer que elas são grátis.

Alex guiou Quentin até o bar, que era um pedaço de madeira compensada sobre dois caixotes, atrás do qual outro homem incrivelmente musculoso, este usando chifres, servia bebidas em copinhos de plástico.

— Não servimos álcool, rapazes — ele gritou do outro lado da mesa. — Você quer um refrigerante? — Quentin e Alex se entreolharam.

— Eu sei de um lugar muito legal aonde podemos ir, se você quiser — disse Alex. — É só atravessar a ponte.

Voltar ao lado de fora era como ser exilado do Éden; ambos tomaram consciência da sua nudez de repente. Recuperaram as roupas com o careca, que pegou as pulseiras com a mesma inescrutabilidade vazia de antes e se vestiram rapidamente no corredor. Quentin observou Alex com o canto do olho. Suas roupas eram muito simples, uma camiseta branca, calça jeans larga, tênis e uma jaqueta jeans desbotada. Elas pareciam escolhidas quase deliberadamente para revelar o mínimo possível sobre o usuário. Quando estavam vestidos, os dois se olharam como se fosse pela primeira vez.

Alex riu.

— Você está vestido para uma festa diferente.

O bar para o qual Alex o levou no Lower East Side não tinha placa e ficava no fundo de uma escada quebrada, sem iluminação, que parecia não estar mais em uso.

— Cuidado — Alex disse, virando-se para oferecer a mão a Quentin.

Lá dentro, o espaço era pequeno e lembrava uma caverna, com uma luz vermelha difusa congregando o tampo de mogno pegajoso do balcão e o espelho manchado atrás. Disposta nas prateleiras acima das garrafas de licor brilhantes, havia uma coleção de samovares. Mesas redondas atarracadas e cadeiras finas de madeira davam para um palco ligeiramente elevado. Os homens sentavam-se em volta das mesas, e Quentin tinha a sensação de que eles nunca saíram, eram tão permanentes no lugar quanto as cadeiras e os samovares. Alex cumprimentou o barman idoso e conversaram tranquilamente em russo, enquanto ele servia três copos de vodca.

— *Nostrovia*! — eles brindaram.

Eles beberam as doses em um gole longo e luxuriante, gesticulando para que Quentin fizesse o mesmo. O barman já estava reabastecendo os copos dele e de Alex quando Quentin engoliu a vodca.

— Mais um — pediu Alex. Ele exagerou no forte sotaque eslavo. — Esta noite, você vai beber como russo.

— Eu tenho que ir ao banheiro — disse Quentin.

— Tá certo. Vá logo, já vai começar uma apresentação.

No banheiro, Quentin bateu o restante do frasco no porta-papel higiênico de metal, um objeto aparentemente projetado para essa atividade, e pegou o cartão de crédito. Havia o suficiente para duas carreiras curtas, mas bem rechonchudas, não as ideais, mas o suficiente para fazer uma pausa nas nuvens de vodca que já encobriam sua mente. Ele tirou um canudo curto da carteira e cheirou a primeira carreira. Deliciosa. Ele pensou por um instante em guardar a segunda carreira para mais tarde, mas logo aspirou-a pela outra narina.

Quando ele reapareceu, a apresentação havia começado. No palco, em uma poça de luz prateada, uma mulher cantava. Ela era magra e sinuosa em um vestido de tiras douradas que mergulhava entre os seios pequenos. Os joelhos e tornozelos ossudos se projetavam sob as meias arrastão. Alex fez um gesto para eles se sentarem em uma das mesas mais próximas do palco e trouxe uma garrafa de vodca e dois copos do bar. Ao vê-lo, a cantora jogou um beijo na sua direção. Ele sinalizou com a cabeça e cobriu o coração com a palma da mão. Ela baixou os cílios longos e escuros e balançou-se levemente de um lado para o outro, cantando em uma voz baixa que soava como uma agulha rasgando seda.

Alex serviu outro copo para cada um e bebeu o seu em um movimento suave e treinado. Quentin bebeu o dele também, enquanto Alex sinalizou aprovação. A essa distância, Quentin podia ver que a tez da cantora, apesar do pó facial branco que ela estava usando, era da cor azeda do vinho branco. No queixo, a sombra escura de barba por fazer estava começando a aparecer, e Quentin sentiu, contra sua vontade, um arrepio de horror. Não ser capaz de passabilidade, esse era seu maior medo.

Eles se sentaram e beberam sem conversar enquanto a cantora se apresentava. Ela se balançava e os homens balançavam também, espelhando-se nela, e logo a sala toda estava balançando, as paredes e o chão e o pequeno exército de samovares, e Quentin teve a sensação de que todos estavam sendo puxados para frente e para trás pelo movimento constante dos quadris da cantora. Ele se perguntou o que Cleo pensaria se ela pudesse vê-lo aqui. Ela nunca estaria em um lugar como este com uma pessoa como Alex — itinerante, misterioso, talvez um pouco perigoso. Ou talvez em algum momento ela estivesse, mas não agora, não depois de ter conhecido Frank. O casamento deu-lhe acesso a um mundo que ele nunca conheceria. Ela não admitiria, talvez nunca soubesse conscientemente, mas havia deixado-o para trás. Ela tinha se tornado aceitável.

Por fim, a cantora falou baixinho no microfone e apertou as palmas das mãos. Quentin entendeu que era sua última música. Quando as primeiras notas foram tocadas, um murmúrio de reconhecimento percorreu o compasso, e os homens começaram a bater palmas acompanhando o ritmo.

— Ah! — Alex disse, batendo palmas também. — Esta é uma música russa muito famosa. Dos ciganos.

— O que ela diz? — perguntou Quentin

— Um momento. — Alex esticou o pescoço para ouvir com mais atenção. — Agora ela está cantando: "nós estávamos na *troika*", eu não sei como traduzir isso, uma carruagem talvez, "com sinos tocando. Longe estavam as", como você diria, "luzes brilhantes. Como eu gostaria de poder ir adiante, para tirar a tristeza da minha vida". Não soa tão bem traduzida.

— Parece muito russa — disse Quentin.

— Sim, é linda e triste como a Rússia — disse Alex, olhando para a figura brilhante no palco. — Ela canta bem.

— E ela? Você acha que ela é bonita e triste? — perguntou Quentin.

— Claro — respondeu Alex. — Você não acha?

— Você não é algum tipo de caçador de travestis, né?

Alex se virou no banco para encará-lo.

— Nunca ouvi essa expressão — disse. — Mas não. Quando cheguei aqui havia alguém como ela, não ela, mas como ela, que se tornou como uma mãe para mim. Você não a acha bonita?

— Tenho vestidos mais bonitos — disse Quentin.

Alex riu e serviu o resto da vodca.

— Então talvez você devesse estar lá em cima — disse Alex.

Quentin inclinou a cabeça para trás para esvaziar o copo. Uma nuvem de luz vermelha girou ao redor da cabeça dele.

— Eu deveria ter sido menina — disse ele. — Isso é o que eu deveria ter sido. Eu deveria ter nascido menina.

...

Lá fora, o ar frio lambia sua pele. Eles pegaram um táxi de volta para a casa de Quentin, e ele ficou aliviado ao ver, pela janela, figuras escuras ainda fumando nas calçadas dos bares. Ele odiava ser o último a ir para casa. Eles pararam na frente do prédio e ele pagou o táxi, tirando às cegas as notas da carteira.

— Você é rico — disse Alex baixinho enquanto Quentin abria a porta da frente.

— Minha avó — disse ele, deixando cair as chaves e a carteira no chão do corredor.

— Eu... eu sou muito pobre — disse Alex.

— Quer uma bebida? — Quentin perguntou, levando-o até a cozinha.

Lulu correu para eles assim que entraram, latindo de alívio e alegria por Quentin ter voltado para ela.

— É igual a você! — Alex riu, pegando-a no colo para deixá-la cheirar seu rosto. — Vocês são gêmeos.

Ele a colocou no chão e ela saltitou perto dos seus calcanhares. Quentin tentou empurrá-la com o pé, mas perdeu o equilíbrio, e tropeçou no balcão.

— Você tem um pouco de vodca? — perguntou Alex.

— É claro. Tem soda e acho que...

— Só a vodca — disse Alex. — Contanto que esteja gelada.

— Eu tenho isto também — disse Quentin, tirando dois frascos do esconderijo dentro da gaveta de talheres. — Se você quiser.

Os olhos de Alex se voltaram para a mão estendida. À luz da cozinha, Quentin podia ver que ele estava assustadoramente pálido, com pupilas pretas brilhantes do tamanho de moedas de dez centavos.

— E gelo? — Alex perguntou baixinho.

— Hum, com certeza. — Quentin virou-se para o freezer, mas Alex agarrou seu antebraço.

— Não — ele disse com impaciência. — *Gelo*. Cristal. Quentin olhou para ele alarmado.

— Você quer dizer *metanfetamina*? Essa não!

— Já provou? — perguntou Alex, soltando o braço.

— Não — disse Quentin. — Mas por que usar isso quando você pode usar isto?

— Porque é como esse — disse Alex, apontando para os frascos. — Só que um milhão de vezes mais forte.

Quentin olhou para ele com ceticismo. Ele tinha visto o que acontecia com os homens viciados em cristal. Os rostos deles acabavam parecendo um dos brinquedos que Lulu mastigava.

— É tão bom assim? — ele perguntou.

— Na Rússia temos um ditado. "Se você vai se afogar, afogue-se em águas profundas."

Quentin balançou a cabeça, sem saber o que o ditado significava.

— Certo. — Alex sorriu seu sorriso de dentes afiados. — Hoje à noite, fazemos do seu jeito.

Então ele caiu de joelhos, como se estivesse se oferecendo de presente aos pés de Quentin.

Uma hora depois, Quentin estava dançando pela sala de estar com botas de cano alto e um vestido de seda, cantando junto com uma faixa vibrante de discoteca enquanto Alex assistia do chão. Espalhados ao redor deles estava metade do conteúdo do guarda-roupa secreto de Quentin: uma variedade de vestidos de cetim e veludo, sapatos de salto agulha descombinados e perucas de cabelo de verdade. Alex estava usando uma peruca loira platinada torta e preparando mais carreiras em um prato, rindo, enquanto Quentin tentava dançar em cima do sofá macio, mas os tornozelos oscilavam. Quentin caiu de joelhos, ainda cantando, e levantou o vestido para revelar uma parte da coxa entre as botas e a cueca boxer. Ele se sentiu ágil e sexy, feminino e livre. Alex agarrou-o pelo pulso e o puxou em uma confusão de pernas e saltos, caindo até o chão.

Ele arrancou a sua peruca da cabeça e rolou em cima de Quentin, então eles ficaram cara a cara, as mãos dele em cada lado da cabeça de Quentin. Alex estava respirando com dificuldade; Quentin podia ver pedaços brancos de pó grudados nos pelos das narinas enquanto ele exalava. Quentin virou o rosto para o lado e jogou os braços acima da cabeça. Ele não queria ver mais nada, ele só queria sentir e ser sentido, textura sobre textura. Alex estendeu a mão para baixo e abriu as pernas de Quentin, deslizando o vestido pelas coxas. Ele puxou a cueca de Quentin e deslizou a mão entre suas nádegas para acariciá-lo, circulando com as pontas de dois dedos, abrindo-o.

— Sua boceta está tão molhada — Alex murmurou no ar, acima do rosto de Quentin.

— Está? — disse Quentin. Ele pretendia soar provocante, mas em vez disso a pergunta soou genuína, em uma voz séria e aguda.

— Hum — disse Alex. — Está com fome de mim — Ele se atrapalhou para desabotoar o jeans e colocou o pau entre as pernas de Quentin. Ele manteve o corpo reto quando começou a penetrar em Quentin.

— Espere — disse Quentin, mais alto do que pretendia. Ele levou as mãos ao peito de Alex. — Eu preciso de alguma coisa. Tem azeite na cozinha.

— Não, não — murmurou Alex, pegando os braços de Quentin e prendendo-os de volta acima de sua cabeça. — As garotas não precisam dessas coisas. Você já está molhada, você já está molhada para mim.

Ele deixou Alex cuspir na palma da mão e empurrar para dentro dele, e a dor se misturou com aquela palavra: *garota*.

...

Quentin acordou de costas, com a luz batendo nos olhos. Eles fizeram uma cama no chão da sala usando as almofadas do sofá e dois casacos de pele de Quentin. Ambos estavam nus, as costas de Alex curvadas para o lado de Quentin. Quentin se virou e, de modo gentil, segurou a nuca de Alex com a mão. Alex se mexeu imediatamente, virando-se de costas e protegendo os olhos com o braço dobrado. Um raio de sol listrou seu rosto.

— Nós dormimos? — ele perguntou.

— Um pouco — disse Quentin.

— Água — ele pediu.

Alex se levantou, rígido, pegou a sua boxer do chão com o pé e jogou-a na mão. Ele a vestiu e caminhou até a cozinha. Quentin se apoiou nos cotovelos e viu Alex abrir a torneira, inclinando-se para beber direto dela como um gato. Ele jogou a água no rosto e no pescoço.

Alex voltou da cozinha e começou a pegar suas roupas da pilha no chão sem olhar para Quentin.

— Você tem que ir? — perguntou Quentin.

— Tenho, eu tenho que trabalhar hoje.

Quentin se levantou e procurou pela sua cueca. Enquanto a colocava, o dia, com a ressaca de boca ácida e desânimo oco, parecia uma dívida insuportável a pagar. Ele se moveu para trás de Alex e descansou o rosto na parte de trás do ombro dele, sentindo o brim áspero da jaqueta contra sua pele.

— Você poderia ficar — disse ele às costas de Alex. — Se você quiser. Fique.

Alex se virou para ele com um olhar intrigado e interrogativo. Ele não disse nada.

— Vou acompanhá-lo até a porta — disse Quentin. — Só vou me vestir.

Ele foi para o quarto no andar de cima e ficou em dúvida diante das roupas que ainda estavam no guarda-roupa. Ele vestiu um short de basquete e uma camiseta velha de Johnny, depois desceu as escadas. Alex já estava de sapatos, parado em frente à mesa de jantar, olhando atentamente para uma pilha de euros.

— Você precisa deles? — perguntou Alex, virando-se para Quentin. — Posso trocar por dólares.

— Sério? Eu acho que você está se subestimando. — Quentin tentou forçar uma risada. — Isso vai dar só uns sessenta.

— Não é *por* nada — falou Alex. — É só um presente. Você não precisa disso. Veja... — Ele se abaixou para pegar uma nota que havia caído no chão embaixo da mesa. — Você deixa por aí como se não fosse nada.

— Tudo bem, pegue — disse Quentin, sentindo-se envergonhado pelos dois. — Você está certo, não é nada. Vamos.

Ele seguiu Alex pelo corredor, observando o suave quadrado branco que era seu pescoço mover-se acima de sua jaqueta. Eles chegaram à porta e Quentin pegou a carteira e as chaves que havia deixado cair na noite anterior. Ele tentou sorrir. Seu rosto parecia uma coisa nova, mais frágil.

Caminharam juntos até a esquina e se despediram sem se tocar. Quentin foi na direção oposta e sentou-se na varanda para acender um cigarro. Ele podia sentir as pessoas olhando para ele enquanto praticavam suas corridas matinais ou levavam os filhos para o parquinho no final do quarteirão. Ele não se importou. Ele iria para casa em breve, pegaria Lulu e a levaria para passear. Talvez comprasse algumas flores no mercado do produtor. Ele olhou para o telefone. Era uma ligação de Cleo. Afinal de contas, o dia estava apenas começando.

CAPÍTULO QUATRO

INÍCIO DE AGOSTO

Frank estava tendo um longo dia. Não só seu cliente novo, o segundo maior fabricante de rum da América do Sul, havia pedido *outra* edição de um comercial de TV de quinze segundos que deveria ter sido finalizado e entregue semanas atrás, mas esse comercial em especial era de uma filmagem que eles realocaram para Buenos Aires, o que significava que Frank não pôde comparecer, apesar de ter prometido ao cliente que ele supervisionaria todas as filmagens *pessoalmente*, porque coincidira com a semana em que ele se casou com Cleo, e o resultado que estava vendo da filmagem à qual ele não estava presente, mas que agora precisava fingir que havia supervisionado ficou, aos olhos de Frank, péssima, não, *arruinada*, pela presença de um figurante tão colossalmente mal escolhido que Frank teve que perguntar se ele estava cercado por incompetentes, ou se alguém de sua equipe estava mesmo querendo fodê-lo. Ele também estava de ressaca. Uma ressaca dolorosa, magistral.

— Pronto — disse Frank, apontando um dedo para a tela grande que mostrava a silhueta dele e do editor, um cara pálido que ele achava que poderia se chamar Joe. — Certo. Ali. Será que eu sou o único que vê esse cara branco, grandalhão e sem camisa na imagem? Me diga, falando sério, você não consegue vê-lo?

— Ah, sim — respondeu o editor, estalando os dedos com uma satisfação tão óbvia que Frank teve que se conter para não lhe partir os dedos como se fossem *grissini*. — O que ele está fazendo lá?

— O que ele está fazendo lá — Frank disse lentamente, de propósito — é estragar a cena. O que ele está fazendo lá é destoar de um ambiente coreografado com muito cuidado, de jovens argentinos abençoados pela genética. Que, aliás, estão sendo bem pagos. Com, com... Eu nem sei como chamar isso. Suíno! Com aquela aparência suína.

— Talvez ele esteja dando um certo, sabe como é... um toque de realidade à cena?

Frank lançou ao editor um olhar assassino. Eles investiram um belo valor de produção na Argentina, embora qualquer sinal da autêntica cultura sul-americana tenha sido apagado do próprio produto — a empresa estava tentando se dissociar do mercado latino. O comercial mostrava um cara branco suburbano incrivelmente bonito sentado sozinho em um bar. Ele pede uma bebida — um copo de rum brilhante como uma joia — manda ela pra dentro e de repente é transportado para uma praia tropical. Uma multidão de pessoas atraentes e animadas (bronzeadas, mas com um jeito típico europeu) se reúne ao redor dele. Enquanto uma garota longilínea e de biquíni entrega a ele outra bebida, um avião decorado de forma espalhafatosa com o logotipo da marca está puxando uma faixa no céu azul com os dizeres HÁ UMA FESTA EM ALGUM LUGAR. ENCONTRE-A.

A ironia de que Frank deveria ter trabalhado nesse anúncio, em especial enquanto se sentia daquele jeito, como se seu cérebro fosse uma bola de algodão encharcada de álcool que ia secando devagar ao sol, não passou despercebida para ele. Ele tinha ido ao encontro de Anders depois do trabalho na noite anterior com a intenção inocente de assistir aos destaques do jogo da *Premier League* daquele dia. Anders já estava lá quando ele chegou, contando ao barman as façanhas sexuais da noite anterior.

— Eu estou lhe dizendo — disse ele, sinalizando para o barman trazer para Frank a mesma cerveja escura que ele estava bebendo. — Se os gêneros tivessem sido invertidos, teria sido agressão sexual.

— Então você está dizendo que não ficou duro? — Frank sentou-se em uma banqueta e olhou para Anders por cima dos óculos.

— Bom — Anders passou as mãos pelos cabelos e abriu o sorriso de dentes espaçados. — Eu não queria ofendê-la. Mas ela era a agressora, sem dúvida. Muito agressiva para mim, na verdade.

— Você tem sorte por Cleo não estar aqui — disse Frank, tomando um gole com muita sede do copo de cerveja que apareceu diante dele. — Esse comentário definitivamente causaria um protesto feminista.

— Talvez — disse Anders desatento, voltando-se para o brilho da tela. — Ah, você viu aquele passe? Lindo!

— Vou beber só cerveja esta noite, por falar nisso — disse Frank, tomando outro gole exagerado. — Só cerveja.

Anders ergueu uma sobrancelha louro esbranquiçada.

— Foi Cleo que decidiu isso por você?

Frank havia notado que Anders estava muito calado sobre Cleo, o que era estranho. Ele se perguntou se Anders estava com ciúmes dela. Ele e Anders tinham uma amizade de décadas que foi aprofundada e ameaçada por uma intensa rivalidade. Quando Anders se separou de sua ex-namorada Christine, foi no sofá de Frank que ele dormiu durante semanas, enquanto procurava um novo lugar. Nenhum dos dois estava em um relacionamento sério há anos — eles eram o contato de emergência um do outro, pelo amor de Deus —, então deve ter sido desconcertante para Anders ver Frank passar de solteiro a casado em apenas alguns meses.

Ou talvez, pensou Frank, Anders estivesse com ciúmes *dele*. Quem não gostaria de estar com alguém como Cleo, tão atenciosa, especial e linda, depois do desfile de modelos sem graça que Anders namorou desde Christine? De qualquer forma, a ideia de que ele tinha algo que Anders queria deu a Frank um brilho interior de satisfação.

— Então você quer que eu corte a gravação? — perguntou o editor. — Mesmo que isso signifique que vamos perder o periquito ali no galho?

Frank voltou a focar os olhos na tela, olhando para o slogan horrível pendurado como um veredicto divino no céu. A coisa toda era, sem dúvida, genuinamente uma merda. O que começou como um anúncio que *subverteria* os padrões da propaganda de bebidas se transformou um anúncio que *corromperia* os padrões das propagandas de bebida, e agora se transformava em um anúncio que não deixava de ceder aos padrões das propagandas de bebida.

— Sim — disse Frank, abrindo a terceira Coca Diet do dia. — É isso que eu quero que você faça, Joe.

— Cara, meu nome é Myke — disse Joe. — Com y.

— Não até você tirar aquele babaca sem camisa do meu vídeo, não é não — disse Frank.

Frank não ficou surpreso com o anúncio no final, mas no fundo ele ainda era um pouco idealista. Ele escapou da faculdade e começou a trabalhar como redator aos dezoito anos, chegando à maioridade em uma época em que ainda era possível fazer um trabalho que parecia, de alguma forma, importante. Ele tinha o dom de contar histórias e um bom olho para o aspecto visual; ele tinha ambições de escrever e dirigir filmes, mas o dinheiro da família com o qual sua mãe vivera prodigamente durante anos havia secado, e a publicidade era a aposta mais confiável. Ele ganhou prêmios e comprou um apartamento aos trinta e poucos anos, mas não esqueceu da advertência do ex-chefe, um ícone que era um dos gênios criativos que estivera por trás da campanha da Nike "*Just Do It*", dada na sua festa de aposentadoria. *Se você quiser fazer uma boa arte, não vá para a publicidade. E se você quer fazer uma boa publicidade, não fique nos Estados Unidos.*

— Frank? — A cabeça da assistente Jacky apareceu na porta. — Zoe está ao telefone no seu escritório.

Jacky era nascida no Queens; usava um tufo de cabelo loiro como um algodão-doce tingido e um delineador azul-marinho que Frank tinha certeza que estava tatuado. Nos quinze anos em que ela havia sido sua assistente, ela nunca se esquecera de um compromisso, nunca dera informações sobre Frank para bisbilhoteiros, e apenas uma vez havia telefonado para dizer que estava doente, com apendicite.

— Por que ela não ligou para o meu celular?

— Ela diz que você nunca atende.

— Há um motivo para isso. — Frank virou a cadeira na direção de Jacky e pegou a mão dela, impulsionando-se em uma pirueta sentada abaixo dela. Jacky deu-lhe um sorriso compreensivo.

— Família é família, querido. Ela diz que é importante.

— Tudo é importante para Zoe — disse Frank. — Ela é uma atriz.

Zoe era o resultado do que a mãe dele alegara ter sido uma gravidez surpresa aos seus quarenta e poucos anos, mas que Frank suspeitava ser um último esforço para criar um interesse compartilhado com seu segundo marido, Lionel. Lionel era um notável afro-americano do Meio-Oeste com um negócio imobiliário de sucesso moderado e talento para o squash. Ele também havia sido o primeiro homem a não deixar a mãe de Frank passar por cima dele, um fato que Frank reconhecia com respeito relutante. A mãe de Frank se divorciou quando o filho tinha dois anos, o que levou o pai dele a voltar para a Itália e começar uma nova família com uma esposa que, supostamente, não deixava facas na cama quando ele ficava fora até tarde.

— O que você vai fazer até eu voltar? — Frank virou-se para o editor, que olhava desanimado para a tela.

— Tirar o idiota sem camisa da cena — disse ele em um tom baixo e monótono.

Frank riu e lhe deu um tapinha nas costas.

— Esse é a ideia. — Ele deu uma piscada. — Myke com y.

Frank seguiu Jacky até a luz branca do corredor. De fato, ele estava mesmo grato a Zoe pela desculpa para deixar a sonolenta sala de edição. Preferia falar com ela do que com qualquer outro membro da família.

— Pense, querido — disse Jacky, com seu jeito habitual de ler seus pensamentos — que poderia ser a sua mãe.

Lionel e a mãe dele criaram Zoe em Manhattan, depois matricularam-na em um internato quando se mudaram para o Colorado para abrir uma loja de roupas de luxo para esquiar. A mãe de Frank adorava esquiar; ele crescera acompanhando-a em viagens de esqui aos Alpes e Aspen. Ela vinha de família rica e tinha uma disposição férrea dentro e fora das encostas. O nariz comprido e a testa branca e arqueada davam-lhe o ar imperioso de um cão de caça russo. Mas ela era jovem quando teve Frank e o tratou mais como companheiro do que como filho.

Quando cresceu, ele costumava jantar com ela em restaurantes perto de seu apartamento no Upper East Side; ela pedia *escargot*, salada de trufas ou *steak tartare*, pratos não exatamente adequados ao paladar pouco refinado de uma criança, e falava da sua vida com a mesma franqueza que faria com qualquer adulto. *Ah, os homens têm medo das mulheres da minha idade. Eles acham que qualquer mulher com mais de trinta anos tem uma armadilha para urso no lugar de uma vagina!* Às vezes, eles roubavam os talheres, só por diversão, rindo enquanto passavam pelas portas de mãos dadas, facas de manteiga deslizando pelas pernas da calça. Mesmo agora, quando ele pensa na risada da sua mãe, ele pode ouvir o som de talheres na calçada.

— Zoezinha — ele disse, pegando o telefone. Ele olhou pela janela para a agradável agitação do Madison Square Park logo abaixo. — O que eu te falei sobre adultos que têm empregos?

— Fraaaaaaank. — A voz de Zoe era alta e aguda.

— Zooooooooo — Frank ecoou, imitando com capricho o ato de amarrar uma corda no pescoço para a diversão de Jacky, que estava parada na porta para garantir que ele tivesse atendido o telefone. Jacky balançou a cabeça, mas seus olhos estavam sorrindo com o bom humor que lhe permitira tolerar as palhaçadas de Frank por mais de uma década. Frank notou que ela havia deixado uma garrafa de água e dois Advil ao lado do telefone.

— Não tem graça! — A voz de Zoe lamentou no ouvido dele. — Estou no Beth Israel. Tive uma convulsão no teatro, e o gerente de palco me trouxe aqui. Eu deveria fazer uma tomografia do cérebro, mas eles querem colocar essa cola estranha no meu cabelo. — Ela elevou a voz, supostamente para se fazer ouvir por algum pessoal da equipe médica atormentado. — *O que nunca vai acontecer!* Você pode vir aqui? Estou enlouquecendo.

Zoe foi diagnosticada com epilepsia no internato, depois de ter uma convulsão enquanto invadia, bêbada, o quarto de um menino. Fora Frank quem tinha ido aos fins de semana em família no programa na selva (ou "não-reabilitação", como sua mãe o designava) em que ela passou o último semestre do ensino médio, e foi Frank quem assumira o pagamento do curso de Zoe na escola de artes Tisch e pagou seu alojamento no segundo ano, quando o negócio de esqui da sua mãe deixou de dar lucro.

Ele até dava a Zoe uma mesada para que ela pudesse se concentrar nos ensaios para a produção da peça *Antígona* da Tisch naquele verão, mas ele parou quando ele e Cleo decidiram se casar. Havia um limite de jovens artistas rebeldes que um homem poderia apoiar ao mesmo tempo. Mas ele nunca deixou de se preocupar com Zoe, e ele ainda faria qualquer coisa, iria a qualquer lugar, para garantir que ninguém tocasse em um fio de cabelo dela sem sua permissão.

— Estou indo para aí — disse Frank. — Me dê quinze minutos.

Ele pulou para pegar a mochila no sofá de couro, derrubando, sem querer, o telefone e uma pilha de papéis da sua mesa.

— Já entendi! — gritou Jacky do corredor.

Na corrida até o elevador, ele sentiu uma onda de náusea. Então colocou os óculos escuros e tentou respirar fundo, descansando a cabeça contra o aço frio das paredes do elevador quando ele parou no vigésimo quarto, então no décimo nono, então no décimo primeiro andar... Meu Deus, ele estava ficando velho. Quando tinha a idade de Cleo, conseguia virar a noite antes do trabalho e espremia a agenda para ir à academia na hora do almoço. Agora, se não soubesse que estava de ressaca, acharia que estava morrendo.

Ele e Anders tomaram mais algumas cervejas e terminaram de assistir aos melhores momentos, que chegaram ao auge com um lindo gol de vinte e cinco jardas. O espírito festivo levou Frank até o bar no porão de um restaurante no centro da cidade, onde Anders conhecia alguém que estava fazendo algo com alguma revista. Ele estava lá embaixo no bar, a música pulsando ao seu redor, e Anders estava passando-lhe uma dose. Ele estava conversando com o DJ e comprando outra rodada para ele, para Anders, para um cara de gravata-borboleta, para qualquer um. Ele estava no banheiro cheirando carreiras na pia com duas garotas, ambas chamadas Sara, que achavam hilário tudo o que ele dizia. Ele estava na pista de dança novamente e uma música que ele sabia estava tocando e ele estava se sentindo bem, bem, bem. Ele estava espremido em um táxi com outras cinco pessoas indo para sabe-se lá onde. Há uma festa em algum lugar. Encontre-a. Então ele estava no corredor, parado na frente da porta do seu apartamento, tentando descobrir como colocar a chave na fechadura quando havia um buraco, três chaves, e ele estava vendo tudo dobrado.

Quando Frank finalmente conseguiu abrir a porta, viu Cleo sentada na escuridão, olhando para a porta da frente. A única concessão que ela fez à sua entrada foi fechar os olhos contra a barra de luz amarela do corredor que chegou ao seu rosto. O pensamento silencioso dela ouvindo-o lutar para colocar as chaves na fechadura gerou um fluxo de humilhação em Frank. Ele fechou a porta atrás de si com um cuidado inútil, como se ainda tentasse não acordá-la. Quando ele se virou, o olhar dela era tão direto que o assustou. *Por que você faz isso com você?*

A verdade era que ele não tinha mais ideia de por que bebia, de por que seu coração bombeava sangue ou por que seus pulmões absorviam oxigênio. Simplesmente acontecia. Não havia linguagem para explicar isso, então ele simplesmente deu a volta nela, deixando-a sentada no escuro, e caiu às cegas na cama. Quando ele acordou naquela manhã, ela já tinha ido embora.

No táxi a caminho do hospital, Frank baixou a janela, tentando se refrescar, e pegou o telefone. Ele ficou com o polegar pairando sobre o contato de Cleo por cinco quarteirões. Quando ele finalmente ligou, pedindo que ela o encontrasse lá, nada em seu tom de voz revelava calor ou frieza. Ouvi-la era como tentar testar a temperatura da água do banho com luvas de proteção contra risco biológico.

Frank chegou até o departamento de radiologia passando pelas portas de aço de vaivém e encontrou Zoe encolhida na sala de espera, folheando a *New Yorker* sem interesse. Ela estava usando o traje habitual *nouveau* boêmio: vestido minúsculo com estampa de oncinha, sandálias *espadrille* e brincos de argola gigantes. Um médico que passava olhou duas vezes quando Zoe descruzou as pernas. Frank resistiu à vontade, como sempre fazia, de esbravejar contra ela para que se cobrisse. Ele não era o pai dela.

— Você veio! — Zoe pulou do sofá e se atirou em Frank para um abraço. As argolas tilintaram ao redor das orelhas.

— Você está bem? — ele perguntou, acariciando seus ombros, seu rosto, seu cabelo. — Não está machucada?

Zoe sorriu.

— Sim, estou bem. Melhor agora que você está aqui.

— Cleo está vindo também.

As narinas de Zoe se dilataram em um movimento familiar de frustração. Ela tinha um rosto leonino aberto e olhos salpicados de bronze com luz própria. Sua beleza era uma leve fonte de preocupação para Frank, decorrente de uma sensação incipiente de que toda mulher muito atraente que ele conhecia era, em segredo, profundamente infeliz.

— Por que *ela* está vindo?

— Porque ela é da família agora — respondeu ele. — Não seja assim, Zo.

— Tanto faz — disse Zoe.

Frank ficou perplexo com a hostilidade de Zoe para com Cleo. Parecia claro para ele que ela adoraria ter Cleo como irmã mais velha, ainda mais porque as duas mulheres eram tão parecidas: teimosas, criativas e joviais, irrepreensivelmente irreverentes. É provável que Zoe estivesse apenas intimidada; Frank sabia que ela iria superar isso e gostar de Cleo em breve. Todas as outras pessoas gostaram.

Zoe se jogou de volta na cadeira da sala de espera e olhou triste para a frente, emitindo um suspiro dramático de vez em quando. Momentos depois, um enfermeiro de cabelos castanhos despenteados apareceu ao lado deles, segurando uma prancheta.

— Bem, você parece recuperada — disse ele.

— Este é meu irmão mais velho — disse Zoe, inclinando o queixo para Frank.

Frank viu o familiar lampejo de surpresa que atravessou o rosto do enfermeiro. Ele estava esperando um irmão de pele caramelada, não um cara branco de óculos, com aparência vaga de judeu.

— Frank, você vai perguntar a eles por que eu tenho que fazer esse exame estúpido? — Zoe choramingou.

— Não se preocupe, vamos conseguir todas as informações — disse Frank, verificando o telefone para ver se Cleo tinha mandado uma mensagem sobre a distância a que ela estava. — Tenho certeza de que é o melhor para você.

— É sim — o enfermeiro confirmou, ansioso. — É chamado de eletroencefalograma e nos permite ver a atividade do seu cérebro usando eletrodos colocados ao redor da cabeça. Nós o mapeamos em um computador e, então, esperamos poder descobrir o que está causando suas convulsões.

— Eles têm que colocar cola no meu cabelo — falou Zoe.

— Sim — disse o enfermeiro com um olhar de preocupação tão genuína que Frank se perguntou quanto tempo ele poderia durar neste trabalho. — Usamos um adesivo bem forte no couro cabeludo para garantir que os eletrodos permaneçam no lugar. Mas sai em algumas lavagens, foi o que ouvi de outros pacientes.

— Sim, dos pacientes *brancos* talvez — disse Zoe, balançando a cabeça de cachos espessos. — Você tem alguma ideia de como é difícil de manter?

Frank colocou o braço em volta dos ombros estreitos dela e beijou o topo de sua cabeça.

— Esse é realmente o único jeito? — ele perguntou.

— Ah, tem outro jeito — disse o enfermeiro alegremente, entregando-lhe a prancheta. — Só não sabemos ainda.

Quando Cleo chegou, Zoe estava acomodada em uma cama de hospital como uma Medusa deitada, com uma dúzia de eletrodos brotando em espirais da cabeça. O enfermeiro havia usado algo chamado gel de abrasão para esfoliar o couro cabeludo antes de prender os discos, um processo que pareceu a Frank tão confortável como ter seu crânio massageado por uma lixadeira. Zoe segurou a mão dele durante todo o procedimento, o rosto dela passando da resignação à pura raiva.

Frank viu Cleo antes que ela o visse. Ela ficou parada por um momento, olhando ansiosamente para cima e para baixo no corredor. Ele ficou impressionado, mais uma vez, ao ver quanto ela era jovem. Ela ainda parecia a filha de alguém. Ela os viu e correu. Frank continuou sentado, tímido. Ele tentou chamar a atenção dela, mas ela estava atenta a Zoe. Ele procurou no rosto dela traços de raiva ou decepção, mas ele estava calmo. Cleo se inclinou para cumprimentar Zoe e seu cabelo caiu para frente como uma cortina dourada, deixando Frank fora do palco.

Talvez tenha sido a sensação de alívio, depois desconforto, que ele sentiu ao ver Cleo, mas se lembrou de estar com a mãe. Essa vergonha era a que ele costumava sentir quando ela chegava para buscá-lo na escola. Ela estava sempre atrasada, sempre irritada, como se a vida dele fosse algo concebido para atrapalhá-la. Ela não o cumprimentava com abraços ou perguntas sobre seu dia, como faziam as outras mães e babás. Só quando voltavam para casa e os primeiros cubos de gelo estavam no copo mergulhados em gim, quando já havia o mandado acender o cigarro no fogão e trazê-lo de volta, que ela finalmente ouvia suas histórias sobre o dia dele, o rosto dela suavizando-se enquanto o gim entrava na corrente sanguínea.

— Só você poderia fazer uma camisola de hospital parecer tão bonita — elogiou Cleo. Ela ofereceu a Zoe um lenço de papel para a lágrima que escorria-lhe pela bochecha.

— Estou bem — Zoe falou, ignorando-a.

Zoe estava chorando antes de Cleo chegar? Frank estava tentando não fazê-la se sentir pior olhando para ela. Ele era tão ruim nessas coisas.

— Eu trouxe uns lenços para você poder prender seu cabelo depois — disse Cleo. — E eu peguei um vidro de hamamélis. Eu li que vai tirar a cola suavemente.

Frank nunca valorizou muito a bondade nas pessoas. Sua mãe não o ensinou, ele deduziu. Ele sempre foi atraído por personagens, pessoas com talento ou ambição ou gosto por diversão. O tipo de pessoa que, como ele, tendia a se colocar em primeiro lugar. Mesmo com Cleo, foi a inteligência e energia sexual que o atraiu; ele nunca havia considerado se ela era uma boa pessoa. Agora, ao vê-la puxar echarpes da bolsa como um mágico tira lenços da cartola, ele percebeu que estava errado. A diversão é boa enquanto se é jovem, mas à medida que se envelhece, é a gentileza que conta, a gentileza que aparecia.

— São só amostras antigas que eu fiz para o trabalho — disse Cleo.

— Você ainda trabalha com essa marca? — perguntou Zoe.

Cleo balançou a cabeça.

— Estou me concentrando mais na minha própria pintura.

— Bom para você — disse Zoe.

Frank não tinha certeza, mas pensou ter visto Cleo hesitar. Zoe virou-se para falar com Frank.

— Por falar nisso — ela disse — você vai gostar de saber que eu consegui um emprego novo. É naquela boutique da Christopher Street.

— Na parte burguesa perto da Citarella, ou na parte com todas aquelas sex shops gays? — perguntou Frank.

— Burguesa — falou Zoe. — Comecei na semana passada.

— Que ótimo — disse Frank. — Você soube do emprego por amigos da escola?

— Conheci o dono depois de uma festa. — Zoe deu de ombros.

Frank voltou o olhar para Cleo. Tal irmão, tal irmã, supôs. Cleo ergueu as mãos e deixou os fios coloridos de tecido passarem por elas. Um havia sido pintado com galhos floridos no estilo dos desenhos japoneses, outro com formas abstratas em azul vibrante e o último com flores vermelho-sangue fechadas, salpicadas de sombras. Frank continuou tentando chamar a atenção de Cleo por entre as faixas de tecido, mas o rosto dela estava distante. Ele teria preferido que ela estivesse claramente zangada com ele, assim pelo menos ele saberia como ela estava se sentindo.

— As papoulas — disse Zoe. — Eu fico bem de vermelho.

— Você pode ficar com o que quiser — ofereceu Cleo.

— Obrigada — disse Zoe. — De verdade.

E uma paz momentânea fora alcançada. O enfermeiro reapareceu pela divisória.

— Parece que está acontecendo uma festa aqui — comentou ele.

— Oi, eu sou a cunhada — disse Cleo, estendendo-lhe a mão.

— Como eu sou sortudo, né? — O enfermeiro sorriu. — Duas lindas mulheres aqui no mesmo dia. Vocês poderiam ser modelos.

— Bem, Zoe poderia — disse Cleo.

— Não depois do que você fez no meu cabelo — falou Zoe.

— Vamos falar com um médico de verdade em breve? — perguntou Frank.

— Depois do exame, virá um especialista para orientá-los sobre os resultados. Depois que tivermos feito todas as partes difíceis. — O enfermeiro piscou para Zoe. — Vocês podem relaxar e conversar durante a primeira metade, mas Zoe, vou pedir para você não se mexer. E então ficaremos cerca de quinze minutos em silêncio para monitorá-la em estado de repouso. Parece uma boa ideia?

Cleo e Frank sentaram-se ao lado de Zoe enquanto o enfermeiro ligava o monitor. Linhas vermelhas onduladas começaram a dançar na tela.

— Essa é a sua atividade cerebral — explicou o enfermeiro. — Muito bacana, hein?

— Claro — ironizou Zoe. — Quer trocar de lugar?

— Ah, quando eu estava em treinamento, passei por coisas bem piores do que isso — disse ele. Ele se inclinou para ela, em tom conspiratório. — Costumávamos praticar enemas um no outro.

Cleo tentou conter uma risada segurando um lenço na boca, mas acabou bufando alto. Zoe sorriu para o enfermeiro.

— Parece sexy — falou ela, colocando a ponta rosa da sua língua entre os dentes da frente.

— Vocês duas não têm jeito mesmo — disse Frank.

O enfermeiro puxou a cortina ao redor deles novamente, e eles ficaram sentados por um momento ouvindo o bipe do monitor. Frank consultou o relógio; já passava das quatro horas.

— Bem, eu não vou voltar ao trabalho hoje — disse ele, colocando os pés na lateral da cama de Zoe.

— Nem eu — disse Zoe. — Vamos tomar um drinque depois disso, aproveitar o *happy hour*.

— Nem pensar — disse Frank, retornando ao seu assento. — Tenho certeza de que foi isso que te fez parar aqui. Era isso que você estava fazendo ontem à noite?

— Eu estava brincando!

— Estava mesmo?

— Eu não bebi tanto assim — disse Zoe, olhando diretamente para o teto. — Eu estava bem quando fui para o ensaio.

— Você teve a convulsão no teatro? — perguntou Cleo.

— Você estava com aquela sua colega de quarto? — perguntou Frank. — Aquela que anda com os viciados em drogas?

Frank teve uma sensação estranha com aquela garota quando ajudou a mudar Zoe para o apartamento. Ela tinha um rato de estimação, o que já dizia quase tudo.

— Ela trabalha em um programa social de troca de seringas — disse Zoe. — É um pouco diferente.

Frank fez um ruído para ilustrar que, para ele, não era.

— De qualquer forma, foi horrível — continuou Zoe. — Eu derrubei todo o cenário da caverna de *Antígona*.

— *Antígona* sofreu mais — murmurou Cleo.

— O gerente de palco me trouxe aqui depois — falou Zoe. — Eu disse a ele que ligaria para você. — Zoe mexeu com tristeza na camisola de hospital. — Aposto que minha substituta está *empolgada*. Ela está morrendo de vontade de fazer o papel.

— Você causou isso para si mesma, Zoe — disse Frank. — Você sabe que não deve beber com a medicação.

As linhas onduladas no monitor ao lado dela estavam começando a se mover mais rápido.

— Ignore-o — disse Cleo. — Ele está apenas agindo como um homem.

Ela esfregou o braço de Zoe suavemente. Zoe, no entanto, não iria ficar do lado de Cleo por causa de Frank. Ela afastou o braço.

— Você é quem se casou com ele — rebateu ela. Então, incapaz de resistir a cutucar Frank também, ela acrescentou: — Embora sabe lá Deus por quê.

— Para conseguir o visto — disse Frank. — Você sabe disso, Zo.

Ele não deveria culpar Cleo, realmente, por tentar se relacionar com Zoe, mas o incomodava sempre ter que ser o cara mau. Além disso, ele estava cansado de "homem" ser usado como sinônimo de "idiota". Para sua satisfação, ele viu os olhos de Cleo se arregalarem de surpresa.

— Isso não é justo — ela falou com suavidade.

— Mas *você* — ele disse, virando-se para Zoe. — Minha parasitinha ingrata. Eu só quero que você se cuide.

— Eu sei — Zoe respondeu, dando um tapinha no rosto dele. — Agora pare de fazer eu me mexer, você ouviu o moço enfermeiro.

— Você pode chamá-lo só de enfermeiro — sugeriu Cleo.

Frank sorriu contra a vontade; ele sabia que Cleo não deixaria isso passar. Eles voltaram ao silêncio, o bipe incessante do monitor marcava o tempo.

— Certo, nada de bebidas — disse Zoe finalmente. — Que tal um filme? Está muito calor para ficar lá fora de qualquer maneira. Há um filme da IFC que eu queria ver.

— Credo, eu não estive lá desde... — comentou Frank. — Você se lembra, Cley?

— Eu me lembro — disse Cleo.

— Do quê? — perguntou Zoe

— Acho que foi nosso primeiro encontro oficial — disse Cleo. Ela estava olhando para Zoe, mas estava falando com ele. — Não que nós tenhamos namorado realmente no sentido tradicional.

— Nós apenas fodemos — explicou Frank.

— Nojento — disse Zoe.

— Mas preciso — concedeu Cleo, dando a Frank apenas um cantinho de seu sorriso. — Fomos ver um filme daquele diretor norueguês. Qual o nome dele? Sempre muito deprimente?

— Eu sei quem é — falou Zoe. — Os noruegueses são tão dark.

— E o Bergman? — perguntou Frank.

— Sueco — responderam Cleo e Zoe em uníssono.

— De qualquer forma, Bergman também é deprimente — disse Zoe. — Você sabia que a taxa de divórcios na Suécia dobrou depois que *Cenas de um Casamento* foi lançado?

O assunto ficou pairando no ar por um tempo.

— Enfim — disse Frank, mudando o assunto do divórcio e voltando para a lembrança que ele queria que Cleo tivesse. —, foi no meio daquela enorme tempestade de neve.

Foi a última tempestade do inverno, em meados de março, quando um metro e meio de neve acumulou-se sobre a cidade e a envolveu em um silêncio que Frank nunca havia testemunhado. Havia algo de milagroso em encontrar um ao outro no cinema vazio, que ainda estava aberto, o que era improvável; os dois sentados sozinhos no escuro, o cheiro de lã úmida e de manteiga derretida envolvendo-os. Depois, eles andaram às cegas por ruas brancas rodopiantes, os faróis ocasionais dos carros que passavam rastejando e iluminavam o caminho deles. Não havia táxis, então eles entraram em uma padaria italiana na Bleecker Street que ainda estava aberta. Cleo pediu um chocolate quente ao estilo veneziano que era mais espesso do que uma calda e queimou a pele do céu da boca.

— Fomos a essa padaria — falou Cleo. — E logo começamos a discutir.

— Acho que você quer dizer discutir apaixonadamente os méritos cinematográficos do filme — disse Frank.

— Achei a atriz principal horrível — comentou Zoe.

— Bem, nossa discussão apaixonada foi sobre a escolha do pai de se alimentar primeiro quando ele arriscou sua vida para conseguir uma refeição para a família durante a guerra — disse Frank.

— Frank estava mesmo defendendo-o — comentou Cleo.

— Você disse — Frank rebateu, sustentando o olhar de Cleo — que eu simpatizava com o pai porque sempre colocava minhas próprias necessidades em primeiro lugar.

Cleo foi a primeira mulher que podia realmente excitá-lo criticando-o. Ela era inteligente para isso, perspicaz de uma forma que o fazia se sentir indefeso, mas visto, considerado de verdade pela primeira vez na sua vida.

— Isso é meio pesado — rebateu Zoe.

— Isso foi antes de ela saber tudo o que faço por você — respondeu ele.

— Ele se levantou, pegou meu chocolate quente e saiu da padaria — disse Cleo. — Ele até esqueceu a jaqueta. Achei que ele estava saindo furioso, mas quando olhei para fora, ele estava lá, segurando meu copo para pegar a neve.

— Para quê? — perguntou Zoe, disfarçando um bocejo.

— Para esfriá-lo — disse Cleo.

— Para fazê-la rir — disse Frank.

Parecia quase impossível imaginar a intensidade do frio agora, no calor de agosto, da mesma forma que é impossível pensar em estar com fome quando se está satisfeito. Frank tentou se lembrar das nuvens baixas de vapor que sua respiração fazia e da sensação de flocos de neve pesados afundando no tecido fino da camisa. O que ele conseguia se lembrar com absoluta clareza era o jeito como Cleo estava sentada à janela, seu lindo rosto brilhante e cabelos cor de mel. Tudo nela era dourado, a pilha de anéis que ela sempre deixava na pia dele, a primeira surpresa dos seus pelos pubianos claros e sedosos. Ela até cheirava a mel, algum creme com o qual estava sempre se besuntando, reclamando que sua pele era sensível demais para os invernos rigorosos de Nova York.

— Agora podemos falar sobre mim de novo? — perguntou Zoe.

Mas Frank estava olhando para Cleo. Ela sustentou o olhar. Ela sorriu, e ele foi perdoado pela noite anterior. Ela *era* sensível, ele sabia disso, mas também era durona. Ele gritou para ela do lado de fora da rua, mas ela não ouviu. "*Feliz?*" Era isso que ele estava gritando pela janela, em meio à neve rodopiante. "*Eu te deixei feliz agora?*"

CAPÍTULO CINCO

FINAL DE AGOSTO

O grupo Rumo ao Clímax da Consciência se reunia todas as sextas-feiras em um estúdio de hot yoga na Canal Street, em cima de uma loja que anunciava leitura de aura por dez dólares. Zoe foi convencida a vir por sua colega de quarto, Tali, que tinha cabelo azul vibrante e dizia coisas como "Sua boceta é seu poder". Ela concordou apenas porque a aula era gratuita, o que significava que era a única coisa que ela poderia fazer naquela noite.

Até aquela semana, ela estava ganhando só o suficiente como única funcionária de uma butique feminina na Christopher Street. A loja era uma caixinha de veludo, de propriedade de uma estilista de família rica e com um problema de drogas bastante óbvio, a quem Zoe emprestou um absorvente interno em uma festa (ela usou o aplicador como canudo de cocaína). As roupas vendidas ali serviam aos gostos de um tipo específico de mulher do West Village, rica e vagamente boêmia, que trabalhava como... Bem, Zoe não tinha certeza, mas em algum plano de carreira isso significava que ela estava livre para fazer compras durante a semana.

Zoe foi instruída a se sentar à frente da vitrine e ficar bonita para atrair as pedestres, o que combinava bem com seu lado exibicionista. Apesar desse plano de marketing sólido, a loja costumava ficar vazia por horas a fio, deixando-a livre para praticar suas falas com desinibição. E, como a loja permanecia fechada entre seus turnos, Zoe decidiu que estava livre para pegar roupas emprestadas impunemente, contanto que tomasse cuidado para não derramar nada nelas, um plano que cortou pela raíz sua recém-adquirida mania de compras. O melhor de tudo, ela recebeu "por fora" — em dinheiro, o que significava que ela estava conseguindo economizar um pouco pela primeira vez na vida.

Mas então chegou a conta do hospital. Ela abriu o envelope do Beth Israel sem muito cuidado, sem prever que ele continha o equivalente financeiro a um soco no estômago. Nele, ela encontrou descritos em detalhes clínicos os custos substanciais da tomografia cerebral que tinha sido feita no hospital com Cleo e Frank. Ela tinha plano de saúde (pago por Frank, é claro), o que só reduziu o pagamento restante para pouco mais de mil dólares. Suas opções para conseguir recursos rapidamente eram limitadas. Desde o casamento, Frank deixou claro que o Banco Irmão estava oficialmente fechado. Para recorrer aos seus pais, ela teria que lhes contar primeiro sobre a convulsão. Ela não teve escolha a não ser pagar a conta e, ao fazê-lo, acabou com todas as suas míseras economias de uma vez só.

E assim, seus planos de sexta-feira à noite foram reduzidos de jantar no Indochine com seus amigos da escola de artes Tisch a participar de um encontro grátis sobre positividade sexual com sua colega de quarto ligeiramente desequilibrada. Aos dezenove anos, Zoe era bem mais jovem do que a maioria dos homens e mulheres que se acomodaram em um semicírculo no chão de madeira quando ela chegou. Ela pensou que, se tivesse que descrever o grupo depois, ela o resumiria dizendo que havia *duas* pessoas presentes usando polainas, sem nenhum propósito funcional. Um par pertencia ao homem que agora estava de pé na frente deles, batendo suas grandes palmas da mão e pedindo a todos que se sentassem em uma posição confortável de pernas cruzadas.

Zoe sentou-se ao lado de Tali e estudou o grupo com mais atenção. Ela contou duas camisetas tingidas (uma estampada com o slogan "O Movimento é o Momento"), um punhado de bonés e chapéus, uma mulher branca usando um *bindi* e uma variedade de pingentes de cristal. A única outra pessoa próxima da idade de Zoe era uma garota sentada bem em frente a ela com uma camiseta com decote V que mal continha os seios empinados. Ela tinha um rosto bonito e um pouco mal-humorado que fazia Zoe se lembrar de um buldogue francês.

— Bem-vindos, pessoal — disse o Polainas. — Como a maioria de vocês sabe, sou Kyle. E como vocês estão se sentindo hoje?

— Fantástica pra cacete, Kyle! — gritou uma mulher, a que usava o *bindi*, e o grupo bradou, concordando.

— Fico feliz em saber — disse ele, radiante. — Agora, antes de começarmos, temos novos membros esta noite?

Várias pessoas levantaram as mãos de forma tímida, inclusive Zoe e a garota peituda à frente dela. Zoe sentiu a atenção do grupo se voltar para ela, e a sensação calorosa de ser percebida e inevitavelmente admirada a percorreu.

— Bem-vindos — cumprimentou Kyle. — Não precisam ficar nervosos. Somos todos um bando de esquisitos aqui, mas todos do bem, eu prometo. Agora, acredito que vocês já saibam um pouco sobre Rumo ao Clímax da Consciência e o que fazemos aqui.

Mesmo assim, Kyle começou a explicar a prática em detalhes. Zoe sentiu seu rosto esquentar enquanto ele descrevia como um "estimulador" acariciaria o clitóris da receptora na tentativa de levá-la a um plano superior de consciência. De acordo com Kyle, havia três estágios físicos: acariciar a parte interna das coxas da receptora, fazer pressão no quadrante superior esquerdo de seu clitóris e aterrar a região da virilha com a palma da mão plana, depois de chegar ao orgasmo.

— Parte superior esquerda, pessoal! — repetiu Kyle. — Esse é o lugar de acesso. Agora, alguma pergunta?

Ele sorriu com entusiasmo olhando ao redor da sala. Zoe, que sentia que já estava aterrada o suficiente, olhou para a porta ansiosamente.

— Não? Bem, o grupo desta noite é apenas para nos conhecermos — disse Kyle. — Recriaremos os estágios da meditação física verbalmente por meio de alguns jogos de palavras e exercícios divertidos. — Ele piscou para o grupo. — Lamento, nenhum de vocês vai tirar as calças esta noite.

Várias pessoas riram ou gritaram, seguidas por uma bateria de aplausos. Zoe olhou no seu telefone; ela estava lá há menos de dez minutos. No primeiro exercício, Kyle pediu ao grupo que caminhasse em semicírculo e que cada pessoa gritasse como se sentia naquele momento! *Animado! Nervoso! Com tesão! Pronto para fazer isso! Agradecida! Amada! Motivado! Sexy para caramba!*

— Fodida — respondeu Zoe quando chegou a vez dela.

— Desculpe, você disse "fodida"? — perguntou Kyle.

Ela repetiu a palavra.

— Isso é ótimo, Zoe — disse Kyle. — Embora eu ache que chamaríamos isso mais de estado do que emoção.

Tali olhou de lado para ela em desaprovação, mas a outra garota, a bonita com cara de buldogue, olhou para ela e sorriu. Zoe sempre foi boa em se conectar com outra pessoa dessa maneira em um grupo. "Conexão pela rejeição" ou "vínculo pelo mau comportamento" era como o conselheiro do internato terapêutico para o qual ela havia sido mandada chamava isso.

— Tudo bem. — Kyle esfregou as mãos nervosamente. — Para a frente e para o interior.

No próximo jogo, as pessoas poderiam se voluntariar para sentar em um banquinho no centro da sala, conhecido como "banco quente", enquanto o grupo fazia-lhes perguntas pessoais. Zoe descobriu que Sandra, a que usava bindi, era coach de vida e que gostava de se masturbar no banho; a maior excitação do recém-chegado Ralph em uma mulher era a gentileza e a vontade de experimentar o anal, e que Kyle — que descaradamente concordou em participar do "banco quente" a pedido do grupo — era um vegano adepto do poliamor que adorava cozinhar para a mãe. Zoe chamou a atenção de Tali e murmurou *"Eu te odeio"* para ela antes de voltar para o grupo com um sorriso forçado.

Em seguida, Kyle pediu que eles se deitassem no chão e relaxassem o corpo o máximo possível. Zoe checou seu telefone novamente; alguns amigos estavam se encontrando para beber na inauguração de um novo bar no East Village. Parecia que toda a vida estava acontecendo fora daquela sala.

— Quero que todos fechem os olhos e imaginem um momento em que se sentiram vulneráveis de verdade — disse Kyle, diminuindo as luzes.

Zoe não faria nada disso. Ela olhou para o teto e tentou pensar, em vez disso, em como poderia ganhar dinheiro rápido e sem esforço. Mas o pensamento, aquele em que ela estava se esforçando para não pensar, invadiu o caminho da sua mente. Ela tinha quinze anos e estava apaixonada. Ele estava um ano a sua frente em seu primeiro internato, era um guitarrista da banda de jazz da escola. Ele a beijou na festa de Halloween — ele estava fantasiado de pedaço de bacon; ela, de ratazana sexy — então a levou para uma colina atrás do prédio de ciências. Eles fizeram sexo na grama molhada com as fantasias amassadas até a cintura. E foi isso. Ele se tornou o gancho no qual ela pendurou todo o seu ser.

— Como esse momento fez você se sentir? — sussurrou Kyle. — Assustado? Animado? Bravo? Mergulhe profundamente nesse sentimento.

Só pensar sobre ele gerava uma espécie de calor, um rubor de dentro para fora. Na aula, ela ignorava qualquer lição que estivesse acontecendo e voltava-se para dentro de si mesma para reviver cada momento daquela noite. Ele era gentil, mas indiferente com ela quando ela aparecia nos ensaios da banda ou orquestrava maneiras de eles se esbarrarem entre as aulas. Ela não podia suportar, ou entender, a passividade dele. Eles descobriram juntos aquela coisa incrível. Por que ele não queria fazer isso de novo e de novo e de novo?

No fim de semana seguinte, exausta com a decepção, ela decidiu tentar ficar bêbada. Ela e uma amiga esperaram do lado de fora da loja de bebidas da cidade até encontrarem um homem disposto a comprar uma garrafa de vodca para elas, depois sentaram-se em um banco com uma caixa de suco de laranja revezando-se entre uma bebida e outra, até terminarem. As duas. Uma hora depois, invadir o quarto dele e surpreendê-lo parecia uma ideia incrível. Seria uma aventura romântica. Ela queria se deitar ao lado dele, embalar a cabeça no seu peito e pentear o cabelo dele com os dedos. Ela estava saltando pela janela dele, bêbada demais para se lembrar desse fato depois, quando caiu no chão do dormitório dele ao ter a primeira convulsão.

— Agora, imagine um momento em que você se sentiu seguro e amado — disse Kyle.

Mas ela já estava muito imersa na lembrança para sair. Voltar à consciência depois de uma convulsão era como atravessar uma vidraça. Ela se lembrou de abrir os olhos e ver o rosto redondo e branco da enfermeira da escola. Ela não tinha ideia de onde estava. Foi quando a enfermeira a ajudou a ficar de pé que ela sentiu a saia molhada, grudada nas coxas. Havia uma mancha escura no tapete. A vergonha que ela sentiu, tanta vergonha. Tão visceral que mesmo agora ela cobriu o rosto involuntariamente com as mãos.

— Agora imagine um momento em que você fez outra pessoa se sentir segura e amada — falou Kyle.

Ela leu depois que isso era comum durante as convulsões causadas por epilepsia e viveu com medo de que voltasse a acontecer, mas até agora só tinha acontecido aquela primeira vez. Nas semanas seguintes, ela assistiu vídeo após vídeo de pessoas se debatendo no chão, cabeças balançando de um lado para o outro como se tentassem se libertar dos corpos. Foi um ato de violência contra si mesma assisti-los. *Ele* a tinha visto assim. Alguém nesta sala já se sentiu vulnerável assim? Alguém na história do mundo já foi humilhado desse jeito?

— Eu sinto a energia de cura nesta sala — disse Kyle. — Eu sinto.

Depois que eles se espreguiçaram e se sentaram, Kyle disse que eles trabalhariam em duplas para o exercício final. Zoe ficou aliviada por estar ao lado da garota que parecia ter se divertido com ela mais cedo. Kyle os instruiu a pressionar as palmas das mãos contra as do parceiro e fazer declarações curtas e afirmativas sobre si mesmos, começando com "eu sou" e "eu não sou".

Zoe empurrou suas palmas contra as da garota, que se apresentou como Portia. De perto, ela era mais sensual do que bonita, com um nariz levemente arrebitado e lábios cheios e macios da cor de ameixa escura. Ela tinha um piercing brilhante no rosto, onde poderia haver uma covinha. Elas se olharam timidamente.

— Vão em frente, meninas — disse Kyle. — *Eu sou...*

— Eu sou da opinião de que isto tudo é um monte de merda — murmurou Portia enquanto Kyle se afastava, direcionando os olhos escuros ao redor do estúdio.

— Eu não posso discordar de você — respondeu Zoe.

— Eu só estou aqui porque meu psiquiatra sugeriu.

— Eu não estou aqui porque quero — disse Zoe. — Minha colega de quarto maluca me convenceu.

— Eu *estou* pronta para começar a tomar um porre. — Portia sorriu.

Zoe riu.

— Não é uma má ideia.

Intimidade acelerada, nisso Zoe era boa. Ela aprendeu cedo que era mais rápido se relacionar com outra pessoa a partir do que você não gostava do que a partir do que gostava, e que a maneira mais fácil de se sentir próximo de alguém era fazer algo transgressor juntos. É por isso que os fumantes sempre fizeram amigos. Depois do incidente da convulsão, o conselheiro sugeriu que isso era parte do que colocou Zoe em apuros, mas Zoe ainda não via esse tipo de comportamento como problemático. Até agora, sempre havia funcionado para ela. Tali, que olhara quando elas começaram a rir, franziu a testa para Zoe do outro lado da sala.

— Por que seu psiquiatra achou que você precisa disto? — Zoe sussurrou, inclinando-se para mais perto dela.

— Porque eu gosto do meu trabalho. E ele é um bosta puritano. Era isso ou VSAA.

Zoe inclinou a cabeça.

— Viciados em Sexo e Amor Anônimos — explicou Portia.

— Ah, certo. Minha mãe está no outro.

— No AA? A minha também. — Portia revirou os olhos.

— Ou *estava*.

— E aí, o que você faz?

— Eu sou uma *sugar baby* — disse ela com orgulho. — Estou em um site chamado *Daddy Dearest* que combina "senhores com certos recursos" — ela retirou as palmas das mãos das de Zoe fez aspas no ar com suas longas unhas lilás — com garotas como eu. Você tem que estar na faculdade ou ter se formado para ser uma *baby*. Eles só precisam ser ricos. São homens que querem garotas atraentes, mas com formação acadêmica, para levar para eventos de trabalho e reuniões de negócios e coisas desse tipo.

— Você...

— Dorme com eles? — Portia perguntou com entusiasmo. — Isso você resolve com seus *daddies*. Mas se você quiser combinar alguma coisa com eles... Bem, eu paguei meus empréstimos da faculdade e comprei um Honda Accord com essa merda.

Zoe não sabia como era um Honda Accord, mas a parte dos empréstimos era impressionante.

— E você só tem que estar na faculdade?

— E ser gostosa — Portia disse, com o brilhante no rosto faiscando. — O que, garota, você é. De qualquer forma, se está realmente falida como disse, você deveria tentar. Eles ficam loucos por garotas étnicas lá também.

Zoe decidiu deixar esse comentário para lá.

— Acho que vou pedir para o meu irmão para me ajudar — disse ela. — Mas é muito bacana essa história do carro e tudo mais.

Ela sabia que Frank já estava sendo generoso ao pagar o aluguel e a faculdade. Na verdade, a culpa era da mãe por ela estar nessa confusão. A mãe dela sempre fora descuidada com o dinheiro, como as pessoas criadas com muito dinheiro costumam ser. Ela nunca deveria ter aberto aquele negócio de aluguel de esquis de luxo, arrastando o pobre pai de Zoe para a empreitada. Parecia a Zoe que ela era a única pessoa no seu grupo de amigos na universidade que não tinha pais que forneciam fundos infinitos para jantares e passeios noturnos — tudo o que tornava a vida em Nova York realmente divertida.

— Olha, eu vou te dar isso. — Portia virou-se para revirar a bolsa Louis Vuitton e tirou um cartão de visita. — Vou parar logo, então não estou dizendo isso para promover a parada deles ou algo assim. Um dos meus *daddies* me quer só para ele, então ele me arranjou um trabalho de gerente de um escritório chique. Estou ganhando dinheiro, querida! — Ela estalou os dedos e ajeitou as pernas cruzadas no chão.

Zoe riu e pegou o cartão. Era encorpado, preto fosco, com o nome de Portia e as palavras "*sugar baby*" traçadas em rosa-choque acima do endereço do site. No outro lado havia a silhueta de uma mulher. Poderia ser de qualquer uma.

Para encerrar a sessão, o grupo deu as mãos e entoou uma série de longos "oms" com os olhos fechados. Depois de alguns minutos, Zoe não conseguia mais ouvir onde sua voz terminava e a dos outros começava; ela podia sentir todo o barulho humano na sala zumbindo na sua própria garganta. Talvez, ela pensou, fosse assim a sensação de um orgasmo com outra pessoa, sem saber onde ela termina e você começa.

A verdade é que ela nunca teve nenhum, com ninguém e nem consigo mesma. Talvez ela tenha começado tarde, pois nunca tentou quando era jovem. Ela perdeu a virgindade antes de realmente conhecer o seu corpo. Ela tentou se tocar algumas vezes após o incidente da convulsão, mas se sentiu desconfortável e entorpecida lá embaixo e logo desistiu. Para ela, o sexo significava validação e poder, poucas vezes prazer físico. Ela se sentia mais perto de ter um orgasmo andando de metrô do que com um homem dentro dela. Seu corpo, ela decidiu, era defeituoso. Ela não podia nem beber álcool como uma pessoa normal, muito menos gozar como uma. Tudo o que seu corpo sabia fazer bem era traí-la.

O canto foi diminuindo de volume até que todos ficaram em silêncio. Kyle tocou um único gongo, e as pessoas ao seu lado soltaram as mãos. Quando Zoe abriu os olhos novamente, ela ficou surpresa ao estar piscando para conter as lágrimas. Ela tentou correr para o banheiro, mas Kyle a interceptou.

— Estou muito contente por você ter vindo esta noite, Zoe — disse ele. — Tenho a sensação de que você ainda pode estar um pouco confusa sobre o que fazemos aqui, então eu queria saber se posso contar uma história rápida. — Zoe concordou sem vontade. — Excelente! Um dia, do nada, um sujeito cai em um buraco profundo. "Socorro, socorro!", ele grita, mas ninguém aparece. Finalmente, passa um rabino. Ele joga uma Torá e diz ao sujeito para ele orar para encontrar uma saída.

Zoe olhou para Tali na esperança de que ela a ajudasse a encontrar uma saída, mas ela estava conversando, animada, com uma mulher que Zoe ouvira dizer que havia dado à luz em silêncio.

— Em seguida, passa um padre e joga uma Bíblia. Mais uma vez, nada acontece. Um psiquiatra diz que ele está confinado porque está deprimido e joga algumas pílulas. Sem chance. Um niilista diz para ele imaginar que o buraco não existe, mas isso também não funciona. Um político, um intelectual e muitos outros tentam, mas nada funciona. Então um espiritualista, um sábio mesmo, chega à beira do buraco. Ele olha para o homem lá embaixo e pula. E assim é esta meditação, Zoe: alguém entra no buraco com você.

Kyle sorriu para ela com expectativa.

— Mas como eles saem do buraco? — perguntou Zoe.

— Exatamente — falou Kyle.

— Mas há duas pessoas presas no buraco agora — disse Zoe.

Kyle apertou o braço dela

— Espero vê-la na próxima semana — disse ele antes de se afastar.

Zoe olhou para a porta na hora em que Portia estava saindo. Ela percebeu o olhar de Zoe, deu um tapinha em sua bunda e murmurou algo para ela. Era *grana, mana*.

...

Motivada pela conversa com Portia e incapaz de suportar a ideia de uma noite de sexta-feira em que o destaque havia sido ouvir sobre o poliamor de Kyle, Zoe deixou Tali e se viu caminhando para o norte em direção ao bar sobre o qual seus amigos enviaram mensagens de texto, apenas para ter companhia, ela disse a si mesma; não gastaria nada.

Era uma daquelas noites de final de verão em que o ar parecia água de banho e havia a possibilidade de sexo por toda parte. Zoe usou um hidratante caro antes de sair de casa, e o perfume emanava de sua pele enquanto ela andava. Ela tirou a camisa xadrez que estava vestindo e amarrou-a na cintura. Agora, estava tão nua quanto era possível estar, em um mini-vestido branco tão apertado que praticamente se podia ver o seu batimento cardíaco. Ela o pegou emprestado da butique da Christopher Street, é claro, deliciando-se com o bronzeado que vinha cultivando durante todo o verão. Um ajudante de garçom que limpava as mesas do lado de fora de um restaurante de frutos do mar largou os pratos para vê-la passar mais descontraído. Ela colocou os fones de ouvido e acrescentou um certo balanço ao seu caminhar. Nossa, ela adorava os últimos dias de verão na cidade.

Zoe chegou ao local lotado na Avenida B e mostrou a identidade falsa para o porteiro com um nervosismo familiar. Ele era um cara branco, grandalhão, de pescoço grosso e a cabeça careca pontilhada de gotas de suor.

— Espere, tenho que dar uma olhada.

Ele pegou a carteira de identidade e passou os olhos por ela, demorando-se por um momento na curva de seu peito.

— Então você é de Delaware? De qual parte?

Deu um branco na mente de Zoe. Ela nunca tinha estado em Delaware. Ela comprara a identidade por quarenta dólares do primo de um cara do alojamento de calouros. Ela movimentou os ombros para trás e sorriu seu sorriso mais brilhante.

— A parte do vento?

Ele sustentou o olhar, então explodiu em gargalhadas.

— Tudo bem — disse ele. — Você pode entrar.

Ele deu-lhe um beliscão na cintura quando ela passou.

— Volte para me ver, certo? — ele murmurou.

Lá dentro, não havia sinal de seus amigos. Ela foi abrindo caminho na multidão até a parte de trás do bar. Um pedaço de papel colado nas portas do banheiro dizia PESSOAL, USEM SUAS DROGAS LÁ FORA. ALGUMAS PESSOAS PRECISAM MESMO FAZER XIXI. Ninguém parecia ligar muito, no entanto, e lá estava o carrossel usual de grupos de garotas risonhas e caras agitados entrando e saindo. Ela entrou na fila e verificou o telefone. Pelo menos era algo para fazer, já que ela não tinha dinheiro para comprar bebidas.

A porta do banheiro se abriu novamente e Cleo saiu com uma amiga asiática que Zoe conhecera no casamento, embora não conseguisse lembrar do nome dela. Sua memória era terrível, o que para uma atriz era um problema. Ela sabia que era por causa das convulsões. A amiga de Cleo estava usando shorts jeans minúsculos que mostravam suas pernas tatuadas e, instintivamente, Zoe olhou para baixo para ver quem era mais magra.

— *Baby Zoe*! — gritou Cleo e lançou braços quentes ao redor do pescoço dela. — O que você está fazendo aqui? Você conhece a Audrey, certo?

— Está quente pra cacete aqui — disse Audrey, ignorando a apresentação. Ela fez o gesto de fumar um cigarro e apontou para a porta. Cleo fixou o olhar em Zoe e apertou-lhe o cotovelo.

— Vem com a gente? — ela perguntou.

Zoe sabia que Cleo estava tentando ser gentil, mas suas tentativas contínuas de fazer amizade a irritavam. Era fácil ser generosa quando alguém pagava tudo. Sem amigos à vista, no entanto, Zoe não tinha exatamente outra opção.

— Eu vou embora logo de qualquer maneira — ela murmurou, seguindo-as.

Lá fora havia pouco alívio para o calor. Cleo tirou um leque de madeira da bolsa e levantou o cabelo comprido para abanar a nuca. Ela o entregou a Zoe para ela experimentá-lo e pegou um maço de cigarros. Zoe evitou cuidadosamente o olhar faminto do porteiro enquanto ela se abanava. Cleo passou um cigarro para Audrey, depois ficou com um entre os lábios.

— Posso pegar um? — Zoe perguntou.

Cleo ergueu a sobrancelha.

— Frank me mataria.

— Não vou contar — falou Zoe. — Juro.

Cleo consentiu e ofereceu-lhe o maço.

— Eles são tão fininhos — disse Zoe, acendendo um com casualidade fingida. Ela não era bem uma fumante; simplesmente odiava ser deixada de fora.

— Cleo é chique demais para fumar qualquer coisa além de *slims* — disse Audrey.

— Tão chique quanto possível — brincou Cleo. — Assim sou eu.

— Onde está meu irmão, afinal? — perguntou Zoe.

— Sessão noturna — disse Cleo. — Ele trabalha tanto.

— Bem, alguém precisa trabalhar — disse Zoe antes que ela pudesse se conter.

Ela viu Cleo estremecer, muito de leve, e então colocar no rosto uma máscara de calma.

— Ah, não, me esconda — disse Audrey de repente, puxando Zoe para a frente dela. — É aquele cara do restaurante.

— Aquele com a coisa no mamilo? — perguntou Cleo, esticando o pescoço. — O que aconteceu com ele?

— Ele acabou de sair, ufa. — Audrey soltou Zoe. — Para começar, ele não conseguiu me fazer gozar.

Zoe ficou surpresa ao ouvir alguém falar tão abertamente sobre isso, mas ela tentou não demonstrar.

— Além disso — continuou Audrey. — Ele me chamou de sexy.

— Isso não é bom? — perguntou Zoe.

— Não como adjetivo, como nome próprio. Como em "Espere aí, Sexy" ou "O que você vai pedir, Sexy?"

— Entendi — disse Zoe. — Nojento.

— Além do mais, ele caçou animais de verdade — continuou Audrey. — E tinha modeladores de sapato em todos os calçados, até nos tênis. Como um psicopata.

— Modeladores de sapatos? — suspirou Cleo. — E eles o deixaram trabalhar com *comida*?

— Pare de rir de mim — disse Audrey. — Só pode ser um sintoma de doença mental ainda não diagnosticada.

Zoe, que sempre estava disposta a esse tipo de conversa, lançou a Audrey um olhar de conluio.

— É psicótico, com certeza — concordou ela. — Você tem sorte por ele não tê-la matado.

— Né? — disse Audrey, agarrando o braço de Zoe. — Você é divertida. Cleo, ela é divertida. Quantos anos você tem mesmo?

— Dezenove — disse Zoe. — E meio — ela acrescentou rapidamente.

— Ah, não, eu te *odeio* — disse Audrey. — Vamos, vamos pescar.

— Pescar?

— Eu fico em uma ponta do bar e Cley na outra, e nós duas parecemos meio tontas e perdidas até que um cara se oferece para pagar uma bebida para uma de nós. Pedimos duas, deixando-o pensar que uma é para ele, depois saímos correndo e as bebemos nós mesmas.

— Esse é o único esporte em que somos boas. — Cleo riu.

— Exceto pelo fato de termos parado de pescar desde que você conheceu o Frank — disparou Audrey.

— Porque ele paga as nossas bebidas — respondeu Cleo.

— Isso é verdade — retrucou Audrey. Ela cutucou o ombro de Zoe. — Você tem um irmão generoso, garota.

Zoe pensou na conta do hospital e sentiu uma pontada. Não generoso o suficiente, ela pensou.

— Sabe de uma coisa? — ela disse. — Vou embora. É tarde e... Tenho que ir.

Ela largou o cigarro na calçada e pisou a bituca com o calçado de cano alto. Quando ela olhou para cima, encontrou um olhar de decepção genuína no rosto de Cleo.

— Ah, não vá — disse Cleo. — Eu nunca consigo ver você sem o Frank. E eu esperava que...

— Vou nessa — Zoe interrompeu com um encolher de ombros. — Boa sorte na pescaria.

Ela foi embora sem deixar Cleo terminar. Foi indelicado, ela sabia, e provavelmente nem merecido, mas o pensamento da sua conta bancária sem saldo havia esgotado sua energia para se comportar bem. Ela voltou pela entrada do bar e sentiu um puxão na parte de trás de seu vestido. Ela esperava se virar e ver Cleo, mas em vez disso, deu de cara com o sujeito da porta pairando sobre ela. De tão perto, ela podia ver os poros entupidos na ponta do nariz dele, a película de suor cobrindo-lhe a testa.

— Já está indo embora? — ele perguntou.

Zoe puxou para baixo a bainha do vestido, que havia subido quando ele o puxou.

— Já — ela disse.

— Eu sei que você não vai me tratar assim depois que eu deixei você entrar com essa identidade falsa.

Zoe sorriu sem graça e fez um movimento de ombros para indicar que não tinha nada a dizer sobre isso. Ela se virou para continuar andando.

— Pelo menos me dê seu telefone — pediu ele.

— Acho que não — disse ela por cima do ombro.

Ele caminhou ao lado de Zoe enquanto ela continuava descendo o quarteirão. Ela teria atravessado a rua para longe dele, mas eles estavam bloqueados pelo tráfego.

— Você não tem que vigiar a porta? — foi a pergunta dela.

Ela estava querendo ser brincalhona, mas a pergunta saiu mais forte do que ela pretendia.

— Ah, é assim? Você se acha boa demais para um porteiro?

Pronto. A mudança de admiração para agressividade; Zoe conhecia muito bem. Ela parou para que ele não pudesse continuar andando ao lado dela. A outra extremidade do quarteirão estava vazia, e ela não queria ir mais longe com esse homem.

— Eu só não estou... À procura de algo sério agora — ela disse, com voz fraca.

Ele deu um passo para que seu rosto ficasse a centímetros do dela e baixou a voz.

— Quem falou em coisa séria? — ele murmurou.

Ele olhou incisivamente para a frente do vestido. Zoe sentiu um calor de vergonha aquecer seu rosto. Que parte dela dizia que ela gostaria de algo assim? De repente, ela odiou esse vestido branco minúsculo. Ela odiava o decote e as pernas em plena exibição — as mesmas coisas que tinha adorado no começo. Ela queria vestir sua camisa de volta e se esconder em casa sem ser notada. Queria sumir. O porteiro estava prestes a dizer mais alguma outra coisa provavelmente nojenta, quando ela ouviu seu nome.

— Zo! Zo! Esse cara está incomodando você?

Cleo e Audrey estavam trotando pela rua atrás dela, de braços dados.

— Cara, você pode se afastar dela? — disse Audrey. — Muito invasivo?

— Estamos apenas conversando — justificou ele, abrindo as palmas das mãos.

Audrey agarrou o braço de Zoe e a puxou para perto delas.

— Você sabe quantos anos ela tem?

— Ela tem *vinte e um* — murmurou Cleo entre os dentes. — É maior de idade. Lembra?

— Ah, certo — disse Audrey rapidamente. — Mas, tipo, uma jovem de vinte e um anos.

— Isso mesmo — disse Cleo, voltando-se para o cara da porta. — O que eu suponho que você não seja.

— Olhe, nós conhecemos o proprietário — acrescentou Audrey. — Então... É melhor não mexer com a gente.

O porteiro acendeu um cigarro e tragou, rindo baixinho enquanto a fumaça escapava pela boca. Ele olhou Zoe nos olhos e passou a língua no lábio superior.

— Você sabe onde me encontrar — ele sugeriu.

— Babaca — Audrey murmurou baixinho.

Zoe ficou aliviada por não ter que dar uma resposta justa para o fato, já que as duas garotas a estavam acompanhando pela rua, voltando para o bar. Cleo parou na entrada e se virou para Audrey.

— É verdade que conhecemos o dono? — ela perguntou. — Quem é?

— Não tenho a mínima ideia — disse Audrey. — Mas nós *podíamos* conhecê-lo, sabe?

Elas se olharam e riram. Cleo virou-se para Zoe, com o rosto sério outra vez.

— Você está bem, Zo? Quer que a gente pegue um táxi para você?

Ela pensou um pouco. A ideia de estar sozinha no apartamento de repente parecia incrivelmente desagradável. Ela percebeu, para sua surpresa, que queria ficar.

— De jeito nenhum — disse Audrey, respondendo por ela. — Levar um vestido desses para casa antes das onze? Nós não vamos permitir isso.

— Venha dançar com a gente — disse Cleo cantarolando. — Você pode se divertir de verdade.

A contragosto, Zoe sorriu. Era realmente um vestido fabuloso, apesar do problema que estava lhe causando.

— Mas eu estou sem dinheiro — disse ela.

— Podemos pescar! — sugeriu Audrey entusiasmada.

— Não precisamos pescar. — Cleo sorriu e balançou a bolsa. — Eu estou com o cartão de crédito do Frank.

Zoe pensou em dizer um desaforo, mas deixou para lá. Pelo menos ela poderia conseguir algumas bebidas grátis. Audrey festejou e passou os braços em volta do pescoço delas enquanto se dirigiam para o bar.

— Vocês sabem o que é isto, senhoras? — ela gritou mais alto do que a música. — É uma noitada do caralho só nossa, das garotas!

Zoe não encontrou seus amigos naquela noite, mas não importava. As horas seguintes foram um redemoinho alegre de bebidas e danças. Para sua surpresa, ela adorou estar na esfera protetora das garotas mais velhas, que, rindo, evitavam os avanços desajeitados de qualquer homem que tentasse falar com elas e a protegiam em um sanduíche com seus corpos.

Ela nunca teve um grupo de amigas íntimas. Em geral, ela tinha uma pessoa próxima, uma aliada, em rodízio. Elas tendiam a ser garotas introvertidas e tímidas com sonhos de grandeza social, que inevitavelmente idolatravam Zoe. Ela sabia que era mais bonita do que a maioria das garotas e havia aceitado, já há algum tempo, que o preço da beleza era sempre uma certa solidão. Não parecia ser um mau negócio para ela. Mas agora, no calor da atenção de Cleo e Audrey, ela se perguntava se estaria perdendo alguma coisa.

A noite chegou ao auge às duas da manhã, e o trio decidiu voltar para a casa de Cleo e Frank. Zoe estava sentada com Audrey na enorme escada de incêndio, aprendendo a enrolar o baseado perfeito quando Cleo saiu, os braços carregados de picolés coloridos.

— Eu assaltei o freezer — disse ela. — Está muito quente para comer qualquer outra coisa.

— Amém — disse Audrey, lambendo com habilidade o papel para enrolar o cigarro. Ela segurou a ponta e agitou-o até formar em um cilindro liso e rechonchudo.

Do outro lado da rua, um trio de caras com jeito de mercado financeiro, em mangas de camisa dobradas, parou para olhá-las.

— Uau! Meninas, que beleza! Onde é a festa esta noite? Vocês vão nos deixar subir?

— Claro! — gritou Audrey. — Mas vocês têm que adivinhar a senha primeiro!

Os homens começaram a rir.

— *Abra-te sésamo. Abracadabra!*

— Sinto muito, filhos da puta — gritou Audrey. — Podem sair.

Os homens esperaram para ver se ela estava brincando. Quando ficou claro que ela não estava, um deles balançou o punho sobre a virilha para elas enquanto se afastavam.

— Adorável — disse Cleo.

Zoe riu.

— Então, qual era a senha?

Audrey acendeu o baseado e deu um trago fundo.

— Fiquem-longe-de-mim-seus-brancos-ricos-malditos — ela disse ao exalar.

— Sabe, eu acho que esse seria o próximo palpite deles — falou Cleo.

Audrey balançou a cabeça.

— Os homens brancos neste país acham que podem fazer o que quiserem.

— Talvez agora fosse uma boa hora para dizer que Audrey odeia brancos — explicou Cleo.

— Em geral só os homens — corrigiu Audrey. — Mas sim, todos eles têm potencial para serem imbecis.

— Eu entendo você, garota — disse Zoe, e então olhou para Cleo rapidamente para ter certeza de que ela não estava ofendida.

Cleo ergueu as mãos em rendição.

— Sem discussões.

— Eu acho que as mulheres brancas não gostam muito de mim — disse Zoe. Ela parou para pensar sobre isso. — Ou melhor, mulher nenhuma, pensando bem.

— Pelo menos todos os homens parecem gostar de você — disse Audrey. Cleo olhou para ela com desaprovação. — Eu estou brincando! — acrescentou. — Só brincando.

— Você acha mesmo que as mulheres não gostam de você? — perguntou Cleo.

— Eu não sei — Zoe disse rapidamente. — Estou generalizando. Na minha aula de psicologia, lemos um estudo que dizia que o que os homens mais temiam era a piedade, e o que as mulheres mais temiam era a inveja. E isso mexeu comigo. Para um homem, a inveja pode representar poder, mas, para uma mulher, significa apenas ser atacada ou excluída.

Zoe espiou os rostos das outras. Ela sentiu como se tivesse acabado de expor uma parte oculta de si mesma para elas, uma verdade que ela sempre sentiu, mas nunca havia articulado, e temia que pudessem chamá-la de arrogante ou maluca. Mas ambas estavam concordando com um movimento de cabeça.

— Entendo — disse Audrey. — É por isso que as garotas não aceitam elogios e sempre retribuem. Tipo, se você diz que gosta do meu cabelo, então eu tenho que discordar e ficar toda "Não! É tão sem graça e escorrido... O *seu* cabelo que é incrível!"

Cleo riu.

— Mas se você disser a um homem que ele tem o cabelo bonito — diz ela — ele fica tipo "obrigado, *e* meu pau é enorme".

Audrey tirou um picolé de uva de sua embalagem plástica e começou a raspar os cristais de gelo sobre ele com o dedo.

— Eu até entendo por que os homens temem a piedade. Meu pai é assim, sempre tem que ser durão, forte. É difícil para os homens asiáticos neste país. Eles são realmente castrados aqui, o que é loucura porque os homens coreanos são realmente machões.

— Sério? — perguntou Zoe.

— São, sim. Vocês já estiveram com um?

Zoe e Cleo balançaram a cabeça.

— Vocês estão perdendo — disse ela. — Eles são como focas sensuais, todos lisos e sem pelos.

As três caíram na gargalhada.

— Mas aquele cara do bar era branco — disse Zoe, pegando o baseado. — E você dormiu com ele.

— É verdade. — Audrey assentiu. — O que posso dizer? Os colonialistas vêm até mim. Eu até transei com Anders, o babaca ariano original.

Zoe baixou a cabeça. Ela estava bêbada e ficou com Anders depois do casamento de Cleo e Frank, embora soubesse que não deveria contar a ninguém. Frank iria matá-la e, de qualquer forma, ela se sentiu estranha depois. Ele era mais velho que Frank, que já era bem velho. Quando ela olhou para cima, notou que Cleo parecia estar nervosa com essa informação também.

— Eu já te contei sobre a vez em que um Hare Krishna me mostrou o pau no metrô? — disse Cleo, claramente ansiosa para mudar de assunto. — Ele só levantou a túnica. Nunca quebrou o contato visual.

Zoe estremeceu de um jeito dramático. Ela contou-lhes que havia um zelador no internato que costumava apostar com as meninas que ele conseguiria adivinhar a cor das roupas íntimas delas. Se ele acertasse, elas teriam que lhe dar as peças.

— Ele era irlandês — disse ela. — Então era assim... — Ela fingiu um sotaque irlandês quase perfeito. — De que cor são suas calcinhas, meninas?

Audrey fez um barulho que sugeria tanto prazer quanto desgosto.

— Mas por que vocês concordariam com essas condições?

— Porque, olha só, ele também era nosso traficante de maconha — disse Zoe.

Todas riram outra vez.

— Eu fiz um boquete no meu traficante de cocaína uma vez — confessou Audrey quando ela recuperou o fôlego.

Cleo cobriu a boca como se estivesse horrorizada. Zoe, que estava mesmo chocada, tentou parecer imperturbável. Audrey deu de ombros.

— Não só pelo negócio ou qualquer coisa. É que ele era gostoso.

Zoe se matou de tanto rir. Havia algo tão libertador em falar com as garotas mais velhas assim. Elas não se espantavam com nada. Elas não a julgaram e não estavam com ciúmes dela. Elas a tratavam como igual.

— Meninas, o que vocês acham que isto significa? — Zoe perguntou a elas e contou de novo a história que Kyle havia lhe contado sobre o homem que caiu no buraco.

— E acaba assim? — perguntou Audrey. — Há duas pessoas no buraco agora?

— Parece que sim — disse Zoe.

— Estou muito chapada para entender isso — disse Audrey. — Eles fazem sexo no buraco?

Zoe deu uma risadinha.

— Eu acho que não.

— O buraco é a solidão — explicou Cleo baixinho.

— Por quê? — disse Audrey.

— Você não pode ficar acima de alguém e dizer para que saia de lá — ela disse. — Ou ensinar ou incentivar. Você tem que estar junto com a pessoa.

— Você realmente acha que é isso? — perguntou Zoe.

— É por isso que é um enigma — falou Cleo. — Alguém estar no buraco com você significa que você não está mais no buraco.

— Isso é profundo, Cley — disse Audrey. — Mas eu ainda suspeito que eles transam. — Ela se levantou e se apoiou até a janela. — Vou tentar fazer xixi em pé como um cara! — ela gritou por cima do ombro.

Cleo olhou nos olhos de Zoe e riu.

— É assim que você se sente com Frank? — perguntou Zoe. — Como se alguém estivesse no buraco com você?

Cleo olhou para os prédios apagados. A rua abaixo delas estava quieta e vazia. Parecia que elas eram as únicas pessoas ainda acordadas em toda a cidade.

— Às vezes — disse. Ela parou para pensar mais um pouco. — E às vezes... Frank é o buraco.

Zoe olhou para Cleo e, por um momento, viu sua tristeza. Algo em seus olhos, a ligeira curva de sua boca quando ela achava que ninguém estava olhando. Ela parecia a garota mais solitária do mundo.

— Desculpe, eu não fui tão legal com você — ela disse com calma.

Cleo olhou para ela e sorriu. Zoe pensou que poderia tentar fingir não ter notado, mas quando falou, sua voz foi direta.

— Obrigada por se desculpar — disse ela.

— Eu estava sendo protetora em relação a Frank, eu acho — explicou Zoe. — ... E uma idiota.

Cleo balançou a cabeça com suavidade.

— Você não é idiota, Zoe — ela disse. — Você é um amor.

Zoe queria abraçá-la, mas achou que ficaria estranho, então estendeu a mão e colocou-a sobre a mão da Cleo. Isso também ficou estranho, ela percebeu depois, mas menos. Então Cleo fez algo que Zoe não esperava; ela levantou a mão e beijou o centro da palma. Zoe nunca tinha sido beijada lá por ninguém. Era tão terno, ela pensou. A parte mais terna dela. Cleo soltou sua mão e a trouxe suavemente de volta.

— Estou exausta — Cleo disse. — Vamos dormir um pouco?

Eles deixaram os picolés derretendo na sacada e voltaram escalando pela janela. Zoe e Audrey poderiam ter dormido nos sofás, mas Cleo insistiu que todas fossem para a cama dela e de Frank. Zoe ficou espremida no meio, encurvada entre as costas de Cleo e o ombro de Audrey. Ela nunca tinha dormido tão bem.

CAPÍTULO SEIS

INÍCIO DE SETEMBRO

Eles estavam no metrô indo para o norte em direção à Grand Central, onde Cleo e Frank combinaram de encontrar o pai e a madrasta para almoçar. Era meio-dia de um dia de semana, e o vagão do metrô estava frio e quieto depois do barulho da rua. Um homem idoso chacoalhando uma xícara de café com moedas passou por eles.

— Quem vai me ajudar? — ele repetiu em voz alta e queixosa.

Frank deixou cair um dólar amassado na xícara, então se virou para Cleo.

— Então, quais são os nomes deles mesmo? — ele perguntou.

— Você pode chamá-los de Peter e Miriam, é o que eu faço.

— Não de pai?

Ela negou com a cabeça.

— Ele é meu pai, mas não é meu *pai,* entende?

Frank assentiu. Ele sabia.

— Peter a chama de Mimi, o que eu acho que é... — Cleo imitou enfiando os dedos na garganta.

Peter e Miriam estavam apenas de passagem pela cidade por algumas horas e pediram a Cleo para encontrá-los no centro antes de pegarem um trem para New Haven, onde Miriam, curadora e psicóloga, estava realizando um workshop sobre criança interior como parte de um retiro empresarial.

Frank foi quem sugeriu que eles fossem ao Grand Central Oyster Bar e insistiu em fazer um almoço demorado para que ele pudesse participar. Ele achava um absurdo que eles não pudessem dedicar mais do que algumas horas a Cleo, mas reconhecia que cada família funcionava com sua própria lógica impenetrável, então ele resistiu à vontade de falar qualquer coisa. Por outro lado, Cleo ficou surpresa por eles terem tomado providências para vê-la. Na maioria das vezes, seu pai estava tão envolvido com a nova família que parecia nem se lembrar de que tinha uma filha.

— Descemos na próxima estação — disse Frank. — Algo mais que eu deva saber?

— Preciso pensar — disse ela. — Peter *diz* que Humphrey é filho dele, mas, na verdade, não é. Ele tinha oito anos quando meu pai conheceu Miriam, mas ele o adotou mais tarde. Humphrey não estará lá, mas você vai ouvir falar dele. Ele vai para Cambridge no ano que vem e é incrível nos esportes. Todo mundo *adora* Humphrey.

— Tenho só uma pergunta — disse ele. — Que tipo de pessoa olha para um bebê recém-nascido e o chama de... Humphrey?

Cleo riu e balançou a cabeça.

— Você não conhece a Miriam — ela disse.

Cleo e Frank subiram as escadas da plataforma fétida do metrô e emergiram na extensão arejada do saguão principal da estação. Eles olharam para o famoso mural celestial e sorriram um para o outro em um reconhecimento, sem palavras, da boa sorte de viver nessa cidade. Mesmo para o nova-iorquino mais cansado, é difícil ficar sob o teto azul-claro da Grand Central, inclinar o rosto em direção às constelações douradas inscritas na cúpula abobadada, sem sentir um impulso de admiração. Acima da cabine de informações, o relógio dourado que havia testemunhado tantos milhões de encontros e partidas brilhava radiosamente. Ao lado dele, trajados com smoking e um vestido branco vaporoso, uma noiva e um noivo japoneses estavam tirando fotos.

— Sabe — começou Frank. — Não temos nenhuma foto do nosso casamento.

— Exceto as fotos da aura — disse Cleo.

— Verdade. — Ele concordou. — Você já pensou que deveríamos ter feito algo assim?

Ele gesticulou em direção ao casal. O noivo pegou a noiva e a carregou nos braços como um bebê desajeitado, as saias de tule volumosas eclipsavam parcialmente o rosto dele. Presa entre os dentes dele havia uma única rosa vermelha.

— Eu não mudaria nada do que fizemos — respondeu Cleo.

Frank pegou a mão dela.

— Nem eu. Mas eu estava pensando que deveríamos fazer *uma* coisa tradicional.

— O quê?

— Sair em uma lua de mel curta. Você e eu tomando sol no sul da França... O que você acha?

Cleo pulou ao lado dele, que balançou as mãos com as dela.

— Eu acho, *c'est cool mais c'est fous*! — ela disse e sorriu para ele.

O Oyster Bar ficava no nível inferior da estação, descendo dois lances de degraus de mármore largos. Para chegar lá, eles tiveram que atravessar a cozinha sussurrante, uma arcada de ladrilhos de terracota entrelaçados meticulosamente em um desenho de espinha de peixe.

— Você sabe alguma coisa sobre isso? — perguntou Frank.

Cleo fez que não com a cabeça.

— Se ficarmos em cantos opostos e eu sussurrar algo na parede, você poderá ouvir. Algo na acústica da arquitetura significa que ela é transmissora. Quer experimentar?

Cada um foi para um canto separado e apoiou o corpo contra as paredes frias e cavernosas. Os sons da estação ecoaram ao redor deles. Frank estava prestes a sussurrar para Cleo que a amava quando ouviu a voz dela reverberando pelos azulejos ao lado de seu ouvido.

— Eu não disse a eles que nos casamos — ela sussurrou.

— Sério? — ele sussurrou de volta.

— Então não mencione o casamento — ela disse.

Frank virou-se para olhar para Cleo, que ainda estava de costas para ele. Ela estava usando um longo vestido de seda limão que a fazia parecer um pedaço de sol. Ele estava atravessando a passarela para falar com ela quando ouviram o som do nome de Cleo sendo chamado. Peter e Miriam estavam em frente ao restaurante, acenando para eles.

— Eu disse que moramos juntos — falou Cleo apressada. — Só isso.

— Como você quiser — disse Frank.

O pai de Cleo era um homenzarrão louro-avermelhado, com os mesmos olhos claros e a mesma expressão ligeiramente desconfiada da filha. Ele vestia uma camiseta polo desbotada e shorts cargo, dos quais os braços e pernas grossos brotavam como membros de um cacto, cobertos por uma fina camada de penugem loira. Seu corpo denso e desgastado sugeria uma vida de trabalho físico duro, embora essa impressão fosse compensada por um delicado anel de prata no polegar e uma coleção de pulseiras de pedras preciosas amarradas em cada pulso.

Miriam também estava com uma variedade de joias de prata e turquesa, que incluíam um anel grosso com riscas em cada dedo e um relógio antigo pendurado em uma corrente no pescoço. Ela era uma mulher atraente, nos seus cinquenta e poucos anos, com longos cabelos castanhos com mechas grisalhas. Amarrado em torno da cabeça, um lenço azul-petróleo da mesma cor da túnica de linho solta que ela usava. Tanto ela quanto Peter calçavam sandálias Teva combinando; a dela, cor aqua, a dele, preta. Quando Miriam acenou, as unhas da mão brilharam, verdes.

— Ah, sim — Cleo murmurou enquanto eles caminhavam em direção a eles. — Miriam é obcecada pela cor turquesa.

— Estávamos preocupados que você não nos reconhecesse — disse o pai dela quando os alcançaram.

— Por que eu não te reconheceria?

— Ah, sabe como é — disse ele. — Já faz alguns anos.

— Você está igual — respondeu Cleo. — Você parece bem.

— Ela deu um abraço forte em cada um. — Este é Frank.

Frank logo avançou para apertar a mão carnuda de Peter na sua. Ele tentou dar um beijo em cada lado do rosto de Miriam, do jeito europeu, mas ela resistiu, e ele acabou apertando o rosto contra o dela e, desajeitado, se afastou.

— É incrível conhecer vocês — ele falou.

Incrível não era uma palavra que ele usava normalmente, pois ele era um homem na casa dos quarenta anos e não um garoto na faculdade, mas ele tinha sido derrotado pelo beijo duplo e agora estava em uma espiral de desconforto social. Ele começou a sorrir loucamente para eles e esfregar as palmas das mãos como uma espécie de vilão de desenho animado. Cleo, por outro lado, podia sentir que estava encolhendo fisicamente na presença deles. Ela fez um esforço consciente para empurrar os ombros para trás e olhar nos olhos de Miriam, que olhavam Frank com perplexidade.

— Você é bem americano, não é? — comentou Miriam.

— Não tenho certeza se isso é um elogio — respondeu Frank, ampliando o sorriso em uma careta ainda mais sinistra.

— Ele é de Nova York — explicou Cleo, defendendo-se. — É assim que eles falam.

— Ah, eu adoro isso, querida — disse Miriam. — Todo mundo continua nos dizendo "tenham um ótimo dia". — Aqui ela fingiu um sotaque americano obscenamente nasal. — Eles são todos tão simpáticos, não são?

— Eu curto suas, hum, coisas verdes — balbuciou Frank. — Muito bacana.

— Turquesa representa mergulhar no seu próprio poder — declarou Miriam. — É um pouco mais do que *bacana*.

— Estou com fome — disse Peter. — Vamos entrar.

O subterrâneo Oyster Bar poderia estar em qualquer estação do ano. Ele permanecia intocado pelo clima ou pela luz do sol.

Os mesmos tetos curvos da galeria sussurrante do lado de fora continuavam lá dentro, os contornos arrebatadores dos azulejos criavam a sensação de estar dentro de um forno de tijolos. Lustres baixos em forma de leme de navio iluminavam os balcões reluzentes de aço inoxidável e fórmica, ao redor dos quais havia fileiras de bancos giratórios de vinil. O grupo decidiu se sentar em uma mesa em vez do bar e foi levado a uma parte separada, com toalhas xadrez vermelhas e brancas e guardanapos brancos e duros que brilhavam em âmbar na luz.

— Que lugar engraçado — disse Miriam enquanto se sentava.

— É como uma instituição de Nova York — disse Frank. — As ostras mais frescas da cidade. Minha mãe costumava me trazer aqui quando eu era criança.

— Isso deve ter sido há muito tempo — falou Miriam suavemente. — Você é um pouco mais velho do que a Cleo, não é?

— Ora, ora — disse Peter. — Vamos pedir antes de começarmos a inquisição.

Cleo geralmente sentia prazer especial em observar estranhos tentando decifrar seu relacionamento com Frank. Ambos pareciam jovens para a idade; as pessoas tendiam a colocá-la no crepúsculo da adolescência, e ele, em seus trinta e poucos anos. Ele seria o pai? Um amigo da família? "*Não*", ela se imaginava sussurrando para eles. "Eu *transo* com ele." Mas agora, na frente do seu pai real, ela sentiu apenas uma forte sensação de vergonha.

— Vão beber alguma coisa?

Um garçom com o rosto comprido de um cavalo de corrida aposentado apareceu diante deles. Tanto Cleo quanto seu pai pediram chás gelados, Miriam pediu água quente com limão e Frank pediu um Tom Collins. Ele esperava fazer esse pedido com a máxima discrição possível, mas Miriam o interpelou em segundos.

— É como um Arnold Palmer? — ela perguntou.

— Mais ou menos — ele disse, ocupando-se com o guardanapo.

— Bombay Sapphire está bom, senhor? — perguntou o garçom.

— Claro, claro — disse ele.

Frank lançou ao garçom um olhar expressivo, que ele esperava que transmitisse sua decepção, mas o garçom simplesmente se virou com um aceno de cabeça curto.

— Beber no almoço em um dia de semana! — exclamou Miriam. — Que urbano.

Cleo podia sentir as bochechas queimando. Ela tomou um grande gole de água gelada. Frank, que ficara por um momento constrangido, agora tomou a decisão consciente de não se importar com o que ela pensava. Não havia como sobreviver a esse almoço sem uma bebida.

— Eles servem pão neste lugar? — Peter perguntou, olhando ao redor da sala irritado.

— Tenho certeza de que sim, querido — Miriam acalmou-o. — Afinal de contas, esta é uma instituição de Nova York.

Miriam cobriu a mão de Peter com a dela. Cleo se levantou da cadeira.

— Eu posso ir pedir — ofereceu ela.

— Bobagem — rosnou seu pai. — Sente-se aí.

Ela afundou de volta em seu assento. Mesmo depois de todos esses anos, ela não conseguia desobedecer ao pai. Para Frank, o pai parecia uma espécie de urso pardo mal-humorado que estava sendo submetido ao equivalente a um piquenique de ursinhos de pelúcia.

— Ah, Cleo — murmurou Miriam. — Humphrey mandou lembranças. Você sabe que ele irá começar Cambridge no mês que vem?

— Esse é um rapaz batalhador — disse Peter.

— Eu espero que isso signifique que ele finalmente se livrará daquela namorada horrível — disse Miriam. — Ele continua tentando terminar com ela, mas toda vez que ele tenta, ela chora, e ele não consegue mesmo terminar, coitado.

— Talvez ele não queira realmente terminar com ela — disse Cleo.

— Ele quer, com certeza — disse Miriam. — Ela é toda medonha, como eu sempre digo a ele. Ele é muito *legal*, esse é o problema dele.

— Parece que ele precisa de coragem — disse Frank.

Miriam respirou fundo como se tivesse sido atingida.

— Humphrey é um menino muito sensível — ela afirmou. — Excepcional em muitos aspectos. Com certeza não há nada de errado com Humphrey.

— O menino é faixa vermelha em artes marciais — disse Peter.

— Eu estava só brincando — explicou Frank.

— Ele estava só brincando — disse Cleo.

— Cadê o pão? — questionou Peter.

Frank olhou para Cleo, que voltou a olhar para o colo. Cabia a ele fazer bonito, ele deduziu.

— Então — ele disse. — Cley mencionou que você está liderando um tipo de oficina para crianças.

Miriam inclinou a cabeça para trás e riu com uma descontração que soou totalmente falsa.

— Eu conduzo workshops para curar a *criança interior*. É um pouco diferente disso. — Ela se virou para Peter, ainda rindo. — Você ouviu isso, Pete?

Peter grunhiu uma concordância. Ele estava distraído com uma farta cesta de pães que serpenteava em direção a eles, junto com a bandeja de bebidas. O garçom ainda estava entregando os pedidos quando Peter partiu um *grissini* e o espetou no pedaço de manteiga.

— Acabamos de liderar um workshop para uma *start-up* de tecnologia em San Francisco e agora estamos indo para New Haven. Na verdade, eu já viajei pelo mundo todo. No mês passado, estávamos na China!

— Isso é incrível — disse Cleo.

Frank notou que Cleo parecia tudo, menos maravilhada com isso. Na verdade, ela parecia profundamente deprimida. Ele tomou um longo gole da bebida.

— Vocês fazem os workshops juntos? — ele perguntou.

— Mimi é o cérebro por trás de toda a operação — respondeu Peter, destruindo um pãozinho. — Agora que estou aposentado, eu posso viajar com ela.

— Você é um fã, não é, querido? — Miriam disse.

O pãozinho que Cleo estava segurando estalou entre os dedos.

— Vamos pedir os pratos, já que você está com tanta fome, Peter — disse Frank. Ele acenou para o garçom de rosto comprido. — Uma dúzia de ostras e alguns pratos de lagosta e frutos do mar para a mesa. O que vocês acham?

— Perfeito — disse Cleo, apreciando em silêncio o fato de, pela primeira vez, seu pai não ser o chefe da mesa. Frank estava tendo mais sucesso do que nunca.

— E, pessoal, é por minha conta — acrescentou Frank. — Então, por favor, peçam o que quiserem.

— Não, não podemos aceitar — falou Peter.

— Eu insisto — disse Frank.

— De jeito nenhum — respondeu Peter.

— É muita generosidade da sua parte, Frank — disse Miriam. — Obrigada.

— Hum — disse Peter, mal-humorado.

— Frank é dono de uma agência de publicidade — comentou Cleo. — Ele é o diretor de criação.

— É mesmo? — disse Peter.

— Eu mesma trabalho com *muita* gente da mídia — acrescentou Miriam.

— É uma empresa pequena — disse Frank. — Mas estamos crescendo rápido.

— Ele ganhou um grande prêmio no Festival de Publicidade de Cannes no ano passado — falou Cleo.

Nem Peter nem Miriam responderam. Apesar da promessa anterior de uma inquisição, observou Frank, ambos pareciam não ter o mínimo interesse nele ou na Cleo.

— E o que você fazia antes de se aposentar, Peter? — perguntou ele.

— Eu era engenheiro — respondeu. — Sobretudo da área de construção.

— Foi assim que ele conheceu minha mãe — explicou Cleo. — Ela era arquiteta.

— E uma arquiteta muito boa, inclusive — acrescentou Peter.

— Mas agora ele é muito útil para *mim*, não é, querido? — perguntou Miriam.

— Eu tento — disse ele.

— Nem é preciso falar das centenas de pessoas que precisam de um espaço seguro para se curar — acrescentou Miriam.

Peter olhou para ela com um orgulho tímido.

— Conte para eles o que aquele empresário chinês disse para você, Mimi.

— Ah, eles não querem saber disso. — Miriam ergueu as sobrancelhas para Cleo e Frank com expectativa. Sem dúvida, eles foram obrigados a negar. Cleo permaneceu em silêncio.

— É claro que queremos — disse Frank.

— Se vocês insistem — falou Miriam. — Na verdade, o que estávamos vendo na China eram os desdobramentos da política do filho único. Há toda essa geração de adultos que cresceram como filhos únicos, que agora foi apelidada de "geração solitária". Muitos estudos psicológicos mostram que filhos únicos exibem graus mais altos de egoísmo, pessimismo e aversão a riscos em comparação com as crianças que têm irmãos. Sem ofensas, Cleo — ela acrescentou, olhando incisivamente para ela do outro lado da mesa.

— Humphrey também é filho único — disse Cleo.

— Ele é um pouco diferente. — Ela cortou o assunto. — *De qualquer forma,* isso pode realmente afetá-los quando forem adultos, quando entram em um ambiente de trabalho e espera-se que façam parte de uma equipe. Então, meu papel é ajudar as empresas a realmente ver como a infância dos seus funcionários está afetando a produtividade diária, fazendo esses workshops interativos de vários dias, nos quais eu realmente entro nessas feridas da primeira infância e começo a curá-las desde o princípio. De dentro para fora.

— Conte para eles o que o homem disse — repetiu Peter.

— Bem, no final desse workshop, o diretor-executivo da empresa vem até mim, e preciso dizer que aquele homem é mais rico do que Deus, e você sabe o que ele disse? "Miriam, eu já viajei pelo mundo todo e conheci alguns dos líderes de pensamento mais influentes do mundo, conheci até o Dalai Lama, pelo amor de Deus, mas você mudou minha vida mais do que qualquer um deles. Miriam, você é o primeiro gênio de verdade que eu conheci", ele disse. — Ela fez uma pausa para olhar primeiro nos olhos de Frank e depois nos de Cleo para confirmar que eles tinham sentido o impacto das suas palavras.

— E você sabe o que eu disse a ele? Eu disse "Liu" — era esse o nome dele, Liu — "eu não sou nenhum gênio. Não sou líder mundial. Sou apenas uma humilde companheira de viagem. E estou muito honrada por estar nesta jornada com você".

— Eles a convidaram para voltar duas vezes no ano que vem — falou Peter.

Frank tinha medo de olhar para Cleo e começar a rir. Cleo, por outro lado, estava tendo a fantasia de estender a mão por cima da mesa e dar um tapa bem forte na cara de Miriam. Mas se sua infância ensinou-lhe alguma coisa, foi a fazer o contrário do que ela sentia.

— Parece que eles têm sorte de ter você — disse ela.

— Foi a melhor coisa que já fizemos — afirmou Peter.

— Eu é que tenho sorte — respondeu Miriam, abanando o rosto com a mão. — Ter a oportunidade de ajudar livremente outro ser humano.

— Então esses workshops são gratuitos? — perguntou Frank.

— Não são. Mas não é questão de dinheiro.

— Quanto eles custam, então?

— O valor não pode mesmo ser quantificado em dinheiro.

— Eles são muito caros — disse Peter. — Mas valem a pena.

— Peter — falou Miriam, calando-o. — Nós damos muito mais do que recebemos.

— Também ganhamos muito com eles — disse Peter. — Desta vez, viajamos por todo o norte da China. Fomos à Grande Muralha da China.

— Foi sensacional — concordou Miriam.

— *Essa* foi a melhor coisa que já fizemos — disse Peter.

— Fico preocupado porque New Haven pode ser um pouco decepcionante depois de tudo isso — comentou Frank.

— Ah, na verdade, somos pessoas simples — disse Miriam. — Nova York, por exemplo, é demais para nós. Estamos aqui há apenas alguns dias e já estamos doidos para ir embora.

Os olhos de Cleo abandonaram o guardanapo com o qual ela estava brincando.

— Poucos dias? Eu pensei que você estava na cidade apenas por algumas horas antes de pegar o trem.

— Decidimos vir um pouco antes para ver os pontos turísticos — esclareceu Miriam. — Desculpe não termos contado a você, querida, mas foi tudo de última hora, e de fato precisávamos de algum tempo para nós mesmos, para uma descompressão entre os workshops. Manter esse espaço para todos é um trabalho exaustivo.

Cleo olhou para o pai, que estava visivelmente corado.

— Você também não contou nada — disse a ele.

— Miriam tem razão — ele gaguejou. — Foi muito de última hora.

O rosto de Cleo endureceu. Ela deveria saber que não havia fim para as maneiras pelas quais o pai poderia decepcioná-la. Frank deu um aperto de solidariedade na perna dela, por baixo da mesa.

— Então, o que você achou, Peter? — ela perguntou. — De Nova York?

— Eu não sei como vocês dois conseguem viver aqui — disse Miriam. — Quanto barulho! E é imunda. Eu vi um rato de verdade ontem.

— É uma bela cidade — falou Peter. — Muito boa. Mas não é para todo mundo.

— Minha mãe sempre dizia, não trepe com ninguém que não ama Manhattan — disse Frank.

— Não sejamos vulgares — rebateu Miriam.

— Pelo menos ela tem uma opinião — disse Cleo, olhando para o pai.

Miriam, percebendo, deu um tapinha na mesa com suas mãos, exibindo o esmalte turquesa.

— É a *pura* verdade — falou ela. — Mulheres com opinião simplesmente não são celebradas como deveriam, não é, Cleo?

— E algumas o são até demais — respondeu Cleo.

— Olhem, chegou a nossa comida! — disse Frank.

Duas bandejas brilhantes de prata com frutos do mar no gelo foram colocadas com formalidade diante deles. As lagostas vermelho-rubi estavam no centro, com as cascas rachadas para revelar a carne farta do interior. Aninhados ao redor delas estavam ostras frescas sem casca, camarões rosados e gorduchos, mexilhões de lábios verdes e mariscos do tamanho da palma de uma mão humana. Recipientes frágeis de papel branco com molho tártaro e fatias grossas de limão completavam a exibição impressionante.

Frank esvaziou o copo e o devolveu ao garçom.

— Quero mais um — pediu ele, em seguida virou-se para a mesa. — Vamos festejar!

Miriam foi quem mais falou enquanto eles comiam. Ela havia sido convidada a contribuir para um estudo psicológico sobre traumas de infância e a masturbação e estava contando a história do seu primeiro orgasmo, ela precocemente atingiu aos quatro anos e meio. Frank ficou maravilhado porque nem ela nem Peter fizeram uma única pergunta sobre Cleo o tempo todo. Nada sobre onde ela morava, como eles se conheceram, quem eram seus amigos, o que ela estava pintando ou qualquer outra faceta da vida dela em Nova York. Por fim, os pratos abundantes foram reduzidos a uma coleção de conchas raspadas flutuando em poças de gelo derretido e levados para longe.

— Você tem alguma foto de Cleo quando era bebê? — Frank perguntou. — Eu adoraria vê-las.

— Você sabe de alguma coisa, querido? — disse Miriam. — Nós não temos.

— Eu não pensei... — começou Peter.

— Devíamos ter trazido algumas fotos das pinturas de Cleo — disse Frank. — Ela é tão talentosa.

— Quantos anos você tinha quando eu te conheci, Cleo? — perguntou Miriam, ignorando o comentário.

— Catorze — disse ela.

— Então Humphrey devia ter oito anos — ela respondeu. — Nossa, ele era perfeito.

— Cleo era uma criança linda — arriscou Peter. — Cabelo de fios de ouro.

— Ah, sim, ela *era* uma beleza — disse Miriam. — Até aquela fase feia de moleca. Dá pra acreditar, Cleo, que eu ainda vejo alguns daqueles garotos skatistas com quem você costumava andar na cidade? Eu os chamo de meninos, mas eles devem ser homens feitos agora. Qual era aquele de quem você gostava tanto, que tinha um nome engraçado? Ragamuffin? Ele trabalha no Café Nero agora.

— Ragdoll — corrigiu Cleo. — O nome dele era Ragdoll.

— Ah, sim, faz muito mais sentido.

Miriam ergueu uma sobrancelha para Frank em um conluio de ironia. Ele desviou o olhar dela para Cleo, que estava olhando fixamente para o tampo da mesa quadriculada.

— Isso foi em Londres? — ele perguntou.

— Miriam e eu moramos em Bristol — disse Peter. — Cleo passou um ano conosco enquanto a mãe dela estava doente.

Frank olhou para Cleo novamente, mas ela não estava mais na mesa. Ela estava de volta a Bristol, aos catorze anos. Era a primeira vez que sua mãe tinha sido colocada em tratamento psiquiátrico, mas não seria a última. Ragdoll era mais velho, talvez dezoito anos, e foi apelidado assim, de boneca de pano, por causa do jeito como ele havia caído do skate. Ela estava patinando no gelo com algumas das garotas da escola nova quando ele a viu. Ela estava girando em uma órbita lenta, com os braços estendidos, quando ele se inclinou sobre a divisória e agarrou-lhe o pulso, puxando-a para ele. Nenhuma das outras garotas podia acreditar que ela tinha ido com ele assim, tão fácil. Mas ela não era como as outras. Ela estava sem mãe, sem amarras. Ele a levou para baixo do viaduto, onde os meninos faziam manobras com seus skates na escuridão crescente, e depois para um apartamento popular onde havia só um colchão no chão. Ela perdeu a virgindade com ele naquela primeira noite. Depois, ele tirou o preservativo e jogou-o em uma caixa de pizza vazia. Quando ela chegou em casa, ninguém perguntou onde ela estava. Ninguém perguntou a ela naquela noite, nem em nenhuma outra noite que ela passou naquela casa.

— Eu não sabia que você tinha morado lá — comentou Frank.

— Isso não é surpreendente — disse Miriam. — Vocês mal se conhecem!

— Nós sabemos o que é importante — respondeu Cleo.

— O que Miriam está dizendo é que não queremos que nenhum de vocês se apresse em nada — explicou Peter. — Você é tão jovem, Cleo, não há pressa.

— Por favor, não coloque palavras na minha boca, querido — disse Miriam. — Mas você está certo, Cleo é certamente muito... Jovem.

— E quanto tempo vocês dois esperaram depois que você e mamãe se divorciaram? — perguntou Cleo. — Cinco minutos?

— Não seja hiperbólica, Cleo — falou Miriam. — Você não é americana.

O rosto de Peter ficou vermelho de constrangimento. Ele olhou para os punhos, que estavam fechados sobre a mesa como duas almôndegas.

— Era uma situação diferente — disse ele rispidamente. — Você não poderia entender na sua idade. Não era da sua *conta* entender.

— Você está certo — falou Cleo. — Por que diabos seria da minha conta com quem meu pai se casaria?

— A raiva de Cleo é bastante natural e saudável — disse Miriam, virando-se para Frank. — Não dissemos sempre isso, Pete?

— Eu *não* estou com raiva — rebateu Cleo.

— Estamos apenas dizendo que seria perfeitamente aceitável se você estivesse, querida.

— Você nem me convidou para o seu casamento.

— Isso foi há dez anos — falou Peter.

— Sim, não guarde rancor — disse Miriam. — Só vai te causar rugas.

— Eu era sua *filha*.

— Eu não queria aborrecer você e nem sua mãe. Eu estava tentando proteger sua mãe. Proteger você.

— Você fez um ótimo trabalho — disse Cleo. — Gabaritou, Peter.

— Seu pai sempre colocou os outros em primeiro lugar — falou Miriam.

— Ela não estava *bem*, Cleo — disse Peter. — Nada que você ou eu fizéssemos poderia mudar isso.

— Quer saber de uma coisa? — indagou Cleo com o rosto corado. — Eu também não convidei você para o meu.

— Cleo, eu não acho... — disse Frank.

— Nós nos casamos — contou ela. — Em junho.

O garçom reapareceu com seu rosto comprido e triste.

— E como estava tudo hoje? — ele perguntou.

— Vamos pedir a conta — disse Frank.

— Posso sugerir alguma sobremesa?

— Não! — vociferou Frank, praticamente enxotando-o da mesa.

— Bem, então vocês merecem meus parabéns! — disse Miriam, virando-se para eles com um sorriso radiante que não chegou até os olhos dela.

O rosto de Peter estava de uma cor vermelha intensa e conflituosa.

— Eu não quero falar sobre isso — disse ele.

— *Não*, querido — respondeu Miriam, como faria uma mãe repreendendo uma criança petulante. — Não é bom para Cleo engolir tudo isso. Falar é curativo...

— Minha mãe nunca falou comigo sobre nada real — disse Frank. — Nem quem era meu pai!

Miriam olhou para ele, perturbada. Era visível que ela odiava ser interrompida.

— Bom, a mãe de *Cleo,* como ela deve ter dito a você, Frank, era uma mulher muito perturbada. Com problemas na mente e no espírito.

Cleo, na verdade, nunca havia falado muito com ele a respeito da mãe. Ela dissera a ele na primeira noite em que se conheceram que a mãe havia morrido quando ela estava no último ano de faculdade, e isso foi o máximo que ele conseguiu arrancar dela.

— Não fale da minha mãe — disse Cleo.

— Foi um choque para todos nós — comentou Miriam.

— Não fale da minha mãe — repetiu Cleo.

— Suicídio — disse Miriam, respirando fundo como se a palavra fosse algo azedo que ela tivesse mordido. — É uma doença de família.

Cleo podia sentir o rosto inteiro vibrando. Ela queria ir embora, mas sabia que não iria. Logo a escuridão viria, e ela não sentiria nada.

Frank olhou para Cleo, cujo rosto estava pálido, exceto por um único ponto vermelho no alto de cada maçã do rosto. Ele podia sentir, sob a superfície imóvel dela, um grande turbilhão de sentimentos. Mas ela não se mexeu, não moveu um músculo. Ela o fez lembrar de um grande e nobre boxeador parado, atordoado depois do que deveria ter sido um nocaute. Ele levantou-se rapidamente da cadeira.

— Desculpe, mas isso é besteira — disse ele. — Cleo, você não merece essa merda.

— Que palavreado! — queixou-se Miriam. — Os americanos podem ser *tão* grosseiros.

Peter ficou em silêncio, a cabeça pendendo entre os ombros volumosos. Frank virou-se para Cleo e ofereceu-lhe a mão. Lentamente, com grande dignidade, ela se levantou para ficar ao lado dele.

— Nós vamos embora — anunciou ela.

Ela saiu do restaurante com Frank caminhando atrás dela. De repente, ele se virou e pegou sua carteira. Ele caminhou de volta para a mesa e colocou duas notas de cem dólares na sua superfície, na frente de Peter.

— A melhor coisa que você já fez — ele disse — foi Cleo.

CAPÍTULO SETE

FINAL DE SETEMBRO

Foi a lua de mel perfeita, até que Frank decidiu aceitar a aposta. Ele estava descalço na sacada do hotel, preparando-se para pular daquela altura na piscina, enquanto Cleo observava a silhueta das costas dele e se enfurecia. A noite estava fria, mas Frank se despiu até ficar com apenas as calças do terno de linho presas na cintura com o cinto de crocodilo marrom que ela havia comprado para ele naquela semana, no mercado de Nice. Ele ficou nas pontas dos pés no degrau inferior da escadinha e esticou os braços como um equilibrista se preparando para um truque.

— Quanto nós dissemos? — ele gritou.

— Mil! — A voz de um homem respondeu lá de baixo.

Frank riu.

— É isso?

— Dois se ela mergulhar com você!

Cleo se mexeu na poltrona de vime. Ao fundo, ela podia ouvir o zumbido baixo dos últimos empregados no terraço do restaurante lá embaixo, e também as cigarras nas margens dos campos de lavanda descendo para Cannes, e, mais além, os cães dos vinhedos latindo em suas casinhas noturnas, e ainda além o mar, onde todos os animais eram livres.

— Ela não iria — disse Frank.

Mas quando ele se virou para encará-la, ela sabia qual era a expressão dele mesmo nas sombras, o olhar que era metade uma interrogação, metade um desafio. Cleo olhou para o cinzeiro que ela estava girando entre as mãos. Dourado e trabalhado, ele destoava da aparência espartana do quarto. Frank gostava de brincar dizendo que este hotel cobrava o resgate de um rei para se viver como um monge, mas foi ele quem sugeriu que ficassem aqui.

Cleo adorava a simplicidade do quarto, e Frank sabia que ela gostaria dos pisos de pedra que permaneciam frios sob os pés o dia todo, da cama baixa de madeira e da rede de mosquitos branqueada pelo sol, presa acima da cama como uma colmeia.

Os artistas mais célebres da Europa ficaram neste hotel, pagando por seus prazeres com seus trabalhos. Um grande móbile de Calder balançava sob a brisa na entrada da piscina. Havia um mural de Fernand Léger em um lado do pátio do restaurante e uma escultura de César Baldaccini fazendo a guarda da entrada. No quarto de Cleo e Frank, um esboço a lápis da Virgem Maria de Matisse estava pendurado despretensiosamente acima da cama.

— Mil e quinhentos! — bradou a voz no térreo. — Mas você tem que acertar passar pelo cisne. Última oferta.

— O cisne? — Frank gritou. — Você está brincando! O tamanho é para crianças!

O cisne foi a diversão escolhida por Cleo. Frank havia voltado da tabacaria naquela manhã com uma sacola de compras de brinquedos de piscina, o que incluía um golfinho sorridente, uma cama de crocodilo, uma boia com a cabeça e asas de um cisne e uma pata de lagosta gigante surrealista. Cleo e Frank fizeram uma corrida com eles, enquanto os outros hóspedes estavam se bronzeando como lagartos ao redor da piscina.

— Frank, por favor — Cleo falou baixinho às costas dele.

— Cleo tem uma objeção! — Frank disse, rindo, para a voz lá embaixo.

— Não vá dar para trás, irmão! — A voz era provocativa. — É só um andar. Bom, dois... Você consegue.

— Por favor, não vá — disse Cleo. — Por mim.

Frank olhou para Cleo. Ela sustentou o olhar dele. Ele sorriu.

— Foda-se! — ele gritou, direcionando a voz para baixo. Ele escalou as grades e se manteve firme com duas mãos atrás dele. — Mil e quinhentos! Um adiantamento para a minha cirurgia na cabeça!

— Estamos na Europa! — a voz gritou. — É grátis!

Levou menos de dez segundos para Cleo caminhar até a porta e batê-la atrás de si. Levou mais trinta para perceber que ele não estava vindo atrás dela. Ela estava no corredor, ainda segurando o cinzeiro, quando ouviu o barulho na água; depois, não ouviu nada. Ela não voltaria agora. Com cuidado, ela desceu as escadas até o pátio. Parou novamente em frente à porta de madeira que levava à área externa. De repente, ela se abriu, revelando uma da dupla de executivas aposentadas que tinham se apresentado a Cleo e Frank alguns dias antes, na piscina.

— Oi, querida. Vai sair?

Era o começo da baixa temporada, e os poucos hóspedes que ficaram no hotel formaram uma comunidade temporária; conversavam sobre o melão e o café pela manhã, ocupando os mesmos lugares ao redor da piscina todos os dias. Cleo e Frank suspeitavam que as diretoras formavam um casal em segredo, e gostaram de vê-las sentadas à sombra das árvores de Chipre, jogando cartas. A duas adoraram Frank, que flertava com elas descaradamente e sempre oferecia-lhes uma taça das garrafas de vinho branco gelado, do qual ele pedira um fornecimento constante na piscina.

— Aqui, deixe-me ajudá-las. — Cleo correu para segurar a porta pesada.

— É difícil encontrar frutas a essa hora da noite — disse uma das executivas. Ela levantou um saco de malha com laranjas. — Na minha idade, você precisa muito delas. Mantém sua regularidade.

Ela passou, depois virou e segurou o braço de Cleo com uma firmeza que a surpreendeu.

— Você é maravilhosa, sabe — disse ela. — Deve se divertir enquanto pode. Você acha que vai durar para sempre, mas não vai.

A mulher mais velha deu-lhe um tapinha no cotovelo com naturalidade e seguiu em frente. Cleo respirou, passou pela porta de madeira e foi para a área externa, onde os homens estavam jogando *boules* em um pedaço de terra vermelha. O café do outro lado da praça brilhava como uma lanterna de papel. Grupos de pessoas sentavam-se em volta de mesas pequenas de madeira do lado de fora, liberando bolhas de conversas e risadas que se refletiam na pele de Cleo. Ela se virou e subiu a tranquila rua de paralelepípedos que levava ao topo da cidade.

Ela disse a si mesma que olharia para trás depois de cada passo, mas ela não desacelerou o ritmo enquanto passava pelas lojas escuras cheias de arte espalhafatosa para turistas, as tabacarias e *pâtisseries* fechadas. Do alto, ela podia ver o alto muro de pedra medieval que cercava a cidade, construído originalmente para manter longe os intrusos, mas que agora funcionava como uma plataforma para os visitantes apreciarem as luzes intensas de Cannes e o Cabo de Antibes lá embaixo.

Cleo enfiou o cinzeiro debaixo do braço e checou os bolsos da saia. Um guardava os cigarros e um isqueiro; o outro, duas notas grandes que Frank lhe dera naquela manhã como souvenirs. Era tudo o que ela precisava. Ela se sentou do lado de fora de um café meio vazio em frente à igreja escura e à sorveteria fechada. Olhando pela janela do café, onde um punhado de homens sentavam-se amontoados diante do brilho verde de um jogo de futebol na televisão, ela chamou o garçom. Ele se afastou dos outros com a aparência descontente de alguém que acreditava que seu trabalho havia terminado naquela noite.

— *Un verre de malbec, s'il vous plaît* — pediu Cleo, satisfeita por ter pronunciado as palavras sem problemas pela primeira vez.

— Não temos Malbec — respondeu ele.

Ele tinha nariz de peixe e orelhas rosadas pequenas, do tamanho de mariscos.

— Ah, entendo. — Cleo estava confusa com o francês. — Pode ser qualquer tinto. — Seu rosto se apertou em um sorriso insinuante.

O garçom concordou e voltou para dentro. Por que ela sentia a necessidade de fazer todo mundo, até mesmo esse garçom, gostar dela? Como deve ser ótimo ser indiferente à indiferença.

Um grupo de adolescentes se reuniu perto dos portões trancados da igreja, encostados nas mobiletes e fumando a esmo. Cleo reconheceu alguns deles do hotel. Eram as meninas problemáticas que carregavam toalhas para a piscina, os jovens garçons que serviram a ela e Frank no jantar. Cleo se sentiu desconfortável na presença deles, ciente de que ela não era muito mais velha do que eles. Frank brincou e gracejou com todos os funcionários de modo despretensioso, distribuindo elogios e punhados de euros aleatoriamente. Enquanto isso, Cleo ficava olhando para baixo quando os garçons ansiosos vinham até ela para tirar os pratos, fingindo não perceber os olhares de admiração. Livre agora das camisas e gravatas brancas engomadas, eles pareciam para Cleo ser ainda mais jovens, fortes e másculos. Ela observou como eles se inclinaram para as meninas, provocando-as e se afastando, naquela dança familiar de timidez e desejo.

O garçom voltou carregando uma jarrinha, um copo e um cinzeiro.

— Tudo bem, eu trouxe o meu. — Cleo segurou o cinzeiro branco e dourado que ela havia trazido inexplicavelmente do hotel. Surgiu seu sorriso inesgotável. O garçom não disse nada, retornando ao jogo de futebol, com, e Cleo tinha certeza, ainda mais desdém dos turistas que ele devia servir o verão inteiro, com seus costumes estranhos, queimaduras de sol e total ignorância sobre vinhos. Trazer o próprio cinzeiro era o tipo de piada sem sentido de qual Frank gostaria, embora ele tivesse mais o hábito de pegar coisas dos lugares em que eles tinham ido. Muitas vezes, eles saíam de um restaurante e Frank abria o bolso para revelar um saleiro, uma colher de chá ou castiçal, com um sorriso.

"Lembrança", ele dizia.

"Furto", respondia Cleo, mas ela sempre ria. Era libertador estar com alguém que não tinha medo de quebrar as regras.

Cleo tomou um gole grande do vinho, depois outro. Ela ainda não havia dominado a arte de estar sozinha em público com naturalidade, de sentir que ela podia observar em vez de ser observada. Ela tentou explicar isso a Frank, que a vida em público para ela acontecia de fora para dentro.

— Você deveria gostar do fato de que as pessoas a admiram — disse ele. — Você sentirá falta disso quando tiver a minha idade, acredite em mim.

O homem americano no jantar a notou. Frank e Cleo estavam sentados em uma das mesas do pátio, encostada na parede, onde a hera e a buganvília ficavam mais espessas, quando ele se insinuou na conversa deles por meio de algum conhecido de Frank em Nova York. Frank não se importava, ele gostava de um parceiro de bebida, mas Cleo sentiu desde o momento em que ele se inclinou e apertou a mão dela que ele estava lá por sua causa.

Ele se virou para conversar com Frank, mas a observou com a lateral da cabeça, como uma gaivota. Ele era bonito, do sul, com um bronzeado de mogno e um chapéu panamá creme, dentes brancos que tiniam contra o copo. Frank era de Manhattan, mas esse homem era o que Cleo imaginava como um americano de verdade, do tipo que cresceu indo aos jogos importantes e fazendo sexo com garotas no banco de trás dos carros. Nem Frank nem Cleo dirigiam.

— Cleo é a francófila — comentou Frank durante o jantar. — Fez a tese sobre Soutine. E as pinturas de carne. Coisas de gênio.

— Então, você é inteligente — disse o americano. — Há muitas garotas bonitas por aí, mas você é inteligente também. É o seu jeito?

Ele apagou a bituca de cigarro e olhou-a de frente pela primeira vez.

— Acho que não tenho jeito nenhum — respondeu Cleo.

— Claro que sim — disse o americano. — Todo mundo tem.

— Cleo é como um gato — explicou Frank. — Ela pode tocar em você, mas você não pode tocar nela. Esse é o jeito dela.

— Eu acho que esse é o jeito dos ingleses. — O americano riu, servindo outra rodada da garrafa que Frank havia pedido. Cleo cobriu o copo com a mão. — Não quer mais? Certo. Qual é o ditado? Só demonstre afeição para cachorros e cavalos? A fleuma britânica e toda essa besteira.

— Na verdade, somos o país mais sexualmente ativo da Europa — disse Cleo. Ela indicou um casal francês de meia-idade que se acariciava sobre o suflê na mesa ao lado. — Ainda mais do que aqui. Se é que você pode acreditar.

— Claro que posso — falou o americano. — Com os educados é que é preciso tomar cuidado.

Os óculos de Frank brilhavam à luz de velas.

— Então, qual é o meu jeito? — Frank perguntou.

— O seu é fácil — disse o americano. — Você tem que vencer.

— Todo mundo gosta de vencer — rebateu Frank. — Só isso não pode ser o meu jeito.

— Não gosta — disse o americano. — Tem que. Precisa. Eu conheço a sua agência. Quantos leões você ganhou em Cannes neste ano?

— Um de ouro, dois de bronze — respondeu Frank com visível orgulho.

— Viu? — disse o americano.

Frank estava sorrindo e olhando para as mãos com a lembrança feliz desse triunfo. O americano acendeu outro cigarro e piscou quase imperceptivelmente para Cleo.

— Qual é o seu jeito? — perguntou Frank.

— Diga você — respondeu o americano.

— Você é o especialista — disse Frank.

— Bem, eu... — começou o americano.

— Você quer — disse Cleo — o que as outras pessoas têm.

O americano soltou uma gargalhada.

— Você não está errada, querida — concordou ele. — Mas também está apenas metade certa. Quero o que as outras pessoas têm, com certeza, mas também não quero o que *eu* tenho.

Frank deu de ombros.

— Essa é apenas a condição humana.

— Você não quer o que tem? — perguntou Cleo.

— Eu quero *mais* do que tenho — disse Frank. Ele começou a contar nos dedos. — Dois leões de ouro, duas agências...

— Duas mulheres? — perguntou Cleo.

— Só se forem duas de você — disse Frank rapidamente.

— Boa resposta. — O americano riu e deu um tapa nas costas de Frank. Ele esticou os braços atrás da cabeça. — É o seguinte. Nós queremos porque somos carentes. Nos dois sentidos da palavra. A falta e o desejo, tudo condensado em um. Quanto mais você sente que está querendo, mais você deseja.

— Então você é filósofo — deduziu Cleo.

— E você é mais inteligente do que parece — disse o americano.

— As pessoas só dizem isso para as mulheres — falou Cleo.

— E eu, sou o quê? — perguntou Frank. — O bobo da corte?

Quanto mais os dois homens bebiam, mais competitivos se tornavam. Cleo os observou e se perguntou qual seria a crença antiga que estava em jogo para que os dois apesar de terem grande abundância na vida, achassem que nunca poderia haver o suficiente para os dois. O americano se gabou da escola de negócios que frequentou em Pequim. Frank rebateu, triunfante, que nunca frequentara uma faculdade. Cleo se inclinou sonolenta, recostando-se na cadeira, esquecida. Agora eles estavam no tema dos elogios do ensino médio. O americano, apropriadamente, tinha sido algo chamado *All-American*. Frank revelou ter sido um mergulhador competitivo, quebrando recordes estaduais nos dez metros.

— Eu tenho que ver isso — disse o americano.

Cleo tirou um cigarro do maço, e ele se inclinou para acendê-lo.

Eles sorriram um para o outro acima da erupção da chama.

— Bom, foi há muito tempo — comentou Frank.

Ele pegou um cigarro e o colocou entre os lábios do lado errado.

— Ei. — Cleo virou-o para ele. — Você não fuma, se lembra?

— Vocês são duas chaminés e estão me deixando de fora.

— De volta ao mergulho — disse o americano.

...

O garçom sombrio do café voltou, olhando para a taça vazia de Cleo.

— Terminou?

— Vou querer mais um.

O sino da torre do relógio da igreja tocou constantemente. Eram onze horas da noite. No dia anterior, Cleo havia deixado Frank andando pelo quarto, discutindo com o diretor de arte em Nova York sobre uma nova contratação, e caminhado até a capela de Matisse. Do lado de fora, era simples como um cubo de açúcar. No interior, era como entrar em uma joia. Janelas de vitral tingiam as paredes brancas com luz colorida. Matisse usou apenas três cores nas janelas: verde para as plantas, amarelo para o sol e azul para o céu, o mar e a Madonna. Ele a considerou sua obra-prima

A mãe dela adoraria a arquitetura da catedral. Ela sempre dizia que um prédio deveria ser duas partes de contentamento, uma parte de desejo. Cleo nunca havia entendido o que isso significava, mas agora a frase havia retornado como uma profecia. *Duas partes de contentamento, uma parte de desejo.* Parecia uma boa fórmula para viver, embora ela ainda não a tivesse dominado. A mãe, com certeza, nunca o fizera.

Frank não a pressionava sobre o assunto do suicídio da mãe, mas ele passou a espiar, ansioso, pelas portas, observando-a enquanto ela lia ou assistia televisão. Ele estava procurando as fendas. Ela estava distante desde que eles encontraram com o pai, ela sabia. Ela não queria que ele visse sua tristeza, que era tão feia e tão antiga. A tristeza não era linear, ela sabia, mas odiava perceber as antigas sensações retornando. Sentia-se lenta, inferior, de uma forma que não acontecia desde quando passou a morar em Londres. Pensou em voltar aos antidepressivos, mas tinha esperança de que isso iria passar. E ela estava fazendo um bom trabalho em disfarçar. Lavava o cabelo, comia sobremesa e tentava rir quando todo mundo ria.

Mas Frank havia notado. Foi ele quem sugeriu a França, o lar dos artistas favoritos dela, como a lua de mel atrasada. Ele estava tentando animá-la. E agora que ela estava aqui, nesta bela noite neste belo país, ela não queria pensar na mãe, nem na tristeza e nem em Frank. Não queria pensar em nada. O garçom reabasteceu a taça e ela drenou metade em um gole. Sentiu-se motivada pelo vinho e começava a se divertir. Com o fim do cigarro, empurrou as cinzas para a borda externa do recipiente branco. Ela olhou para cima e viu um dos adolescentes da igreja caminhando na sua direção, com o passo balanceado e arrogante de quem sabe que está sendo observado. As meninas haviam desaparecido, e apenas dois outros rapazes permaneceram, em vigilância constante enquanto o amigo se aproximava dela.

— *Avez–vous du feu*? — ele perguntou.

Ele chegou até a mesa dela e apontou para o isqueiro. Ela fez um movimento afirmativo com a cabeça.

— *Parlez-vous français*? — ele perguntou. — Fala francês?

— *Un peu* — ela respondeu, a pronúncia mesmo dessas palavras curtas causava timidez. — E você? Inglês?

— Eu aprendo na escola.

— Seu sotaque é muito bom.

— Não — disse ele, soprando fumaça pelas suas narinas. — Não é.

O nariz dele era quadrado e franco, mas seus olhos eram castanhos, aveludados, com cílios longos e grossos.

— Eu vejo você no hotel — disse o garoto. — Você usa um, como se diz, amarelo...

Ele passou as mãos em círculo sobre o peito e caiu na gargalhada, curvando-se e olhando para os dois amigos. Eles acenaram das mobiletes e gritaram algo em francês que Cleo não conseguiu entender. Eles ainda eram crianças, Cleo percebeu. De repente, ela se sentiu muito velha, quando o que ela queria era o contrário.

— Certo. Bem, tenha uma boa noite — disse ela.

Ela se levantou parcialmente da cadeira e olhou em volta, como se tentasse chamar a atenção do garçom.

— Não, não. — Ele sacudiu as mãos, liberando a carne imaginária que elas seguravam e olhou-a com uma expressão de contrição exagerada. — Eu sou um imbecil. Meu amigo me pede para lhe dizer que você é *trop belle*. Linda. Entendeu?

Ela o encarou. Uma brisa percorreu a parede de pedra, movendo as árvores em um sussurro de aplausos. Lavanda, terra, um suave sabor de sal.

— Você vem à discoteca conosco?

— Não. — Ela se levantou, sacudiu as cinzas da saia. — Onde é?

— Não é longe — disse ele. — É pertinho.

Cleo riu.

Ela deixou uma nota na mesa, de valor alto demais, mas não podia esperar: estava sendo levada com a brisa, do café para a igreja, onde os amigos do garoto esperavam, incrédulos; e então na garupa de uma motocicleta tremulante para a vida, depois de uma rua de paralelepípedos para outras, fora das luzes da cidade e rumo à noite azul enegrecida. O cinzeiro ficou esquecido na mesa.

Na parte de trás da moto, o mundo se suavizou e se esmaeceu. Ela abriu os braços para os lados e agarrou, com as mãos, punhados de ar solidificado. A noite se transformou em mil asas de borboletas pretas batendo contra a pele. Cleo entendeu por que as motos eram tantas vezes descritas como sinônimos de liberdade; não pela capacidade de te levar para outro lugar, mas pela maneira como elas transformam o lugar em que você já está.

Eles correram em direção às luzes ao pé da colina e pararam em frente a um bar antigo, na esquina de uma rua residencial tranquila. Uma placa de neon em formato de taça de martini piscou em azul, rosa, azul, rosa na janela. O garoto desceu da mobilete e estendeu a mão para ela. Quando ela desceu, tremia toda, como se um motor ainda estivesse acelerando dentro dela.

O bar foi transformado em uma danceteria improvisada com a ajuda de alguns alto-falantes, uma máquina de soprar fumaça e um globo de discoteca que girava preguiçosamente no alto. Losangos de luz prateada giravam sobre os braços e rostos dos corpos lá dentro. Estava lotado, principalmente com moradores, adolescentes que trabalhavam nos hotéis próximos, mulheres peitudas que administravam as tabacarias e *pâtisseries* na cidade, alguns pescadores velhos se espalhavam pelo bar, com as camisetas brancas brilhando contra a pele marrom e flácida. Os alto-falantes estavam tocando o tipo de música que Cleo ouvia quando era adolescente.

O garoto levou o polegar até os lábios e derramou um líquido imaginário na garganta, puxando-a em direção ao bar. Ele apertou-a para a frente e chamou a atenção do barman, que desabotoou a camisa para revelar uma tatuagem de um falcão segurando um arenque entre suas garras, que cobria o peito inteiro.

— Eu pago — disse ela, procurando a nota restante nos bolsos.

— Não. — Ele rebateu as mãos dela. — Você é convidada.

As bebidas vieram em dois copos altos decorados com guarda-chuvas e cerejas marrasquino na borda. Elas pareciam ridiculamente juvenis para Cleo, que teria preferido uma taça de vinho ou uma cerveja. A cereja deixou uma mancha vermelha semelhante a uma pegada sangrenta na cobertura de espuma branca. Ela tomou um gole pelo canudo. O gosto era de coco, caldo de cana e sabão.

— Bom, não? — ele perguntou, enrugando o rosto em uma repulsa quase escondida enquanto tomava um gole grande.

Ocorreu a ela que ele as havia pedido para agradá-la. Elas eram provavelmente a bebida mais cara do cardápio.

— Delicioso — disse ela.

Cleo deixou-o passar os braços em volta dela e empurrá-la para a frente, para a multidão de corpos. Seus amigos já estavam na pista de dança, esmagando-se contra duas meninas de cabelos compridos, suaves e ágeis como enguias em tops e saias de lycra apertadas. De repente, Cleo ficou tímida e rígida, contra o corpo do garoto. Ela desejou que Quentin ou Audrey estivessem com ela. Eles saberiam exatamente o que fazer. O garoto agarrou-a pela cintura e movimentou-a de um lado para o outro, combinando o balanço dos quadris dela com os seus. A música enchia a sala como água, penetrando em todos os cantos. Ela rodopiava, espirrando a bebida no pulso. O garoto pegou o braço dela e deslizou a língua do cotovelo até as pontas dos dedos, tirando-os da boca com um ruído molhado. Cleo jogou a cabeça para trás em uma risada silenciosa. Ele puxou-a para mais perto outra vez.

— Essa música é legal! — o garoto comentou.

— Eu sou casada! — Cleo disse.

— Eu não estou te escutando! — ele respondeu.

— Casada com um homem! — ela disse. — Com o dobro da sua idade!

Mas o garoto riu e apontou para os ouvidos.

Apesar do gosto, eles terminaram com as bebidas rapidamente. Cleo foi ao bar e comprou outra rodada. A segunda tinha um gosto melhor que a primeira. Começou a tocar uma música que todos conheciam, eles foram se apoiando nos ombros uns dos outros e gritando a letra, formando um círculo desajeitado. Ela estava girando, se desenrolando como as velas de um mastro, e ninguém a pegava. Uma das meninas de cabelos compridos acendeu um baseado e passou-o diante do grupo. Cleo fez um gesto dizendo que não. Com um movimento surpreendente e forte, a garota se inclinou para a frente e segurou a nuca de Cleo, puxando-a para a sua boca. Cleo podia ver traços da sombra azul nas dobras das pálpebras dela, brilhando na luz. Cleo ficou atordoada demais para detê-la quando a garota exalou na sua boca, enchendo a garganta com a fumaça espessa. Ela se afastou, tossindo. Todos os meninos riram.

— Tudo bem — disse o garoto.

Ele deu um tapinha nas costas dela.

Cleo tentou sorrir, mas tossiu novamente, uma onda de náusea subia-lhe pela garganta. A sala girou. Ela tropeçou em direção à porta e ao frio lá fora, bem a tempo de vomitar na rua, apoiando-se na parede do bar. Houve uma mudança sísmica; ela havia se mudado de dentro para fora sem saber como. O garoto saiu e olhou para o vômito, que era do mesmo branco espumoso da bebida de coco, depois acendeu um cigarro.

— Você vai se sentir melhor agora — falou ele.

Cleo concordou com a cabeça e encostou as costas na janela do bar, enxugando a testa úmida com a palma da mão. Ela fechou os olhos. Um balé de cisnes dançou na frente dela. O garoto colocou as mãos nos seus ombros. Ela viu o corpo de Frank, uma vírgula curva no ar. O garoto afastou o cabelo dela do pescoço. Frank estava mergulhando em direção ao coração dos cisnes. Ela abriu os olhos. A placa de neon com desenho de martini brilhou no rosto do garoto. Azul. Rosa. Azul. Rosa. Ele se inclinou para ela. Sua boca estava azeda do vômito. Ainda assim, ela poderia deixá-lo. Seria muito mais fácil deixá-lo.

— Você pode me levar de volta? — ela perguntou, desviando o rosto. — Para o hotel?

— É cedo — disse o garoto, beijando a lateral do pescoço dela.

— Por favor — ela pediu e afastou-o suavemente.

— *S'il vous plait...* — disse o garoto, imitando a voz dela.

Ele pegou a cintura dela novamente. O rosto dele estava de volta no pescoço dela.

— *Allez* — ele murmurou.

Cleo o empurrou para longe dela. O garoto tropeçou para trás, olhou-a de um jeito demorado e autoritário, depois jogou o cigarro na estrada. A brasa laranja rolou na brisa.

— Não. — Ele deu de ombros.

— Não? — Cleo repetiu.

— Vá você — disse ele. — Eu não vou.

Cleo encarou-o. Então ela se virou e começou a andar pela rua tranquila, passando pela fileira de luzes da rua que lançavam piscinas sulfurosas de luz, em direção à estrada principal. O garoto gritou algo em francês que ela não entendeu. Ela apontou o dedo médio no ar, acima da cabeça, e continuou andando.

O entusiasmo que sentiu ao sair rapidamente evoluiu para o pânico quando se viu caminhando pela estrada escura que levava de volta ao centro da cidade. O que demorou minutos na bicicleta levaria quase uma hora a pé, ela percebeu. A balaustrada branca brilhava na escuridão. Na lateral da estrada, as margens de lavanda encheram o ar com sua fragrância roxa. Um par de faróis apareceu à frente; Cleo se protegeu contra o brilho. Seu coração disparou. Pode ser qualquer um. Ninguém saberia se alguém parasse e a puxasse para dentro. O carro estava logo à frente. Ela apertou os punhos e andou. Um ataque de luzes brilhantes, depois escuridão. Ele passou sem desacelerar.

A respiração dela estava curta. As luzes do topo da cidade não pareciam mais próximas. Era interminável, insuportável. Ela pensou em se deitar em meio à lavanda para dormir até que clareasse. Mas era fria e úmida aquela parte do país à noite; de manhã, as folhas dos limoeiros estavam cobertas de gotas frias de orvalho que evaporavam ao sol. Outro carro estava vindo em sua direção. Um novo aperto de medo no peito. Ele diminuiu a velocidade quando se aproximou dela. Ela estava estática diante dos raios de luz gêmeos dos faróis, rígida de medo. Uma cabeça escura apareceu da janela traseira.

Os cabelos encaracolados de Frank ficaram delineados contra a encosta roxa. A voz de Frank estava chamando o nome dela. E então ela correu em direção às luzes, e a porta se abriu com o táxi ainda em movimento e Frank correu em sua direção, e ela se atirou nos braços dele, e os lábios dele se pressionavam quente e rapidamente contra o rosto, os ouvidos e o cabelo dela, porque foi um milagre, contra todas as possibilidades, ele tê-la encontrado nesse trecho sombrio de estrada, e agora todo o resto fora esquecido, perdoado, tudo o que importava era que ele estava aqui, segurando-a contra o peito familiar, e ela sabia o que era um milagre.

Mais tarde, enquanto estavam nus e abraçados, a rede de mosquitos sussurrando suavemente ao redor, Cleo se virou para o perfil dele.

— Frankenstein — disse ela, contornando o nariz dele com o dedo.

— Cleópatra — falou ele.

— Você está bem?

— Do mergulho? Nem um arranhão.

— Não, eu quis dizer... Em geral.

Ele virou para encará-la.

— Estou só estressado com o trabalho. Já estouramos o orçamento do ano e estou sendo forçado a contratar essa nova redatora só porque ela é mulher...

— Eu não estava perguntando sobre o trabalho.

— Então o quê?

— Deixa para lá.

Ela se virou para apagar a lâmpada de cabeceira.

— Por que você fez aquela aposta? — ela perguntou na escuridão.

Frank a puxou para mais perto.

— A história, Cley — disse ele. — É uma ótima história.

CAPÍTULO OITO

OUTUBRO

Por milagre, eu tenho um emprego novo. É um trabalho de freelancer informal em uma agência de publicidade, como redatora. Meu contrato é de três meses, com a possibilidade de prorrogação. Eles chamam isso de *temp to perm*. Eu amo essa frase, de temporário para permanente. Não apenas é quase um palíndromo, mas é também extremamente útil. Todas as situações da vida se encaixam em uma dessas duas categorias. Por exemplo, o fato de você ter trinta e sete anos de idade e de estar morando com a mãe em Nova Jersey, eu lembro a mim mesma, é temporário. Mas o formato do seu queixo, infelizmente, é permanente.

.

Até pouco tempo atrás, eu estava morando em Los Angeles, trabalhando na sala dos escritores de um programa sobre um gato clarividente, mas devido a diferenças criativas, eu pedi demissão. Na verdade, eu fui demitida. As palavras exatas que eles usaram foram "convidada a se retirar". Nem o gato tinha previsto isso.

.

Que se dane. Estou aliviada por sair de LA, aquele buraco de ambição criativa disfarçado de cidade da indústria do audiovisual.

Pelo menos em Fair Lawn, Nova Jersey, a primeira pergunta nem sempre é "TV ou filme", como se perguntassem "água com ou sem gás" em um restaurante.

·

Jacky, a assistente do diretor de criação, está me mostrando o escritório. Ela está na casa dos cinquenta anos, com um tufo de cabelos loiros e grandes olhos azuis, alinhados, de forma desconcertante, em mais azul. Jacky é como um poodle, no sentido de que seu exterior fofo esconde uma inteligência aguda e astuta.

— Não — ela diz quando vê onde estou sentada. — Não, não. Você não vai ficar aqui. — Ela se inclina sobre a mesa e tecla os números no telefone com a eficiência da prática. — Raoul? Olá, querido, é a Jacky. Vou precisar que você me ajude a acomodar uma nova contratada. Ela foi colocada na mesa errada. Sim, vejo você logo mais. Obrigada, lindo.

Ela desliga e se vira para mim.

— Há algo de errado com esta mesa? — eu pergunto.

— Você é nossa única redatora — diz ela. — E uma adulta de verdade. Você não vai ficar sentada nos cafundós com os estagiários.

·

O único objeto na minha nova mesa quando chego é uma caneca com a inscrição "*Sempre* faça o que você ama". Vai direto para uma gaveta.

·

Minha mãe está colhendo hortelã fresca no jardim para tomarmos chá quando eu chegar em casa. As canecas dela têm várias espécies de aves pintadas. Seu favorito é o pintassilgo. Ela me dá o cardeal vermelho. Ela só dá o pássaro preto para as pessoas de quem ela não gosta.

Passamos uma noite inteira assistindo *Sing Your Heart Out*, um concurso de canto que parece exigir que os cantores tenham sofrido uma dificuldade na vida que varia entre muito ruim (um pai morto ou leucemia), do tipo triste (um avô morto ou acumulação excessiva) até o realmente complicado (um animal de estimação ou macaquinho morto). Os concorrentes se revezam em contar suas histórias diante de um painel anunciando uma bebida energética.

— Que música você cantaria? — minha mãe pergunta.

— Eu não sei — falo. — Algo sobre ser mulher? E você?

— Ah, uma música pop sexy. Dar um show de verdade.

.

A sala de estar da minha mãe tem dois sofás, o sofá para comer e o sofá das visitas. Uma redação que escrevi na quinta série sobre a natureza está pendurada na parede. Ela disse que sabia que eu era uma criança sensível quando leu a primeira linha: "O parque é um lugar de beleza requintada e perigo extremo".

.

Eu assisto aos faróis dos carros listrarem o teto e tento fazer uma lista de tudo o que quero fazer com o resto da minha vida. Eu chego até o número três, "Encontrar meus patins", antes de a chuva começar a castigar o telhado e eu cair no sono.

.

Uma desvantagem da minha mesa nova é que agora me sento ao lado de um editor chamado Myke. Myke é alto e de cabelos arenosos, tem o rosto pálido e desossado. Ele parece um sorvete de casquinha. Ele tem uma miniatura de aro de basquete em cima da mesa, ao lado de uma foto do Karatê Kid.

— Você já conhece o diretor de criação? — ele pergunta antes de perguntar meu nome.

— Ainda não — respondo.

— Ele é o melhor — diz ele. — Ficou bêbado em nossa última festa de fim de ano e começou a distribuir notas de cem dólares. No ano passado, filmamos um anúncio de desodorizador de ambiente em Tóquio e ele mostrou a bunda para toda a Shibuya Crossing de uma janela da Starbucks porque perdeu uma aposta. Os japoneses estavam todos enlouquecendo.

— E, no entanto, surpreendentemente, o teto de vidro ainda existe — eu digo.

Myke revira os olhos e roda a cadeira da minha mesa.

— Não é porque ele é um *homem* que ele fez essas coisas — diz ele. — É porque estava *bêbado*.

.

Meu irmão Levi me liga do norte do estado para dizer que conseguiu um emprego no balcão de pratos quentes do supermercado local. Levi toca jazz experimental e ainda mora na mesma cidade em que foi fazer faculdade. Lá tem um posto de gasolina e quatro igrejas. Ele compartilha uma casa com uma ninhada de colegas de banda e a namorada, que pode ou não ter sido sem teto antes de se juntarem. Ele me disse que a única coisa que ela possuía quando a conheceu era um secador de cabelos profissional.

— Parabéns pelo emprego no balcão de alimentos, Levi — falo.

— Balcão de *pratos quentes* — diz ele.

.

Antes de sair de Los Angeles, comecei um roteiro sobre dois parasitas, Scrip e Scrap, que moram em um monte de lixo no fim do mundo. Quando fecho os olhos, vejo montanhas coloridas de lixo, sofás esqueléticos, carrinhos cobertos com musgo, livros mortos, embalagens de preservativos retorcidas, latas de tinta trituradas, computadores esmagados, colchas mofadas, aparelhos de TV queimados... É um programa infantil, eu acho.

Ou talvez uma comédia. Comédia para crianças. Chama-se *Lixo Humano*.

.

Encontro Jacky fazendo café na cozinha do escritório. Ela está vestida, de certa forma, como um corretor de imóveis de Palm Springs da década de 1980, com todos os tons de pôr do sol e ombreiras.

— E aí, onde você estava antes daqui? — ela pergunta. — Em outra agência?

Eu conto a história do programa do gato clarividente, deixando de fora a parte da minha partida vergonhosa.

— Minha irmã tem três gatos — diz Jacky.

— Algum deles é clarividente? — pergunto.

— Não que eu saiba. — Ela ri. — Não me interesso por nenhum animal que faça cocô em uma caixa.

— Então prefere cachorros? — pergunto.

— Prefiro golfinhos — responde Jacky.

.

O diretor de criação vem para se apresentar. O nome dele é Frank. Uma vez ouvi um homem que o descreveu como tendo tanta gravidade sexual, que ele poderia ser o seu próprio planeta. Não é exatamente como eu descreveria Frank, mas ele tem uma espécie de energia elétrica — movimentos irregulares, um choque de estática nos cabelos e olhos com um piscar estranho — que envia uma corrente da mão dele para a minha.

— O nome da minha mãe também é Eleanor — ele diz e sorri. — Mas vou tentar não usar isso contra você.

.

Antes de se aposentar, minha mãe ensinava inglês em uma escola para crianças superdotadas. Agora, ela joga bridge com outras mulheres da sinagoga três noites por semana e faz cursos na

Escola de Horticultura Profissional para melhorar a jardinagem. Minha mãe é como um beija-flor: se parar de se movimentar, mesmo por um instante, ela morrerá, com certeza.

.

Meu pai vive em um asilo para pessoas com Alzheimer, não muito longe da casa da minha mãe. Até alguns anos atrás, ele era um ginecologista e obstetra renomado. Meus pais se divorciaram quando eu tinha dez anos, e meu pai se mudou com uma dermatologista brasileira, que por sua vez o deixou por causa de outra mulher. Apesar de tudo, minha mãe ainda o visita uma vez por semana. Nós apenas nos referimos ao lugar em que ele vive como Aquele Lar. Ele não deve ser confundido com *um* lar, já que de lar, não tem nada.

.

Um ginecologista judeu e uma dermatologista brasileira. Deve haver uma piada sobre isso em algum lugar, minha mãe gosta de dizer.

.

— Eu ouvi uma coisa maravilhosa na televisão hoje!

Minha mãe está me chamando da mesa da cozinha, onde ela está lendo sobre as variedades de hortênsias. Eu entro e pego leite de soja na geladeira.

— Você não quer saber o que foi? — ela pergunta.

— É só me dizer, mãe. Não precisa de convite.

— Não precisa ser malcriada — diz ela, entregando-me uma caneca. Pardal. — Bom, foi por sua causa que eu me lembrei. Foi em um desses talk shows diurnos que eu nunca vejo. Uma casamenteira começou a falar sobre o namoro na era digital. E você sabe o que ela ensina aos clientes a dizerem a si mesmos logo cedo, todas as manhãs? "Lembre-se, você pode se apaixonar hoje." E pensei: aposto que Eleanor vai gostar. Tenho certeza de que Eleanor vai achar isso ótimo. — Ela enfatizou as palavras batendo com o lápis. — "Você. Pode. Se. Apaixonar. Hoje."

— Por que *você* não se apaixona hoje, mãe? — digo e, sem querer, bato na caixa com tanta força que o leite espirra até o outro lado do balcão.

— Tem um pano embaixo da pia — ela diz e volta para o livro.

.

Não posso esquecer de encher o alimentador de beija-flor da minha mãe com o néctar. O néctar, ao que parece, é apenas açúcar e água fervidos.

.

Estou sozinha, é claro. Estou tão sozinha que poderia fazer um mapa da minha solidão. No meu modo de ver, ele se parece com a América do Sul, colossal, depois afunilando-se em uma pequena ponta irregular. Às vezes estou tão sozinha que nem estou nesse mapa. Às vezes estou tão sozinha que sou a porra das Malvinas.

.

"Eu me jogaria de uma ponte, mas tenho medo de altura!", diz uma velha para outra enquanto carrega suas sacolas para casa à minha frente.

.

Passo a manhã trabalhando no slogan de um anúncio no metrô para uma empresa sueca de iogurte.

> *Sou uma boa ideia em laticínios.*
> *Eu tenho cultura!*
> *Me dê uma colherada...*
> E depois me mate.

Levi me liga para dizer que ele começou a fazer entalhes depois de ler um artigo informando que esse era o antídoto perfeito para as tensões e o estresse da vida moderna. Eu digo a ele que também estava precisando entalhar um pouco.

— Hmm, como está o trabalho? — ele pergunta, triturando algo alto ao telefone.

— Eu sou uma máquina de trocadilhos humana — falo.

— Oximoro — diz ele, mastigando. — Você não pode ser humana e máquina.

— Espero que você esteja usando esse traço de pedantismo no balcão de pratos quentes — eu digo.

— Você sabe qual é o melhor antídoto para o tédio existencial? — ele pergunta.

— Me conte — respondo.

— A dor física.

Levi nasceu com QI de gênio, mas eu me preocupo que ele tenha fumado tanta maconha que agora possa estar mais para uma cobaia de laboratório.

Myke insiste em falar comigo, apesar de não ter nenhum interesse verificável em mim como pessoa. Estou jogando um jogo onde vejo quantas perguntas posso fazer até que ele me devolva uma pergunta. Até agora, cheguei a nove. É como colocar moedas em uma máquina caça-níqueis sem esperança de ganhar um prêmio.

Fico no escritório até tarde e Frank passa pela minha mesa.

— Ainda aqui?

Digo-lhe que estou esperando minha mãe terminar a aula no Jardim Botânico para que eu possa levá-la de volta a Jersey.

— Ah, então você é uma garota do subúrbio — diz Frank.
— Quando eu estava no ensino médio, elas eram sempre as mais malucas. Você também costumava escapar para a cidade nos fins de semana?

De alguma forma, não me pareceu adequado dizer a ele que eu passava os finais de semana com o meu namorado quarentão, lavando as roupas dele e ajudando-o a editar suas "memórias" sobre a recente carreira de piloto de corridas. De fato, não há nada sobre essa situação que pareça adequado contar para ninguém.

— Na verdade, não — falo.

— Ah, então você tinha um bom coração — diz Frank.

— Era mais um coração mole.

— Coração mole, isso é engraçado. — ele diz. — Nesse caso, o que eu seria?

Ele começa a rir.

— Um coração diabólico — diz ele.

.

Ainda estou no escritório quando vejo um e-mail de Frank aparecer na tela.

"Esqueci-me de perguntar como está indo com o Myke."

"Tudo ótymo", respondo.

Da minha mesa, eu consigo ouvir Frank rindo.

.

Tudo nesta loja de presentes do Jardim Botânico é de bom gosto e me faz querer gastar dinheiro. Será que eu usaria uma tesoura de poda na forma de um pelicano? Quem poderia dizer?

Encontro uma toalha de chá que diz: "Você não para com a jardinagem porque envelhece, você envelhece porque para com a jardinagem". Isso parece adequado para minha mãe que é hábil com plantas e aprecia aforismos, então eu compro para ela.

Já estou indo para a saída quando noto um *frisbee* que diz: "Você não para de jogar porque envelhece, você envelhece porque para de jogar". Então eu passo por um manequim usando um avental bordado com "Você não para de cozinhar porque envelhece, você envelhece porque para de cozinhar". Então eu noto a placa da estante de livros. "Você não para de ler porque..."

Quando conto isso para minha mãe no caminho para casa, ela ri tanto que derruba os vasos de narcisos que estavam sobre os joelhos.

— Você não para de fazer merda porque envelhece — diz ela.

— Você envelhece porque a vida é uma merda — eu digo.

.

Eu comecei a ver animais mortos pelo canto do olho. Alguns incidentes são compreensíveis, eu acho. Uma folha achatada na calçada parece um rato morto. Um tênis preto abandonado com cadarços é praticamente do mesmo tamanho de um rato. Mas são as cabeças de vaca em latas de lixo e os corpos de guaxinim pendurados em árvores que estou tendo mais dificuldade em explicar. Eu pesquisei os primeiros sinais de esquizofrenia, mania e psicose.

— Acho que você precisa usar mais os óculos — diz minha mãe. — No banco, outro dia você leu "Cadastro Grátis" como "Cavalo Grátis".

.

Recebo a tarefa de trabalhar com um novo empreendimento imobiliário no Upper East Side. Ele foi projetado para ser uma minimetrópole. O resumo diz coisas do tipo "Este modelo ideal de vida luxuosa é uma combinação progressiva da criatividade corporativa e de vanguarda — *tudo* o que os profissionais cosmopolitas poderiam precisar".

Frank está trabalhando nisso comigo. Como somos ambos vegetarianos, caminhamos juntos na rua até o restaurante de falafel. Deveríamos estar falando sobre os quase dois milhões de metros quadrados de espaço comercial, mas ele está me falando dos seus animais de estimação da infância.

— O gato da minha mãe, Mooshi, era um traste — diz ele. — Brigitte era um anjo lindo, uma gata persa, mas eles não se davam muito bem. Eu estava sempre convocando reuniões de família para que os dois se resolvessem, mas no fim Brigitte desapareceu.

— Meu primeiro animal de estimação foi uma asa de corvo decepada — eu digo a ele. — Minha mãe me deixou guardá-la na cabana do jardim. Eu só tinha permissão para acariciá-la se usasse as luvas de látex do trabalho do meu pai.

— Seu pai é médico? — pergunta Frank.

— Era — eu digo. — Então, quando a asa desmanchou, eu fiquei com uma pena branca chamada Spider, que eu guardava em uma caixa de fósforos cheia de folhas mortas.

— Ele não trabalha mais? — pergunta Frank.

— Não — eu digo. — Um dia eu abri a caixa de fósforos e a pena tinha sumido, de repente. Eu chorei todos os dias durante uma semana.

— Você deveria conhecer minha mulher — diz Frank. — Ela faz isso também. Antropomorfizar.

.

Por alguma razão, temos uma pilha de cartões de teste Rorschach rodando pelo escritório. Estou tentando me psicanalisar, mantendo-os com a imagem para baixo e virando-os rapidamente para julgar minha reação, quando Frank passa e ri.

— Catorze borboletas e uma vagina — diz ele. — É tudo o que você precisa saber.

.

Eu concordo em ir a um encontro com o filho do corretor da amiga da minha mãe. Acabo de espetar o olho com a escovinha do rímel quando minha mãe liga. Ela está passando a noite Naquele Lar com meu pai. Eu ouço *Sing Your Heart Out* ao fundo.

— Não faça o que você faz hoje à noite — diz minha mãe.

— O quê?

— Você sabe.

— Não sei. Por isso perguntei.

— E lembre-se de *se conter*.

— Tchau, Mãe.

— Só mais uma coisa — diz ela. — Você! Pode! Se! Apaixonar! Hoje!

.

Quando pergunto ao filho do corretor o que ele faz, ele passa as palmas das mãos na frente brilhante da camisa e diz:

— Eu faço *dinheiro*.

Na verdade, ele trabalha no ramo imobiliário. Ele me conta sobre um novo complexo de edifícios que está sendo construído na ilha de Randall. No que parece ser uma vitória para o meu azar, o prefeito ficou do lado dos atuais moradores em uma disputa dos direitos sobre o terreno.

— Estamos construindo o futuro — diz o filho do corretor, entre mordidas na torta de caranguejo. — E eles querem se apegar ao seu passado estável por causa do aluguel.

Digo ao filho do corretor que, se eu fosse prefeita de Nova York, implementaria uma política de desmembramento público para condenados por estupro. Seria uma guilhotina de pênis construída na ponte do Brooklyn. Primeiro, pensei que os pênis decepados poderiam ser pregados na ponte, ao lado das fotos dos proprietários, mas agora acho que eles deveriam ser jogados na multidão para serem destruídos por mãos raivosas. Eu poderia garantir que, em um ano, a taxa de crimes sexuais violentos cairia pela metade, no mínimo.

.

— Isso — diz minha mãe no dia seguinte, depois que a amiga telefona para contar o que aconteceu. — É isso o que você faz.

O casal ao meu lado no trem PATH está usando casacos de couro que vão até os tornozelos. Eu me pergunto o que veio primeiro, os casacos ou o relacionamento.

— O que há com você esta manhã? — ela pergunta.

— Eu só estava de bom humor — diz ele.

— Esse é seu bom humor? — ela questiona. — Não combina com você de jeito nenhum.

.

Frank e eu estamos voltando do restaurante de falafel quando ele me pergunta como foi o meu encontro. Eu tento dar a ele uma ideia geral, mas é tarde demais, eu me pego contando meus planos de prefeita outra vez.

— Haveria pôsteres com minha foto no metrô — eu digo.

— Usando um smoking e segurando um pênis cortado como um microfone.

.

Não vou dizer mais nenhuma besteira até o final do dia. Se isso significa que eu não direi mais nada até o final do dia, ou de todos os outros dias, que assim seja.

.

Recebo um e-mail do Frank. Ele diz:

"Você poderia chamá-la de guilhopinto".

.

No aniversário do meu pai, levo para ele um livro sobre os pássaros de Nova Jersey. Eu faço o melhor que posso vendo ele retirar o papel de embrulho como se ele tivesse pegadores de salada no lugar das mãos, depois desisto e rasgo-o eu mesma. Eu entrego o livro; ele o coloca no chão. Então nós nos sentamos e assistimos *Sing Your Heart Out* até que a TV seja a única luz na sala.

A doença de meu pai é algo que eu costumava pensar que era temporária, mas agora eu sei que é permanente.

.

Frank e eu começamos a trocar e-mails cheios de coisas perturbadoras que experiencia ao longo dos nossos dias. A ideia por trás disso é que, se um de nós tivesse que vivê-las, o outro também teria. Eu acho que isso é amizade ou algo do tipo.

Mulher cega tropeçando na guia.

Filhote de rato morto nos trilhos do metrô.

Um preservativo vazio, mas aparentemente usado, na calçada da lanchonete Gray's Papaya.

.

— Do que você está rindo? — pergunta minha mãe.

— Nada — eu digo. — E-mail de gente do trabalho.

— É uma foto de um gato? — ela pergunta. — As meninas da sinagoga sempre me enviam fotos de gatos. Para que diabos eu iria querer ver gatos?

— Acho que isso faz parte do território de ser uma mulher mais velha — eu digo.

— A *menopausa* é a única coisa que faz parte do território — diz ela. — Todo o resto é só marketing.

.

Frank quer abrir um escritório em Paris. Está ouvindo fitas que supostamente o ensinarão francês em um mês. Ele diz algumas frases para mim que parecem muito boas. Elas querem dizer "Você gosta de legumes?" e "Você era bonita quando criança?"

.

Myke me diz que a mulher de Frank é uma artista inglesa. Ele me diz que ela tem a idade fetal de vinte e cinco anos. Ele me diz que eles se casaram no verão e que ela veio ao escritório uma vez. Ele me diz que ela é *gostosa*.

.

— A única coisa que não vou tolerar é absolutamente qualquer coisa menos do que a perfeição — diz a mulher de preto andando à minha frente na 5ª Avenida. Mais tarde, tento repetir isso para mim mesma enquanto vou lidando com o meu dia. *A única coisa que não vou tolerar é absolutamente qualquer coisa menos do que a perfeição.* Valeu a tentativa, eu acho.

.

Todo mundo que eu conheço é mais bem-sucedido ou mais interessante do que eu. Essa percepção não é novidade. De fato, costumava parecer que todos aqueles que eu *não* conhecia também eram mais bem-sucedidos e interessantes do que eu. Ainda me lembro da sensação de assistir a um programa de talentos na TV quando era criança e perceber que a garota dançando era um ano inteiro mais nova do que eu. Ela estava usando um vestido de lantejoulas vermelhas e calçados para sapateado. Ela parecia um rubi, uma joia humana girando pelo palco. Eu estava no meu pijama da T.J. Maxx, comendo cereal para o jantar, já destinada a uma vida de mediocridade. Por que eu não tomei jeito naquela época? Eu tinha cinco anos! Eu poderia ter mudado o rumo das coisas!

.

Conheço Anders, o amigo de Frank que era o diretor de arte aqui antes de partir para um cargo de prestígio em uma revista de moda. Como é ser um homem solteiro, heterossexual, nos seus quarenta e poucos anos, em um lugar como esse, eu só posso imaginar. Ele também é quase insultuosamente bonito. Quando Frank me apresenta, seu olhar deslizou sobre mim como se ele estivesse passando o olho por uma notícia que ele percebeu tarde demais não ser do seu interesse mas que, de alguma forma, ele deve terminar de ler.

.

Recebo um e-mail do Frank. É um vídeo de flautistas de pan peruanos tocando "Hotel California" na plataforma do metrô. Cada vez que estão perto do que deveria ser o fim da música, ela começa novamente.

Vivi isto por quinze minutos hoje, agora você deve também.

.

— Você está sorrindo de novo — diz minha mãe.

— Aham — eu respondo. — De vez em quando acontece.

— Por que você está sorrindo?

— Só coisas do trabalho.

— No fim de semana? Você acha que eu nasci ontem. Quem é o cara?

— É *trabalho*, mãe.

— Ah, então vocês dois trabalham juntos. Qual o nome dele?

— Eu não quero falar sobre isso.

— Então há alguma coisa para falar!

Os cientistas que descobriram a vida microscópica em Marte soariam menos triunfantes.

— Não. Nada para falar, mãe — eu resmungo.

— Ellie — ela diz em voz mais baixa. — Eu só gosto de saber o que te faz feliz.

Eu olho para ela. Ela está ficando menor a cada ano.

— Certo — digo. — Sim, trabalhamos juntos. O nome dele é... Myke. Com "y". É tudo o que você vai saber.

— Myke com um "y"! — Ela movimenta as mãos no ar. — E *por que* não? Myke. Myke! Eu gosto. Um manda-chuva chamado Myke!

Saio da sala quando ela começa a fazer mímica de maracás. Ou devo dizer fazer mymicas.

— E aí, como as pessoas te chamam? — pergunta Jacky.

— O que você quer dizer? — pergunto.

— Você tem um apelido ou algo do gênero?

— Bem, minha mãe me chama de Ellie — eu digo. — E tinha um namorado que me chamava de Nor, o que eu odiava porque eu achava que me fazia parecer um viking. Mas a maioria das pessoas me chama só de Eleanor.

— E Lee? — ela pergunta. — Posso te chamar assim?

— Claro — digo.

— Combina com você. — Ela confirma com um sinal de cabeça. — Meio masculino.

.

Minha mãe e eu estamos planejando passar o Dia de Ação de Graças Naquele Lar com meu pai. Não faz sentido viajar, e de qualquer maneira, não consigo pensar em lugar algum. A ala Daquele Lar em que meu pai mora é chamada Jardins das Lembranças, embora eu tenha ouvido a equipe chamá-la de Jardins da Amnésia. Toda vez que penso nisso, quero agarrar a mão de meu pai, encharcar o lugar com gasolina, jogar um fósforo por cima do ombro, acender um cigarro nas chamas e correr, correr com ele sem nunca olhar para trás.

.

— Você sabe onde posso comprar maconha?

Frank e eu estamos voltando do restaurante de falafel. Esfriou de repente.

— Uau. — Ele ri. — Grandes planos para o Dia de Ação de Graças?

— Só coisas de família — digo.

— Parece que nos sentimos da mesma maneira quando em relação a assuntos de família — diz ele. — Claro, eu posso colocá-la em contato com meu fornecedor.

— Eu agradeço.

— Para que servem os chefes? Mas eu devo avisá-la. Não vá ao apartamento dele.

— Por quê? Ele é perigoso?

— Credo, não! Ele é um anjinho. Mas ele é um acumulador.

— Vou precisar de mais contexto.

— O contexto é que ele não joga nada fora. Jornais amarelos até a porra do teto. Ele tem, tipo, doze aparelhos de TV antigos, mas nenhum funciona. E quando você estiver lá, ele vai querer te mostrar tudo. Fiquei preso vendo a coleção de bules velhos e lascados por vinte minutos. Faça um favor a si mesma e encontre-o na rua.

— Certo — eu respondo. — Acumulador. Anotado.

Frank me olha de lado.

— Eu posso ir com você, se quiser.

Eu tento suprimir meu sorriso.

— Não seria um pouco inapropriado?

— Acho que passamos o apropriado há uns dois quarteirões.

— Dois quarteirões e dois meses atrás — digo.

— Não. — Frank aperta meu braço. — Só nos conhecemos há dois meses?

Um mês, três semanas e cinco dias.

— Em torno disso — eu falo.

Frank diz alguma coisa, mas uma multidão de crianças em idade escolar passa entre nós quando viramos a esquina. Ele se vira para deixá-las passar, e eu não ouço as palavras.

.

Frank marca o encontro com o fornecedor depois do trabalho, em uma esquina perto do Gramercy Park, o menos suspeito de todos os parques. Enquanto caminhamos, vejo um homem vestindo uma camiseta com a inscrição "99% ANJO" sob uma jaqueta de beisebol. Ele nos vê e corre. Ele e Frank se abraçam. Ele coloca a mão no bolso de Frank, e Frank coloca a mão no dele.

— Meu irmão — cumprimenta ele.

— Meu amigo — diz Frank. — Como vai?

— Feliz — responde. — Você?

Frank sorri.

— Não me matei e nem matei ninguém hoje.

— Isso vai ajudar — sugere ele, apontando para o bolso de Frank.

— Esta é minha amiga Eleanor — diz Frank.

O fornecedor me estende mão.

— O que é o um por cento? — Eu aponto para a camiseta dele.

Ele se vira e desliza a jaqueta pelos ombros. Na parte de trás da camiseta está escrito "1%?"

— Todos nós temos um por cento de ponto de interrogação — responde ele, piscando para Frank.

— Eu preciso escrever isso — diz Frank, rindo. — É um slogan!

Meu olho enxerga algo perto dos arbustos, entre as grades do parque. Está parcialmente coberto por folhas marrons, mas é, sem dúvida, um porquinho morto. O corpo pequeno está curvado como um C. Há uma marca vermelha no lado. Eu posso ver os fios brancos na pele rosa pálida, as patas flácidas e escuras.

— Meu Deus! — eu digo. — Tem um porquinho morto atrás de você.

— Que porra é essa? — O fornecedor se vira para trás. — Onde? Onde?

Frank está segurando meu braço.

O fornecedor começa a rir.

— Você me assustou pra cacete — diz ele.

Ele caminha até a grade e dá um chute. Eu assisto o porquinho flutuar no ar. É uma sacola de compras cor de rosa. Eu olho para ela. Logotipo vermelho, alças pretas.

— A mente dela — diz ele. Ele balança a cabeça para Frank enquanto a sacola pousa entre nós. — Esse é um lugar aonde eu nunca gostaria de ir.

Frank coloca a mão em volta do meu ombro e aperta-o enquanto nos afastamos.

— O apartamento dele — ele sussurra — é um lugar ao qual *nós* nunca gostaríamos de ir.

.

— O cabelo está ótimo — diz ao celular a senhora que está à minha frente na fila para tomar um café. — Mas, no geral, estou desmoronando.

.

Aquele Lar tentou fazer uma decoração. Perus feitos de papel alumínio e chapéus de peregrino alinham-se nas paredes do lugar. Encontramos meu pai na sala de jantar, sentado sozinho em uma das mesas próximas à janela. Ele está usando um suéter grosso feito de lã com o cabelo penteado para trás em duas curvas suaves em volta das orelhas. A gola da camisa permanece torta como se fosse a de um estudante desalinhado. Ele está olhando para a frente, exibindo aquela expressão de medo e esperança que as crianças costumam ter quando os pais estão atrasados para irem buscá-las.

— Oi, pai — digo, inclinando-me para abraçá-lo.

Suas mãos grandes rolam no colo. Ele sorri para elas, se desculpando.

— Trouxemos torta — fala minha mãe, deslizando-a pela mesa. — Torta de noz-pecã para nosso docinho. — Ela se abaixa até o colarinho dele. Ele tenta afastá-la gentilmente e depois se submete a esse gesto com um olhar triste direcionado para o teto.

— Feliz Dia de Ação de Graças — eu digo. — Lembra-se de como você costumava cortar o peru vestindo seu jaleco de laboratório?

Seu rosto sinaliza reconhecimento, depois se apaga como um fósforo.

Eu finjo ter esquecido o telefone no carro e fico no estacionamento fumando o baseado que Frank enrolou para mim. Após a primeira tragada sufocante, pego o jeito e consigo obter alguns bons resultados, segurando a fumaça nos pulmões e exalando lentamente. Tem um gosto nojento, é como comer um saquinho de chá. Cuspo no cascalho e piso em cima.

.

Tudo no meu prato é bege, exceto por uma faixa rosada de geleia de cranberry. No entanto, é delicioso. Nenhuma comida já me satisfez tanto. Se eu pudesse deslocar minha mandíbula como a de uma cobra e comer o prato inteiro, eu o faria. Quando olho para cima, meu pai está olhando à frente, o garfo suspenso, um fio prateado de baba escorrendo pelo queixo.

— Dr. Rosenthal, você terminou? — Uma enfermeira sorridente vestindo a cor pêssego se inclina sobre a bandeja. O fato de que ela ainda o chama de doutor me faz querer apertar-lhe as mãos e beijar as pontas dos dedos rosa.

— Você com certeza estava com fome — diz minha mãe para mim. — Você não tomou café da manhã?

— Fico feliz que você tenha gostado — responde a enfermeira, pegando minha bandeja.

Estou tentando pensar na coisa certa a dizer. Está na ponta da língua. A enfermeira gentil já se virou e está voltando para a cozinha quando me dou conta. *Exatamente o que o doutor pediu.*

.

Minha mãe e eu caminhamos para o carro em silêncio.

— Bem, fico feliz por termos vindo — ela diz enquanto saímos do estacionamento. — Ele parece bem, você não acha?

— Muito bem — respondo, atrapalhada com o cinto de segurança. — Muito, muito bem.

Ela me olha séria pelo espelho retrovisor. Eu pisco para ela.

— Eleanor Louise Rosenthal — diz ela. — Você está mesmo chapada neste momento?

Eu não consigo me segurar e começo a rir.

— Um por cento do ponto de interrogação? — digo.

— Pelo amor de Deus — ela rebate. — Essa é a influência do *Myke*? Myke é maconheiro?

Eu abaixo o vidro da janela e rio até chorar.

Na Black Friday, minha mãe me arrasta para o shopping para aproveitar as ofertas. Ela está procurando especificamente por um suporte para toalhas, já que o nosso atual despenca se for sobrecarregado com algo maior do que uma toalha de rosto. Estamos vagando pelo corredor do banheiro da loja de artigos para o lar.

— Tem baixa autoestima — fala minha mãe, referindo-se ao suporte para toalhas. — Não acredita em si mesmo.

— Talvez seja apenas preguiçoso — afirmo.

Sinto-me de ressaca do fumo e também de toda a comida bege que devorei. À nossa frente, observo um homem carregando uma TV na caixa sobre a cabeça, como se fosse um caixãozinho de defunto.

— Você aprenderá, quando tiver seus filhos, a não usar essa palavra. Quando eu estava dando aulas, fomos informados de que a preguiça nos estudantes é uma questão de *autoestima*.

— Eu não vou ter filhos, mãe.

— Hum, veremos — diz ela. — Você sabe quem não tem problemas de estima? Nossa máquina de lavar louça. Nunca cala a boca! Você notou como ela continua fazendo esse zumbido, mesmo depois do ciclo acabado?

— Não vou ter filhos. E a máquina de lavar louça é sua, mãe.

— O que você está dizendo?

— A máquina de lavar louça é *sua*. Eu não paguei por ela. Tudo naquela casa é seu.

— O que é meu é seu, querida.

— Não, mãe. O que é meu é meu. O que é seu é seu. Esse é o limite que deve ser estabelecido entre uma mulher adulta e sua mãe.

— Por que você está ficando tão chateada?

Uma garota usando calças de pijama sob uma longa jaqueta estofada abre caminho entre nós para pegar um tapete de banheiro com formato de um rosto sorridente.

— Eu não vou morar com você para sempre — digo. — Tenho quase quarenta anos. É patético. Eu deveria ter meus próprios aparelhos domésticos com seus próprios problemas de autoestima.

— Você não está nem perto de quarenta, Eleanor, pare de exagerar. E eu nunca disse que você moraria comigo para sempre. Mas como você está morando comigo *agora*, pensei que poderia gostar de ser tratada como um membro desta família.

— Desta família? Que família! Somos apenas nós duas, mãe. Levi nem vem te visitar. O pai pode muito bem *ser* um suporte de toalha. Somos só você e eu, e então vai voltar a ser só você e só eu.

— Não fale desse jeito do seu pai — diz minha mãe.

— Você está brincando comigo? Ele *deixou* você, mãe. Por uma lésbica!

— E daí? — ela rebate. — Todos os homens partem! Nós vivemos mais do que eles de qualquer maneira. Eu tenho novidades para você, baby, no final, *sempre* somos só nós.

— Todos os homens deixam *você*! — grito. — Eu ainda tenho uma chance!

— O que você está querendo me dizer exatamente? — grita minha mãe.

— VOCÊ NÃO PODE SER O AMOR DA MINHA VIDA!

Um homem empurrando um carrinho de compras lotado aparece no final do corredor, me olha aterrorizado e vai para a direção oposta. Eu seguro o suporte de toalhas e inclino a cabeça.

— Eu quero mais, mãe — eu digo. — Você não iria querer?

Minha mãe me ignora enquanto esperamos na fila interminável do caixa. Ela me ignora quando aponto que a fila de "menos de cinco itens" foi alterada para "menos de cinquenta itens" para a Black Friday. Ela me ignora quando sugiro ir à praça de alimentação, onde há os seus pães de canela favoritos, que são do tamanho da cabeça dela e valem por um dia inteiro de calorias, e, portanto, algo que ela quase nunca se permite comer. Ela me ignora quando pergunto se ela tem alguma ideia de em qual dos três estacionamentos idênticos estacionamos, embora nesse caso eu acho que ela pode simplesmente não saber.

Estamos quase fora do shopping e sossegadas quando uma mulher nos intercepta. O rosto dela está coberto de maquiagem da mesma cor da minha refeição bege de Ação de Graças. Os cabelos presos em um coque tão apertado que puxa as sobrancelhas para trás, formando arcos.

— Gostariam de aproveitar uma avaliação gratuita das nossas Cadeiras de Massagem Reclináveis com Balanço e Gravidade Zero? — ela pergunta. Eu olho nos olhos dela. Pura mania.

— Não, obrigada — digo.

— Mas — diz ela, bloqueando o nosso caminho com um sorriso feroz — tem seis programas exclusivos predefinidos, cinco níveis de velocidade e intensidade e posições de gravidade zero de dois estágios inspiradas na NASA.

— Nós realmente não... — eu digo, mas ela já está instalando minha mãe em uma das poltronas luxuosas. Minha mãe afunda, atordoada, as pernas e os braços envoltos em estofamento de couro.

— Não é incrível? — pergunta a mulher. — Aqui.

Ela pega o meu suporte de toalha e me guia para o local da cadeira, em frente à da minha mãe. Não faz sentido lutar. Parece que estou sendo comida pela cadeira, rolando na língua de couro.

Não é, devo admitir, totalmente desagradável. A mulher aperta um controle remoto e ondas pulsantes de pressão fluem para cima e para baixo nas minhas costas, braços e pernas. Imagino que essa seja a sensação de ser digerido.

— Relaxante, não é? — fala a mulher. — Agora vamos testar a configuração de gravidade zero.

Ela pressiona o controle remoto novamente e nossas cadeiras se levantam do chão com um rangido, depois começam a girar para frente e para trás nos seus suportes. Estou sendo movimentada, balançada, massageada e rolada. Não tenho ideia de onde meu corpo termina e onde começa a cadeira. Olho para a minha mãe. Ela é pequena, devorada por todo esse couro. Ela está olhando para mim. Nós balançamos, nos aproximando e nos afastando uma da outra.

— Eleanor! — Ela chama mais alto do que as vibrações da cadeira.

— Mãe!

— Eu nunca quis que você tivesse menos! — ela diz.

.

Instalamos o suporte de toalhas quando chegamos em casa. Duas canecas cheias de chá se equilibram na borda da banheira. Pintassilgo e falcão.

— Se você pudesse ter comprado qualquer coisa no shopping, o que você escolheria? — pergunto.

Ela fecha os olhos e pensa. Eu assisto um sorriso se espalhando pelo rosto dela.

— Um abridor de latas elétrico — ela responde.

Às vezes me preocupo que minha mãe esteja encolhendo em todos os sentidos.

.

Como não tenho namorado e filhos, deveria ser fácil passar as noites escrevendo minha comédia infantil, mas não é.

Abro meu navegador e digito "ver animais mortos" novamente. Não parece ser uma doença da qual os outros sofram. Eu
pensei que era impossível na era da internet encontrar qualquer
coisa que o tornasse único de fato, mas aqui estou eu. Volto
a olhar fixamente para a tela. De alguma forma, ainda estou
desenvolvendo a síndrome do túnel do carpo.

.

Por fim, eu cedo e pesquiso o nome dela. É uma combinação de
letras tão perfeita que faz meus dentes doerem. Encontro uma
foto dela em uma exibição de arte. Ela está na frente de um nu,
olhando séria para a câmera. O cabelo preso em uma longa trança
de rabo de peixe. A pele é da cor de creme do leite integral. Ela
também está vestindo creme, uma blusa de seda enfiada em uma
saia longa e ondulada. Argolas pequenas de ouro nas orelhas.
Ela é uma pérola. Uma pérola perfeita de garota.

.

Certo, então eu não sou bonita, nem loira, nem inglesa. Mas
posso fazer piadas, ser legal com a sua mãe e fazer um boquete
decente. É o que eu posso fazer.

.

Jacky me convidou para almoçar. Quando eu passo por sua
mesa, vejo uma foto dela no oceano com um golfinho de cada
lado, beijando-a no rosto. No computador há um adesivo com
os dizeres: OS GOLFINHOS SÃO OS MELHORES AMIGOS DE
UMA GAROTA!
 — Você é casada, Jacky? — eu pergunto durante o almoço.
 — Não, querida — diz ela. — Sendo responsável por este
lugar? Quando eu teria tido tempo?
 — Mas. — Eu olho para baixo. — Você gostaria de ser?
 — Não é meu estilo. — Ela sorri. — Mudar para a Flórida,
esse é o plano. Nadar todos os dias. A maioria do meu pessoal

está pra lá agora, de qualquer maneira. — Ela se inclina para mim. — Por quê? Você quer se casar?

— Não. — Eu balanço a cabeça. Estou tentando encontrar as palavras. Finalmente, digo: — Você tem muita sorte por ter encontrado os golfinhos, Jacky.

Jacky me olha de um jeito engraçado.

— Você também tem sorte — diz ela. — Frank me diz que você é uma ótima redatora. Você descobriu o que gosta de fazer.

Eu penso na sala da redatora em LA. Penso nas piadas, nos homens, nos sanduíches em toda refeição. Penso nas minhas noites sozinha na casa de minha mãe trabalhando no *Lixo Humano*.

— Às vezes eu odeio o que eu amo fazer — digo.

.

— O que estamos procurando — fala o cliente imobiliário — é uma escrita que faça você sorrir com a *mente*.

.

Frank me diz que na Polônia eles traduziram *Os Flintstones* em rima, então soa como poesia.

.

Frank me diz que não há nada de vergonhoso em ser criativo por dinheiro. Ele me diz que John Lennon e Paul McCartney costumavam sentar-se juntos e dizer: "Vamos escrever uma piscina nova para nós".

.

Frank me diz que o slogan da Nike foi inspirado pelas últimas palavras de um assassino em Utah. Momentos antes de ser executado em 1977, diante do pelotão de fuzilamento, ele aparentemente se virou para eles e disse: "*Just do it*". Eu respondo que parece verídico.

Eu digo a Frank que, na minha experiência, quanto melhor a fotografia, mais louco o ator.

.

Eu digo a Frank que minha pintura favorita é o retrato de Thomas Cromwell, feito por Holbein, que está no Frick. Há um pedaço de tapete na frente dele que ficou careca por causa dos milhares de pés que passaram sobre ele. Eu digo a ele que acho que é uma coisa boa para se esperar na vida: o tapete ficar careca diante de você.

.

A namorada foi embora sem olhar para trás. Ela conheceu um Hell's Angel canadense em um bar de mergulho e se foi, que é o tipo de coisa que só acontece no mundo do Levi.

— Eu deveria saber que ela não era a pessoa certa para mim — diz Levi — quando ela desenhou o folheto da nossa banda usando a fonte Comic Sans.

.

Minha mãe encontra um beija-flor morto no jardim. Parece mau presságio. Ela o leva até a cozinha e deita-o na toalha do carrinho de chá que eu dei para ela. De perto, é magnífico. Uma joia emplumada. O bico é do tamanho de uma agulha. Os minúsculos olhos negros estão abertos e brilham como ônix.

— Talvez eu possa enchê-lo e usá-lo como um broche — ela fala com entusiasmo.

.

Aquele coroa que eu namorei no ensino médio morreu. Eu sei disso porque encontrei minha ex-colega de classe, Candi Deschanel, na calçada da Home Depot e ela me disse "Aquele coroa que você namorou no ensino médio morreu".

Candi tem um bebê apoiado no quadril e mais dois filhos pendurados nas pernas. Estou carregando um saco extragrande de sementes para pássaros para minha mãe.

.

Mais tarde, eu pesquiso o nome dele. Há um breve obituário on-line escrito pela família. Foi um acidente com o cortador de grama. Eles não são tão incomuns quanto você pensa, o obituário faz questão de registrar.

.

Um piloto de carro de corrida morto pelo seu cortador de grama. Deve haver uma piada em algum lugar.

.

A dupla de estudantes de ensino médio que está ao meu lado neste trem PATH sabe muito mais da vida do que eu.

— Eu estava tentando ser hiper-racional — diz a primeira garota. — E explicar que ele não pode me tratar desse jeito.

— Isso foi inteligente — responde a amiga.

— Mas todos os meus *sentimentos humanos* atrapalharam — diz a primeira garota.

— Faz parte — responde a amiga.

.

Há uma mensagem Daquele Lar na secretária eletrônica do telefone fixo nos informando que houve um incidente com meu pai. Minha mãe ainda está na aula de botânica, então ligo de volta. Quando começa a chamar, me agacho no chão como se estivesse prestes a fazer xixi; algum instinto atávico me diz que é mais seguro estar lá embaixo. Quando me transferem para a enfermeira, minha testa também está curvada em direção ao chão. Eu me balanço para frente e para trás sobre os calcanhares e murmuro baixinho até que ela atenda a ligação.

Ela explica rapidamente que meu pai conseguiu resgatar um cartão de crédito antigo e comprou centenas de dólares em produtos de infomerciais diurnos para Aquele Lar.

— Os pacotes chegaram nos últimos dias — fala ela. — É contra a política os pacientes receberem encomendas comerciais.

— Você poderia ter mencionado isso em seu correio de voz — digo bem baixinho, no chão. — Que o incidente com meu pai idoso e enfermo era a *porra de uma compra*.

.

Eu dirijo até Aquele Lar e encontro meu pai encolhido sozinho no seu quarto, como um cão que comeu o bolo de aniversário.

— Oi, pai — digo suavemente, ajoelhando-me ao lado da cadeira.

Ele está segurando a barra da cortina e esfregando a ponta nodosa para frente e para trás com o polegar. A luz do sol flui pela janela. Coloco minha mão no braço dele. Ele se afasta.

— Você não está com problemas, pai — falo.

Ele se atrapalha para pegar um punhado maior da cortina e o passa devagarinho no rosto.

.

As coisas que ele comprou foram confiscadas e estão no posto de enfermagem.

"*Confiscadas?*" Eu quero gritar. "*Ele é médico! Ele estudou em Princeton!*"

Pego uma tesoura emprestada e vou abrindo-os no saguão. Há uma bengala retrátil, um frisador de cabelo, dois conjuntos de caligrafia, algo chamado "Imã Para Detonar Gordura", um travesseiro para pescoço roxo no formato de panda e uma panela à prova de arranhões.

— Eu aconselho você a devolvê-los — diz a enfermeira.

Arrasto as caixas até o carro e sento-me no banco da frente, preenchendo as etiquetas de devolução. Não há, o que é compreensível, nenhum item para doenças neurodegenerativas em "Motivo para a devolução", então eu vou com "o produto não atendeu às expectativas do cliente".

Eu sento e vejo o céu escurecer. Uma enfermeira vestida na cor lavanda sai, em passos arrastados, para fumar um cigarro. Um bando de pombos sai em revoada. Pego o travesseiro de pescoço modelo panda e o enfio debaixo do braço.

— Ele vai ficar com isto — digo ao passar pelo posto de enfermagem.

.

Frank e eu estamos trabalhando até tarde, ou pelo menos damos a entender que estamos, na apresentação do empreendimento imobiliário.

— Está ruim, mas não tão ruim quanto meu primeiro trabalho de copidesque — diz Frank. — Foi para um restaurante chinês. Tem vários trocadilhos.

— Como "Ya-ki-não-sobra?" — Eu ri.

— Todos os óbvios já haviam sido usados — diz ele. — Estávamos recorrendo a coisas como "Japão e China: Aqui Tudo Combina". "Frango Xadrez, Eu Como Outra Vez..."

— "Arroz frito, esse eu repito."

— Viu, você tem o dom — diz ele. — Eu queria que o slogan fosse "Restaurante Chinês é a Bola da Vez", mas eles não engoliram.

Frank coloca a mão na mesa, palma virada para cima. Eu penso em beijá-la. Apenas aquelas duas partes de nós, meus lábios e sua palma, em comunhão. Eu sento-me em cima das minhas mãos, a minha cabeça continua me puxando para frente naquele jogo de pegar maçãs. Ela está ouvindo a minha boca.

.

Levi liga para me dizer que está trabalhando em um álbum solo sobre seu término. Ele se chama *Mesa Para Um... Longe da Janela.*

Encontro este verso de uma poesia de Sáenz e envio um e-mail para minha mãe:

Eu quero sonhar um céu/cheio de beija-flores. Eu gostaria de morrer nessa tempestade.

Ela responde:

Eu acho que prefiro morrer dormindo como a tia Louise.

— Mas esses conceitos podem ser possuídos? — pergunta o cliente imobiliário usando listras. — Estamos usando linguagem e fraseologia que são originalmente nossas?

— Vou ter que pará-lo no "originalmente" — diz Frank.

A reunião não foi bem.

— Você e eu merecemos uma bebida — diz Frank quando saímos dos escritórios inexpressivos do cliente da imobiliária, localizados no centro. — Ou doze.

Vamos a um bar irlandês na esquina que cheira a nozes salgadas e decepção. Eu acho que Frank está preocupado em perder o cliente, e deduzo que é por isso que ele pede três uísques para cada um dos meus coquetéis de vinho. Logo ele está olhando para mim como se estivesse tentando entender o que eu dizia através de uma água turva e escura.

— Tudo bem, Sr. J. Daniels. Vou mandá-lo para casa. — digo.

Eu tento chamar um táxi para ele na rua enquanto ele se balança ao meu redor em uma meia dança em círculo. Ele pega um parquímetro e inclina o rosto contra ele, piscando para mim através dos óculos.

— Eu não quero ir para casa — fala ele.

Meu coração dispara. Como posso responder? *Por que você não vem comigo para casa, em Nova Jersey? Só tente não acordar a minha mãe.*

— Sua mulher vai ficar preocupada com você — digo.

Ele suspira.

— Você está certa — ele afirma. — Quando está certa, você está certa! — Ele gira em torno do parquímetro sem tirar os olhos de mim. — Você é uma pessoa tão bacana, Eleanor.

— Você também é uma pessoa bacana, Frank — digo por cima do ombro enquanto sinalizo para um táxi vazio.

Frank balança a cabeça, sonolento.

— Não, eu não sou — lamenta ele. — Eu sou um cara mau.

O táxi encosta e eu abro a porta para ele.

— Mau, cara mau — ele repete enquanto vai se sentar no banco de trás.

Eu me inclino para falar com ele antes de fechar a porta.

— Você não é um cara mau, Frank — digo. — Você só está bêbado.

— É a mesma coisa — rebate ele, desabando no assento.

Ele está rindo quando eu fecho a porta, mas parece que ele não está achando graça nenhuma.

.

No e-mail que convida todos nós para a festa de final de ano do escritório, há um aviso de que a empresa não pagará a fiança de ninguém que for preso neste ano. Pergunto a Myke se é uma piada.

— Você não ficou sabendo? Dois anos atrás, um estagiário e um executivo de finanças foram pegos cheirando pó na rua. Frank teve que pagar a fiança. Histórico. — Myke balança a cabeça com admiração. — Absolutamente histórico.

.

Passo aproximadamente três horas e meia me arrumando para a festa, que foi o máximo que demorei a me preparar para qualquer coisa na vida, inclusive o vestibular. Tomei banho, me esfreguei, massageei, depilei, hidratei e borrifei loção. Meu cabelo foi lavado, arrumado com secador, reencaracolado e fixado com spray de cabelo. Apliquei no rosto todos os cremes e pós que eu tinha. Espirrei perfume no ar e caminhei pela nuvem úmida.

.

Também fiz algo que nunca faço, que é comprar roupas. Tiro um novo par de meias da embalagem e as visto. Elas foram incrivelmente caras, mais caras do que se poderia considerar plausível para duas peças minúsculas de nylon, mas o mundo da moda está cheio dessas esquisitices. Eu coloquei-as com o máximo cuidado, sabendo que, se eu as furasse com as minhas unhas de hobgoblin dos dedos dos pés com certeza teria que me matar. Fecho o zíper do meu novo vestido preto e calço os sapatos de verniz e salto alto. Pego um brilho para lábios com sabor de bolo de aniversário que tenho desde o ensino médio e o jogo na bolsa; nunca se sabe.

Finalmente, estou na frente do espelho, e vejo... Barriga flácida, cabelo espesso, lábios finos, cintura grossa. Sou um judeu vestido de *drag queen*.

.

É verdade, eu não sou bonita. Algumas pessoas têm diabetes. Algumas pessoas têm seis dedos. Algumas pessoas são pegas em incêndios florestais e sofrem queimaduras de terceiro grau pelo corpo todo. Algumas pessoas têm dores de cabeça que ignoram por meses e, finalmente, vão ao médico apenas para descobrirem que se trata de um tumor cerebral que as matará em poucas semanas, sem nunca terem alcançado o potencial da sua vida. Eu acabei não sendo bonita. Menos mal!

.

Eu gostaria de sair de fininho, despercebida, mas minha mãe está na sala de estar, debruçada sobre um dos seus livros de jardinagem, esperando por mim. Ela me olha com os óculos enganchados na ponta do nariz.

— Nossa — ela suspira. — Você está linda.

Eu aliso a frente do vestido.

— Não pareço um judeu vestido de *drag queen*?

— Você fala cada absurdo — contesta minha mãe. Ela se levanta e me dá um beijo, me aperta na cintura. — Divirta-se. E lembre-se de *se conter*.

.

Eu pego o trem PATH para a cidade. Há dois estudantes universitários sentados na minha frente, conversando alto sobre a balada a que eles estão indo. Algo sobre serviço de bebida. Os finais das frases deles se elevam, como caudas de baleias, em perguntas.

Mesmo assim, deve ser bom ter companhia. Estou carregando a pequena bolsa de festa de cetim da minha mãe, na qual mal caberia o brilho para lábios, quanto mais algo para ler. Às vezes, o esforço não vale a pena; estou aprendendo.

.

As portas dos elevadores se abrem para revelar Jacky balançando em uma escada, segurando um globo de discoteca acima da cabeça.

— Alguém me ajude! — ela grita por cima do ombro.

— Sou eu, Jacks — falo, mantendo-a estável enquanto ela empurra o prendedor no teto esponjoso. Ela desce e esfrega o glitter das mãos no vestido justo vermelho. Ela está usando um grande par de chifres de rena.

— Tivemos um extra, então pensei... — Ela me examina de alto a baixo, dá um longo assobio. — Uau. Olha só quem decidiu brilhar na festa.

.

Frank está conversando com todo mundo, menos comigo. De alguma forma, fico presa em uma conversa com um dos figurões da imobiliária. É claro que eles não estão planejando nos dispensar antes de desfrutarem do open bar.

— Você tem planos para as férias? — pergunto.

— Eu tenho que voar para a maldita Ohio para ver minha ex-mulher e nossos filhos.

— Oh — eu digo. — Bem, eu ouvi dizer que Ohio é...

— ... Eu poderia ter ido para o Havaí — diz ele. — Mas, em vez disso, vou para o pesadelo.

— ... Aham — eu digo, tentando ver onde está Jacky. — E você ficará no pesadelo por muito tempo?

— Não. O cronograma é: leite, biscoitos, presentes, dar o fora.

Estou prestes a dizer-lhe que eu gostaria de implementar a última parte daquele cronograma agora, quando vejo Frank, como um arcanjo, descendo sobre nós.

— Você está dizendo para uma das minhas redatoras dar o fora senhor?

O cliente ri sem graça e pega a bebida. Frank dá uma desculpa e nos afastamos. Ele passa um braço por cima do meu ombro e inclina o rosto ao lado do meu. Sua respiração cheira a vodca e suco de laranja.

— Desculpe pela outra noite — diz ele. — Pelo jeito é a temporada de passar vergonha na frente dos colegas de trabalho.

— Não foi nada — falo. — Tudo bem.

— Bem, você é uma campeã — diz ele. — E obrigado por lidar com esse cara. Ele está sempre com cara de quem entrou em um quarto de hotel ruim. Você notou?

Olho para Frank. Isso é o que ele tem de especial. *Ele* percebeu isso. Ele percebe as pessoas. Esse é o dom dele. Ou, na verdade, é o dom que ele oferece às pessoas. Serem vistas.

— O quê? — diz Frank, olhando para mim.

— Nada — respondo. — Você está bonito.

— Olha quem está falando — ele diz.

.

— Você está se divertindo? — um estagiário usando um nariz vermelho de rena pergunta para um outro.

— O único lugar que eu gostaria de estar em uma festa — diz o segundo estagiário — é dormindo embaixo das cobertas.

.

Estou dançando "Last Christmas", de Wham, lentamente e com os braços estendidos. Esta é a minha música favorita em qualquer época. Está cheia de *pathos* e *insight*. Talvez a verdadeira tragédia aqui não seja o fato de o coração de George Michael ter sido entregue a outra pessoa, mas sim que essa bela música seja relegada a apenas um mês no ano, quando sua mensagem de amor não correspondido, que leva a uma resolução mais profunda na escolha dos parceiros mais merecedores, é, sem dúvida, relevante o ano todo.

— Você não costuma beber muito, não é, querida? — é o que Jacky me responde quando digo isso a ela.

.

Myke e eu estamos pulando e não consigo parar de rir. Sua imitação de *jig*, a dança tradicional irlandesa, é hilária. Nós dois enrolamos enfeites em volta do pescoço, o que também é hilário, além de esquentar e causar coceira. Sinto um entusiasmo acalorado em relação a toda a humanidade. Não há ninguém que eu não beijaria na boca agora. Myke e eu agarramos um ao outro pelos pulsos e rodamos em ritmo vertiginoso. A sala é um giro extático da máquina de fazer algodão-doce.

E então eu a vejo. A pérola. Seu cabelo é uma cortina de ouro caindo pelas costas. Ela está usando o que parece ser um macacão de seda e chinelos dourados. Ao lado dela há um homem incrivelmente magro, vestindo um suéter de mohair e calças de vinil brilhantes. Eu solto as mãos de Myke e paro de girar. Eu olho para ela. Toda a luz da sala a reflete. Myke olha para Frank, que está olhando para mim, que estou olhando para ela. Ela está se virando e dizendo algo que faz o amigo rir.

Bem, eu acho que é um golpe terrível para todos nós.

Estou tentando chegar ao banheiro quando acontece: somos apresentadas.

— Querida, você já conheceu a esposa de Frank, Cleo? — Jacky agarra meu braço. Percebo que seus chifres estão retorcidos e um punhado de cabelo ficou preso nas pontas superiores. Eu me atrapalho tentando soltar o enfeite do meu pescoço. — Cleo, Lee é uma dádiva divina. Um tremendo talento, *e* ela é mulher.

— Estou vendo.

Cleo sorri para mim. Eu tento compreender o rosto dela. Ela é mais bonita e menos bonita do que eu esperava. Ela é do tom de creme mais claro, com olhos verdes de menta. As sobrancelhas são invisivelmente loiras, acima de um nariz estreito e o queixo fino e pontudo. Os lábios são duas faixas finas de rosa. Há nela algo escasso, desbotado, como um pedaço de tecido brilhante descorado pelo sol.

— Eles têm sorte de ter você — diz ela.

O sotaque britânico — eu tinha esquecido. Ela é charme personificado.

— Obrigada — eu digo. — Tchau!

Poderia ter sido melhor, mas definitivamente poderia ter sido pior, é minha avaliação honesta daquele encontro, enquanto vomito no banheiro.

Saio do banheiro para descobrir que uma das designers iniciantes está cambaleando em cima de uma cadeira, tentando fazer um discurso.

— Vocês são como... Vocês são como uma família para mim. — Ela consegue se conter antes de seu rosto ficar encharcado de lágrimas.

Há um momento de desconforto enquanto todos a observamos sendo ajudada a descer da cadeira por sua amiga e levada para longe, ainda fungando. Frank se levanta e bate palmas.

— Certo, obrigado por essa mensagem comovente, Courtney.

— O nome dela é Corey! — a amiga dela grita por cima do ombro enquanto se afastam.

— Bom, eu concordo com ela — diz Frank. — *Somos* como uma família. — Ele olha ao redor da sala. Pessoas concordavam vagamente com um sinal de cabeça. — E eu não sei vocês... — Ele levanta o copo para além da cabeça. — Mas eu preciso beber muito para estar perto da minha família. Então *mazel tov*!

Todo mundo está rindo. Todo mundo, menos Cleo.

.

— Qual é a sua resolução de Ano-Novo? — um estagiário pergunta para outro.

— Largar meus antidepressivos para sempre — diz o segundo estagiário. — Estou cansado de me sentir entorpecido com as alegrias da vida. E a sua?

O primeiro estagiário se abaixa para puxar a barra da calça.

— Meias da moda — ele diz.

.

Estou de pé junto à mesa de lanches tomando água e comendo biscoitos recheados de figo para ficar sóbria quando Cleo se aproxima de mim. Eu olho em volta. Nada do Frank.

— Eu simplesmente amo o seu cabelo — diz ela.

— Ah — eu digo, escondendo as migalhas da frente do meu vestido. — Obrigada. O seu também é bonito.

— O meu é todo liso e sem graça — diz Cleo. — O seu é muito mais interessante.

Eu conheço essa dança.

— Não é possível — falo, decidida. — Eu sempre quis ter cabelos lisos e longos. O seu é exatamente o que eu queria.

— E eu sempre quis cachos. — Cleo ri de leve. — Se ao menos pudéssemos trocar.

— Se pudéssemos — eu digo.

Nos olhamos. Essas duas palavras, tão cheias de falta, pairam no ar entre nós.

— Como ele é quando está trabalhando? — ela pergunta.

— Frank? Ele é muito inteligente. E, hum, engraçado. E apenas um sujeito muito decente.

Essa última parte eu disse, inexplicavelmente, com um sotaque Cockney. Eu me pergunto se algum dia poderei me olhar nos olhos outra vez. Cleo sorri de forma generosa para mim.

— Estou feliz — diz ela. — Por ele ser bacana. — Ela se inclina em minha direção com ar conspirador e sustenta meu olhar. Eu tenho a ideia insana de que ela pode estar prestes a me beijar na boca quando ela diz: — Lee, posso te perguntar uma coisa? É um pouco delicado...

O amigo dela, o do suéter de mohair, nos interrompe.

— Cley, você sabe se podemos fumar aqui? — Ele nos dá um rápido olhar de avaliação. — Vocês duas estão prestes a se beijar ou algo assim?

Cleo fica vermelha. Ela é tão pálida que se pode literalmente observar o sangue subir à superfície da sua pele.

— Este é meu amigo Quentin — diz ela.

— *Melhor* amigo — Quentin afirma.

Eu não ouvia ninguém se designar assim desde o ensino médio. É isso, eu percebi. Cleo, sua vida, seus amigos, ainda eram os de uma garota. Eu parecia mais velha que ela quando tinha dezoito anos. Provavelmente eu *era* mais velha que ela quando tinha dezoito anos.

— Você terá que perguntar para o Frank se pode fumar — diz Cleo.

Como se estivesse sido invocado pelo seu nome, Frank aparece com Anders a reboque. Não tenho certeza, mas acho que vejo um lampejo de pânico nos olhos dele.

— Vejo que você está conhecendo o verdadeiro marido de Cleo — diz Frank, dando um tapinha nas costas de Quentin.

Quentin olha para Cleo com orgulho territorial.

— Eu sou Eleanor, a propósito — falo.

— Frank, estou fumando aqui, tudo bem? — diz Quentin.

— Seu nome é Eleanor? — pergunta Cleo.

— Vocês, garotas, estão maravilhosas — diz Anders. — Amei os vestidos.

— O de Cleo é um macacão — corrige Quentin.

— *Você* é a Eleanor? — Cleo pergunta outra vez.

— Então amei o macacão — diz Anders.

— Você pode fumar lá na janela — diz Frank.

Quentin revira os olhos e tira o cigarro apagado da boca.

— Você vem, Cleo? — ele pergunta, embora pareça mais uma ordem.

— Um segundo — diz Cleo, voltando-se para mim.

— Você... Você achou que eu era outra pessoa? — eu pergunto a ela.

— Cleo — resmunga Quentin.

— Eu disse para me dar um segundo — diz Cleo com superioridade na voz.

Ela se vira para mim. Observar Cleo compor seu rosto é como assistir a um vídeo de um vaso se quebrando de trás para a frente. De repente, todas as peças se juntam.

— Eu pensei que seu nome era Lee... Eu estava confusa.

— Cley, você pode me ajudar a trazer os presentes secretos do Papai Noel? — Frank a interrompe. O rosto dele está ansioso e tenso.

— Com licença — diz ela, seguindo-o. Ela parece estranhamente atordoada.

— Típico — cospe Quentin e vai correndo para a janela aberta, fumar sozinho.

E então eu fico com Anders. Ele está olhando para a árvore de Natal, piscando um olho, depois o outro, no ritmo das lâmpadas.

Eu pego o elevador até o saguão. Um grupo do pessoal da contabilidade está voltando depois de fumar lá fora. Não quero que eles vejam meu rosto, então eu me abaixo como se estivesse tentando amarrar meu sapato. O riso deles ricocheteia do chão. Eu pego meu telefone. Só toca uma vez.

— Mãe — eu digo baixinho.

— Algum problema? — ela pergunta.

— Eu tenho que te dizer — respondo.

— O que foi? — ela diz. — Você quer que eu vá te buscar? Estou pegando as chaves.

Eu balanço a cabeça, mesmo sem ela poder me ver.

— Ele é casado, mãe — digo. — Ele é casado com outra pessoa.

Eu tapei a boca com a mão para abafar os ruídos baixos de asfixia que estou fazendo.

— Myke é casado?

— Não, Frank é casado. — Eu dou uma risada nervosa sem querer e em seguida enxugo o nariz na manga. — Myke é um idiota.

Silêncio no outro lado. Eu a ouço exalar.

— Ah, Ellie — diz ela. — Eu pensei que você ia me dizer algo terrível, como voltar para Los Angeles.

.

Na manhã seguinte, minha mãe faz panquecas para mim antes do trabalho, enquanto eu deito a cabeça nos braços e gemo. Lá fora está nevando. Eu tento inspirar os flocos enquanto caminho até o trem. Preciso de algo puro dentro de mim. Finalmente, esse algo pousa na minha língua. Nada.

.

— Como está sendo o seu dia? — Jacky me pergunta.

Eu ergo a cabeça entre os meus braços.

— Não está sendo nenhum beijo duplo de golfinhos — eu digo.

Jacky dá uma gargalhada.

— Nada é, querida — ela responde.

.

Falta um dia para o escritório fechar por duas semanas. Frank e eu estamos caminhando para almoçar quando um judeu ortodoxo se aproxima de nós. Ele pergunta se somos judeus. A metade errada, diz Frank, mas eu digo a ele que sou. Ele sorri e me deseja um feliz *Hanukkah*.

A metade errada. Eu continuo repetindo a frase em minha mente enquanto caminhamos. Quero dizer a Frank que não há metade errada, não há metades de fato, e que, se houvesse, estaríamos ocupados nos dividindo na metade, de novo e de novo, até chegarmos à pequena fração de nós que era boa, e então seríamos todos livres para amar e ser amados.

— Vamos pelo parque — diz Frank, me cutucando na direção dos portões.

Eu mantive os olhos semicerrados diante da gélida luz do sol. O caminho brilha com uma camada fina de geada. Tudo é sólido e brilhante, como se estivesse olhando de dentro de um diamante.

— Então, você é judia? — Frank diz.

— Você não percebeu? — pergunto.

— Minha mãe sempre quis que eu me casasse com uma mulher judia — diz ele.

— Acabei de perceber que o casamento é a definição de *temp to perm* — eu digo.

— O quê? — diz Frank.

— Temporário para permanente — respondo. — É isso o que eu sou.

— Ah, você é permanente — diz Frank. — Você é tão permanente quanto possível.

Uma brisa cheia de luz e gelo nos circunda. Um policial sentado em um banco desembrulha um bombom Hershey's Kisses prateado. As crianças gritam em êxtase em um playground fora da nossa vista. Paramos de andar. Frank está olhando para mim. Estou olhando para Frank. Este é um lugar de beleza requintada e perigo extremo.

CAPÍTULO NOVE

JANEIRO

— Ela não está feliz — diz Frank.

Ele estava no escritório com vista para o Madison Square Park, coberto por manchas de gelo sujo. O céu estava cinza e liso como ardósia. Era a época do ano em que o inverno deixa de ser festivo e se torna um teste de resistência que dura até a primavera. Há talvez uma hora de luz durante o dia. Pelo telefone, ele podia ouvir o clique do isqueiro da mãe dele e a primeira tragada.

— Não entendo essa obsessão pela felicidade — comentou ela. — A felicidade é como o letreiro de Hollywood. É grande, é inatingível, e, mesmo que você chegue lá em cima, o que há para fazer além de voltar?

— Mãe! — Frank disse. — Por favor! Estou pedindo ajuda.

— Tudo bem, tudo bem. Me diga o que está acontecendo.

Frank embaçou a janela com a respiração e, distraído, escreveu seu nome em letra cursiva.

— Estamos tentando conquistar um novo cliente — disse ele. — Uma bebida energética chamada Kapow!

— Que nome ridículo — rebateu sua mãe.

— Se você diz — respondeu Frank. — O ponto de exclamação faz *parte* do nome.

— Eu consegui ouvi-lo — disse ela. — Não sei como, mas eu consegui ouvi-lo.

Frank riu.

— Mas enfim, se vencermos, vou viajar muito mais, até mais do que estou viajando atualmente. E eu estou preocupado em deixá-la.

— Quais são as chances de vocês conseguirem?

Frank sorriu a contragosto.

— Não somos os favoritos mas temos uma chance. É dinheiro, mãe. Dinheiro que dá para pagar o resto da faculdade da Zoe e comprar um apartamento maior.

— Bom para você, Frankie. — Ele escutou-a exalando a fumaça. — Vá atrás do que você quer na vida, não importa o que os outros digam.

— Sei — respondeu Frank. — Do jeito que você fez?

Enquanto ele crescia, a mãe estava sempre em alguma viagem de esqui ou de outro tipo. E, antes de parar de beber, em um bar ou outro. Ela não gostava do calor, então despachava-o para um acampamento de verão cristão em Minnesota todos os anos e passava agosto em Zermatt, na Suíça, onde havia neve 365 dias por ano. Ela não gostava das outras mães, então nunca foi às peças da escola ou aos encontros de mergulho quando ela estava em casa. *Me conte como foi depois, Frankie. Eu vou gostar mais de saber por você.*

— Eu me cuidei — falou ela. — E não me desculpo por isso.

— Com certeza não — disse Frank. Ele apagou o seu nome na janela com a manga.

— Já sei! — exclamou sua mãe. — Que tal um animal de estimação? Lembra-se de como eu peguei Brigitte para te fazer companhia? Você a amava.

— Brigitte fugiu — disse Frank, contrariado.

— Bobagem — disse sua mãe. — Brigitte morreu de câncer de tireoide. Eu não te contei para você não ficar chateado. Você ainda acredita também que ela enviou os cartões postais?

Depois que Brigitte desapareceu, ele estava inconsolável. O gato de sua mãe, o artrítico Mooshi, que parecia estar preparado para viver mais do que todo o mundo, não servia de consolo.

A mãe dele, é claro, tinha ido em uma das suas viagens. Alguns dias depois, ele encontrou um cartão postal no correio enviado pela Brigitte. Ela pediu desculpas por sair e explicou que foi convidada a excursionar com um show fora da Broadway, uma peça derivada de *Cats* sobre sua própria vida, no mundo todo. Uma semana depois, chegou um cartão do Ritz Paris, depois um de Londres, e depois outro de Zermatt, na Suíça.

— Eu tinha esquecido — disse Frank. — Eu amei esses cartões.

— Dê um gato para ela — sugeriu a mãe. — Vai fazer bem para vocês dois.

— Ela é alérgica — ele respondeu.

— Então dê um sem pelos para ela. Dê a ela um lagarto! Todos nós precisamos de alguém para cuidar.

— Que tal alguém para cuidar de nós?

— Vocês não são crianças. Vocês podem cuidar de si mesmos.

— Sim, mas eu era criança, mãe — disse Frank. — Eu era criança.

Frank desligou o telefone um pouco depois e ficou girando na cadeira, observando o teto enquanto rodava. Conversar com a mãe deixava-o atordoado. Ele gostaria de amá-la um pouco mais ou de odiá-la um pouco menos, algo para inclinar a balança. Em vez disso, ele viveu no equilíbrio opressivo entre os dois, em que cada um aumentava a intensidade do outro: quanto mais ele queria revê-la, mais decepcionado ficava; quanto mais decepcionado ele ficava, mais queria revê-la. Ele inclinou a cabeça para trás, fechou os olhos e murmurou um longo *fooooda-se*.

— É isso o que eu quero fazer também toda vez que converso com um cliente — disse uma voz atrás dele.

Eleanor. Frank já tinha visto uma imagem de um tsunami carregando centenas de espécies de vida marinha dentro dele, tubarões, arraias e cardumes de peixes prateados, todos elevados na curva da onda antes de colidir com a terra. Era assim que ele se sentia perto de Eleanor. Eles nunca se tocaram, nunca se beijaram, mas a reação de Frank a ela era colossal. Tudo nele se elevava para encontrá-la.

— Que tal depois de conversar com sua mãe? — ele perguntou. Ele abriu os olhos e se virou para encará-la.

— Ah. — Eleanor concordou com um sinal de cabeça. — O verdadeiro cliente difícil.

— Exceto pelo fato de ela não ter dinheiro.

— Ah, não! — Eleanor sorriu. — Como poderia ser tão ruim alguém que de te deu à luz?

Ela estava de pé na porta dele. Seus cabelos castanhos encaracolados estavam amontoados no alto da cabeça. Ela era a única mulher que ele já tinha visto usar uma caneta para segurar o cabelo não com pretensão como Cleo fez algumas vezes, com os *hashis* ou uma pena de haste longa, mas por distração. Seu rosto, que alguns descreveriam como simples, mas que a ele nunca pareceu assim, com sua pele pálida e suas bochechas redondas, sobrancelhas indisciplinadas e olhos escuros e inquietos, estava completamente à mostra. Quando ela sorria, seus dentes eram surpreendentemente pequenos, minúsculos quadrados creme que revelavam, por um instante, a criança que ela já havia sido, travessa e precoce, ainda visível dentro da face da mulher.

— O que você acha de gatos sem pelos? — ele perguntou.

— Demoníacos. Eu prefiro tartarugas.

— Vivem muito — disse Frank. — Eu não quero um animal de estimação que viva mais do que eu. É para Cleo, por sinal.

Ele se atentou para alguma mudança na expressão dela, mas ela continuava impenetrável, como sempre.

— Que tal um peixe?

— Morre muito fácil — disse Frank. — Vamos matá-lo em semanas.

— Você já vetou os cachorros por serem simples demais?

— Não é permitido no nosso prédio.

— Já sei. Que tal um petauro-do-açúcar? Meus vizinhos tinham um quando eram crianças. Meu irmão e eu adorávamos.

— Como está Levi? — perguntou Frank.

— A namorada dele voltou — disse Eleanor. — Então, está mais feliz.

— O que aconteceu com o Hell's Angel?

— Nem queremos saber — disse Eleanor. — Procure por petauros-do-açúcar.

Frank virou-se para o computador e digitou as palavras na ferramenta de busca. Imagens de uma pequena criatura roedora com enormes olhos escuros e uma cauda longa preenchiam a tela.

— Parece louco — disse ele.

— Lindo e louco — acrescentou Eleanor. — É como um cruzamento entre o esquilo voador e a chinchila.

— Imaginaria isso como algo bonito — disse ele.

— Olhe, eles são ótimos animais de estimação — falou Eleanor. — Eu tenho que correr. Pense nisso.

— Vai a um encontro? — Frank perguntou antes de conseguir se conter.

— Não, pensei em me poupar dessa indignidade hoje à noite. — Ela sorriu com tristeza. — Meu pai não está tão bem. Ele piorou e eu quero vê-lo antes de o horário de visita terminar.

— Claro — disse Frank. — Eu sinto muito. Se você precisar de tempo para ficar com ele, é só avisar a Jacky. Tire toda a folga de que precisar. Remunerada, é claro.

Essa não era, nem de longe, a política da empresa para freelancers.

— Boa sorte com o animal de estimação — disse Eleanor. — Tenho certeza de que Cleo vai adorar qualquer um que você pegar para ela.

Depois que ela foi embora, Frank leu a respeito dos petauros-do-açúcar. Se limpam sozinhos, afetuosos, alimentação barata, eles realmente pareciam ser excelentes animais de estimação. Ele pesquisou para ver se algum estava à venda nas proximidades. O primeiro link que surgiu foi um anúncio no Craigslist. ~! ~! ~! ~! ** PETAUROS-DE-AÇÚCAR BEBÊS À VENDA, SÃO FOFOS

DEMAIS, PODE ACREDITAR ** ~! ~! ~! ~! ~! Frank clicou no link e leu a breve descrição solicitando que os compradores interessados peçam mais informações. Ele levantou-se e fechou a porta do escritório, depois ligou para o número anunciado. A voz que respondeu foi surpreendentemente sensual e felina.

— Você quer um petauro-do-açúcar? Claro, eu tenho petauros. Eu posso fazer um por cento e setenta e cinco, dois por trezentos, ou três por quatrocentos e vinte e cinco. De quantos você precisa?

— Hum, só um, eu acho — disse Frank. — Quantos as pessoas costumam ter?

— Você não quer um amigo para ele? — ela ronronou. — Vale a pena levar dois. — Frank olhou para a criatura de olhos arregalados na tela e riu. — Certo, dois então — ele disse.

Frank pegou o metrô para um endereço no Bronx. Era final de tarde e o trem estava cheio dos tipos habituais de passageiros, com seus fones de ouvido, livros de bolso e um ar de leve hostilidade. Ele desceu na 149ª Street e caminhou uns poucos quarteirões, com a cabeça abaixada contra o vento, até o endereço que recebeu. As ruas residenciais escuras estavam quase vazias. Um carro passou tocando uma música de reggaeton que foi popular no rádio durante o verão; ela parecia tão deslocada na rua árida quanto a palmeira brotando em um dos jardins abandonados. Ele chegou ao número da casa que tinha recebido e olhou para a fachada apagada. Parecia não haver ninguém em casa. Frank assoprou as mãos e ligou para o número do site.

— Ei, estou aqui fora. Você tem certeza de que me deu o endereço certo?

— Você está atrasado — a voz o repreendeu levemente. — Minha mãe já vem.

Ele viu as persianas da janela do andar de baixo se mexerem.

— Estou te vendo. Venha até a porta.

Credo, pensou Frank, subindo os degraus com passos pesados. Por que diabos ele acabou comprando um roedor voador do que agora parecia ser uma moça menor de idade no Bronx? O que havia de tão errado com um peixe, afinal? Ele balançou a cabeça enquanto tocava a campainha. Era a única pessoa que conhecia que podia se meter em uma situação dessas. Exceto, talvez, Eleanor. Ele sorriu para si mesmo ao se lembrar dela. Ela, ele tinha certeza, seria capaz de qualquer coisa.

A mulher que abriu a porta era grande, com pelo menos três vezes a largura de Frank, e, se ele tivesse que estimar, tinha uns quarenta anos. Ela usava um moletom lilás com um logotipo desbotado de Mickey Mouse na frente e legging velha, manchada de alvejante. A pele escura, lisa e sem poros. Frank analisou o rosto em busca de sinais de que essa era a voz que havia falado com ele ao telefone. Os olhos eram marrons de mogno, rodeados por cílios curtos e bem enrolados, e focados em Frank com uma intensidade desconcertante. As maçãs do rosto e o queixo pesado tinham uma qualidade triste, mas os lábios brilhantes curvavam-se levemente para cima. Não havia uma linha reta em nenhum lugar do rosto ou do corpo.

— Você é Frank?

Lá estava ela, aquela voz sedosa. Frank assentiu, pasmo.

— Entre. — Ela acenou para ele passar por ela. — Temos que ser rápidos. Minha mãe termina o trabalho logo, e ela não gosta quando deixo as pessoas virem em casa.

O cheiro de serragem, de umidade e um odor azedo inominável que Frank instintivamente sabia ser humano saudou-o enquanto ele entrava. Pilhas de roupas estavam espalhadas na sala de estar a que ela o levou. Uma grande tela de plasma cobria uma das paredes.

— Você não tem gatos, certo? — ela perguntou.

Frank negou com a cabeça.

— Bom, porque os gatos matam os bebês. Vou pegar um para você.

A mulher desapareceu nas escadas apagadas. Ele olhou ao redor da sala, que estava iluminada por uma única lâmpada pendurada que zumbia. Entre as montanhas de roupas estavam sacolas de plástico, todas ostensivamente cheias de mais roupas. Frank empoleirou-se no braço do sofá grande que estava ao seu lado, depois se levantou outra vez. Ele esfregou as mãos nas coxas. A mulher voltou com as mãos à frente. Ele continuou tentando decifrar a idade dela. Ela, com certeza, não poderia ter menos de quarenta anos. Os fios finos dos cabelos pretos estavam mesclados de branco. Mas ela morava com a mãe? A coisa toda o irritou.

— E aí, você está pronto? — ela ronronou. — Este é um menino. Eu acabei de acordá-lo. Vamos torcer para que ele goste de você.

Ela fez um gesto para ele estender as mãos e Frank repetiu. Com muita gentileza, ela transferiu o conteúdo para elas. Ele sentiu a pressão leve e morna de um corpo vivo e as cócegas de pelos na sua pele. Ela afastou as mãos, e Frank viu por um instante uma criaturinha cinza agachada na palma da mão. Antes que Frank pudesse olhar mais de perto, ele saltou até a persiana da janela atrás dele, ricocheteou no sofá e mergulhou em um monte de roupas a alguns metros de distância.

— Ah, não... — ela gemeu suavemente. — Ele não gostou de você. Você quer tentar outro?

— Credo — disse Frank. — Você é quem sabe.

Ele deu um passo em direção ao monte de camisas que não pareciam limpas. Todo esse exercício estava se provando insano, como ele deveria ter previsto. Mas ele estava decidido agora. Ele faria um petauro-do-açúcar gostar dele.

— Eu devo... — disse Frank. — Tentar pegá-lo de volta?

— Tudo bem — falou ela com suavidade. — Ele sairá quando estiver pronto. Eu vou pegar outro para você.

Ela desapareceu outra vez nas escadas, e Frank olhou em dúvida para o monte de roupas onde se ocultava a criatura. Nada se mexeu.

— Você tem certeza? — ele murmurou para si mesmo.

A mulher voltou, e Frank, obediente, estendeu as mãos.

— Esta é uma bebezinha — disse ela. — Eu tenho a impressão de que você se dá melhor com as meninas.

Um alvoroço de pelos escorregou das mãos dela para as dele, e ali, sentada placidamente no centro da palma da mão dele, ficou a bebezinha petauro-do-açúcar. Ela olhou para Frank. Ela era cinza mais clara, quase lilás, com uma faixa escura que saía da testa, seguia pelas costas e chegava à ponta do rabo, e parecia ter sido mergulhada em tinta. Entre os pés e as mãos havia uma dobra de pelo, enrugada como a parte inferior de um cogumelo. Eram as asas. Olhos pretos enormes, úmidos, como se estivessem chorando. Nariz rosa como uma pétala e dedos com ponta cor-de-rosa. Agora ela estava levantando a patinha para enrolá-la agradavelmente, como fazem os macacos, ao redor do polegar dele. Ela era macia como sementes de dente-de-leão.

— Ah — disse Frank.

— Quer ficar com ela?

— Quero.

— Oba — falou a mulher e bateu palmas. — Quer que eu vá buscar outra para você?

— Não, não — disse Frank. — Ela é suficiente para mim. Aqui...

Com a maior ternura possível, ele segurou a petauro-do-açúcar contra o peito com uma mão e puxou a carteira do bolso de trás com a outra. Ele podia sentir o coração pulsando suavemente sob o pelo dela contra os dedos dele. Ele pegou três notas de cem dólares e entregou-as à mulher.

— Tem certeza? — Ela olhou para o dinheiro. — Mas você está levando só uma.

— Por favor — disse ele. — Eu insisto. Por ter me recebido na sua casa.

Ele aceitou uma caixa de sapatos com furos na tampa para transportar a criatura para casa. Começou a chover quando Frank estava voltando para o metrô, então acenou para o primeiro táxi que viu e manteve a caixa firme no colo durante todo o trajeto de volta ao centro da cidade. Os semáforos lançavam pela janela manchas de âmbar e verde. Grandes pingos de chuva brilhavam no vidro. Frank inclinou-se para frente no calor úmido do banco de trás e se viu sussurrando, pelos buracos da caixa de sapatos, pequenas bobagens e gentilezas que eram estranhas à sua linguagem. *É isso mesmo, querida, bebezinha de açúcar, docinho, estamos indo para casa.*

Frank entrou no apartamento escuro e encontrou Cleo deitada no sofá sob uma pirâmide de luz de uma lâmpada. Ela não se mexeu ao som da porta. Ela estava de costas para ele, enrolada no sofá com um livro à frente do rosto. Ela vestia jeans folgados e um suéter grande de caxemira dele. As solas dos pés descalços estavam marrons de terra. Com as pontas dos dedos, Frank tocou a parte de trás da cabeça dela. Seus cabelos dourados estavam opacos devido ao inverno, e nós eram visíveis nas costas.

— Cleo, querida — disse ele. — Eu tenho uma coisa para você.

Ela se contorceu para encará-lo. O rosto dela estava corado. Um olhar de confusão e aborrecimento manchava-lhe o rosto. Ele colocou a mão no pescoço de Cleo, que estava quente e úmido, e tocou uma das têmporas. Ele havia colocado a caixa no chão ao lado do sofá, fora da vista.

— Eu estava quase dormindo — disse ela. — Você já ouviu falar de Berthe Morisot?

— Acho que não — respondeu Frank. — Mas, querida, eu quero te mostrar uma coisa.

— Veja isso — falou Cleo.

Havia nela uma espécie de intensidade febril. Ela se apoiou no cotovelo e mostrou-lhe as páginas abertas do livro. Era uma pintura de uma mulher sentada diante de um espelho. Suas costas curvas estavam viradas para o espectador, apenas a orelha e uma laca pálida do rosto estavam expostas. O reflexo do rosto no espelho fora deliberadamente deixado em branco, vazio de características ou de expressão. Suas mãos estavam segurando os cabelos escuros em cima da cabeça, como Eleanor havia feito naquele dia. O fundo era azul vívido, pintado com energia, como se uma brisa estivesse se movimentando pela sala, colocando tudo, o tecido que caía dos seus ombros, as flores vermelhas na mesa de cabeceira, em movimento.

— Muito bom — disse Frank. — Parece Degas.

— Não! — Cleo deu um tapa na página com aversão. — Degas parece *Morisot*. Degas, Manet, Renoir, Monet... Todos eles a admiravam, a copiaram, mas alguém já ouviu falar dela? Não! Degas é uma *trapaça* em comparação com ela. Eu odeio aquelas bailarinas insípidas. Veja como é cheio de vida, de *agência*, os assuntos em contraste.

— Sim, sim, estou vendo — disse Frank, olhando vagamente para a pintura, que na verdade parecia um Degas para ele.

— Degas pode chupar meu pau — falou Cleo com fervor.

Frank riu e pegou o livro dela, deixando-o de lado. Ele descansou a mão na curva da cintura dela.

— Você pintou hoje? — ele perguntou.

Ela sentou-se de repente, afastando a mão dele.

— Por que você está me perguntando isso? — questionou ela.

Frank se divertia com esse humor da Cleo, tão passional e irascível, embora ele soubesse que também deveria ser cauteloso. Ele preferiu vê-la assim, no entanto, do que no desânimo de olhar de peixe morto em que ela estava afundando recentemente. Ela costumava ser tão caprichosa com a aparência; ele adorava vê-la se vestir todos os dias para trabalhar. Ele apoiou a decisão dela de parar de trabalhar com design têxtil, um emprego que ela desconsiderou como algo abaixo do seu pedigree de belas artes, para se concentrar na pintura. Agora ele suspeitava que isso tenha sido um erro. Não foi bom para ela ter todo esse tempo livre. Ele ficou feliz em apoiá-la financeiramente enquanto ela produzia arte, mas ela estava pintando cada vez menos. E essa raiva que ela tinha das mulheres no mundo da arte, mulheres em qualquer lugar, na verdade... A paixão era uma coisa, mas a histeria era outra. Essa última parecia estar crescendo nela, enquanto sua vida de pintora diminuía.

— Olha, tem alguém que eu quero que você conheça — disse ele. — Ela está esperando com muita paciência e...

— Ah, Frank, você não trouxe alguém para casa... Eu não estou no clima. Podemos passar um tempo só nós dois?

Frank pegou a caixa do chão e segurou-a em frente ao rosto contraído de Cleo.

— Abra — disse ele.

Cleo arregalou os olhos. Com as pontas dos dedos, ela levantou a tampa. Lá, sentado em uma caminha de serragem, estava o bebê petauro-do-açúcar. Ela olhou para Cleo com seus olhos grandes e negros. Cleo gritou. Frank sentiu o coração partir. Ela odiou o bicho.

— Ah, Frank, você não fez isso! — As palavras saíram aos borbotões. — Você é doido! Você é doido! Como que você pensou nisso? Eu amei! Eu te amo. Como você pôde... o que vamos fazer? Nós precisamos de comida! O que ele come? Eu amei, amei mesmo. É lindo, mas... Que diabos é isso?

— É um petauro-do-açúcar — disse Frank, sorrindo de alívio. — É como um esquilo voador cruzado com uma chinchila. Exceto por ser pequeno e fofo.

— Ele *voa*? — Cleo balançou a cabeça para trás, com prazer. — Você é doido, Frank. É perfeito. Eu amei.

— Você precisa escolher um nome para ela — disse Frank. Ele não conseguia parar de sorrir.

— É ela?

— Aham — disse ele. — Uma menina para minha menina.

Cleo enrugou o nariz em sinal de desgosto. Ela odiava esse tipo de conversa, ele sabia que ela considerava como algo infantil. Mas ele não podia resistir. Mesmo nesse estado desgrenhado, havia algo tão desconcertante nela, tão inegavelmente *feminino* que lhe parecia loucura que ele nunca pudesse reconhecê-lo.

— Posso segurá-la?

— Claro — disse Frank. — Ela é sua.

Cleo tirou a petauro-do-açúcar da caixa e embalou-a no peito.

— Olá, querida. Como vamos chamá-la? Qual é o seu nome, hein?

— Que tal chamá-la como aquela pintora? — sugeriu Frank. — Qual era o nome dela? Berthe?

Cleo olhou para a criatura em seus braços, que estava tentando escalar seu suéter e seu cabelo. Tirando o rabo, ela não era maior que um saquinho de adoçante.

— Eu não sei — disse Cleo. — Parece um nome muito sério para uma coisinha tão louca.

— Então... Berthe não? — Frank ficou decepcionado. Ele estava satisfeito consigo mesmo por ter pensado nisso.

— Ela não pode ter um nome humano — disse Cleo. — Ela é muito mágica para um nome humano, antigo e chato.

— O que você quer fazer, então? — perguntou Frank. — Dar a ela um nome na língua de sinais ou algo assim?

— Adorei! — disse Cleo. — Você sabe como dizer alguma coisa na língua de sinais?

— Você está falando sério? — ele perguntou. — Eu sei, sim.

Ele fez os movimentos com as mãos.

— O que isso significa?

— Jesus, como eu te adoro.

Cleo não conteve o riso.

— E por que diabos você sabe dizer isso?

— Porque a minha mãe insana costumava me mandar para um acampamento cristão fundamentalista todo verão, onde eles nos ensinavam a cantar os hinos na língua de sinais. Essa é a única parte de que me lembro. É irônico para um meio judeu, eu sei.

— Tudo bem — disse Cleo. — Me mostre outra vez.

Frank mostrou a ela como soletrar as palavras com as mãos. Ambos olharam para o petauro-do-açúcar.

— Jesus, Como Eu Te Adoro — disse Cleo. — Bem-vinda à nossa pequena família.

Naquela primeira noite, eles foram à pet shop Petco, que inexplicavelmente estava aberta até meia-noite em dias de semana. Eles deixaram Jesus, Como Eu Te Adoro na caixa de sapatos só com um amendoim, pois eles leram que ela poderia comer um por dia como um agrado especial.

— Você acha que ela ficará bem sem nós? — perguntou Cleo enquanto eles caminhavam para a loja. Ela já estava assumindo o papel de mãe ansiosa.

— Ela ficará bem. — Ele colocou o braço em volta do ombro dela. — Temos que comprar comida e uma gaiola grande para ela morar.

Cleo acariciou o pescoço de Frank com o rosto. O nariz estava escorrendo de frio. A chuva havia parado, mas um vento gelado descia a avenida, fustigando os casacos e os cachecóis. Ele esquecera as luvas. Ele colocou uma mão no bolso e passou a outra ao redor de Cleo, empurrando-a entre os botões do casaco de pele. Ela se aninhou contra a lã quente de seu suéter. Ela beijou a ponta congelante da orelha dele, que aparecia por baixo do chapéu.

— Eu te amo, Frankenstein — ela murmurou no ouvido dele.

...

Dentro da Petco, iluminada por lâmpadas fluorescentes, o cheiro das caixas de areia dos gatos e tanques envelhecidos de peixes os rodeiam. O local estava quase vazio, com os corredores longos e vagos, ladeados por brinquedos de mastigar coloridos e enormes sacos de ração seca. Frank adorou o lugar; foi um alívio bem-vindo da vida comum. Eles olharam em volta e conseguiram identificar um dos funcionários da Petco em algum lugar perto das gaiolas.

— Com licença, você trabalha aqui? — Frank perguntou.

— Se trabalho aqui? Eu sou o gerente júnior — disse o gerente júnior da Petco.

Ele tinha o rosto pálido e fino, alongado ainda mais por um cavanhaque aparado e pontudo.

— Ótimo — disse Frank. — Qual destas, hipoteticamente, você diria que é a melhor gaiola para um petauro-do-açúcar?

O gerente júnior inalou tão profundamente que as pontas das suas narinas empalideceram.

— Eu diria que *nenhuma* delas é uma boa gaiola para um petauro-do-açúcar — ele respondeu. — Porque os petauros-do-açúcar são ilegais em todos os cinco distritos de Nova York.

Cleo se virou para Frank com um sorriso mal reprimido.

— Bom, que sorte que não temos nenhum, não é, querido?

— Muita sorte — disse Frank. — Nunca faríamos nada ilegal.

— Nunca — falou Cleo. — É por isso que estamos falando...

— Só hipoteticamente — disse Frank.

— Hipoteticamente ou não... — Fungou o gerente júnior da Petco. — Seria contra o meu melhor interesse recomendar qualquer coisa para abrigar, alimentar ou entreter um petauro-do-açúcar para vocês ou qualquer outra pessoa.

Cleo se virou para Frank novamente.

— Ela precisa de entretenimento? — Cleo perguntou.

— Eu acho que você é muito divertida — disse Frank.

— Será que eu poderia fazer minha imitação de Dolly Parton?

— Você faria uma ótima Dolly. E eu vou fazer malabarismos.

— Eu não sabia que você consegue fazer malabarismos.

— Apenas os movimentos circulares.

— Um homem de muitos talentos — disse Cleo e o beijou.

O gerente júnior exalou alto.

— Entretenimento, no sentido de *atividades* — disse ele. — Os petauros-do-açúcar são bichos noturnos e muito ativos, por isso é essencial fornecer rodas de hamster, bolas ou...

— Você entendeu? — disse Frank.

Cleo confirmou.

— Roda de hamster — disse ela.

O gerente júnior encostou as pontas dos dedos levemente nos lábios.

— Eu já falei demais — disse ele.

— Ah, sem essa. Por que diabos eles são ilegais?

— Sim, quem eles podem machucar? — disse Cleo.

— Não se trata de quem eles vão machucar — disse o gerente júnior.

Eles esperaram que ele continuasse, mas o homem só lhes deu um olhar misterioso e entendedor.

— Então do que se trata? — perguntou Frank.

— Explique para nós — pediu Cleo.

— É uma questão de reprodução — disse o gerente júnior. — Embora eles tenham sido permitidos tecnicamente no estado de Nova York, eles são ilegais em todos os cinco distritos por causa da proximidade dos esquilos-cinzentos-orientais. Se um petauro-do-açúcar escapar e se reproduzir com esses esquilos, ele criaria uma raça de esquilos voadores que poderia se tornar, para dizer o mínimo, incontrolável para os moradores da cidade.

— Você ouviu isso, Cley? — disse Frank

— Esquilos voando por toda a cidade — confirmou Cleo.

— Isso poderia causar uma epidemia — disse o gerente júnior com seriedade.

— Parece... — começou Frank.

— Maravilhoso — disse Cleo, sem fôlego.

O gerente parecia decepcionado.

— Vou ter que pedir a vocês dois para irem embora — falou ele. — Este é um lugar apenas para os donos de animais que cumprem a lei.

— E a gaiola? — disse Frank, apontando para uma além do ombro do gerente. — Parece bem grande.

— Você me ouviu? — perguntou o gerente júnior.

— Vendida! — disse Cleo.

Frank a puxou atrás dele em direção às gaiolas, os dois rindo como crianças. Cleo dirigiu-se ao gerente júnior da Petco enquanto galopava ao lado de Frank.

— Você foi tão bacana — ela gritou. — Deu tantas informações. Não temos como agradecer o suficiente.

Então ela mandou um beijo com a mão coberta pela luva rosa-bebê e saiu correndo, de mãos dadas com Frank, pelo corredor.

...

Os dias seguintes foram de descobertas. Eles descobriram, por exemplo, que Jesus, Como Eu Te Adoro amava maçãs, Gatorade, quinoa e iogurte de pêssego, e de mais nenhum outro sabor. Eles descobriram por que as pessoas geralmente não davam nomes de língua de sinais que se traduziam em seis palavras ou mais para os animais de estimação, e logo começaram a se referir a ela simplesmente como "Jesus". Eles descobriram que ela acordava por volta das dez da noite e ficava acordada até as dez da manhã, depois dormia durante a maior parte do dia. Mesmo com a gaiola na sala de estar, eles podiam ouvi-la através das paredes, andando pela roda a noite toda e, às vezes, emitindo breves gritos de carneiro, que eles aprenderam, pesquisando na internet, que significava que ela queria atenção. Eles passaram muito tempo pesquisando-a na internet, cada um lendo em voz alta as descobertas favoritas.

— Escute isto — falou Cleo. Era sexta-feira à noite e, pela primeira vez em muito tempo, eles estavam juntos. — Embora eles se relacionem com todos na família, cada petauro quase sempre tem uma pessoa favorita, em geral a pessoa que cuida mais deles, e esse será o seu vínculo principal.

— Mas isso não é justo — disse Frank. — Você obviamente será a favorita porque fica em casa mais.

— Problema seu — Cleo riu. — As vantagens de ser uma mãe que fica em casa.

— Afff.

— Eu li em algum lugar que ela corre o equivalente a uma maratona por noite na roda de hamster.

— Não é à toa que ela precisa dormir o dia todo.

— Eu acho crueldade deixá-la presa na gaiola todas as noites — disse Cleo. — Ela deveria ficar livre.

— Mas se a soltarmos, vamos perdê-la. O apartamento é grande demais, ela vai achar algum buraco e escapar.

— Esta mulher do site apaixonadosporpetauros.com diz que deixa os petauros passearem pelo quarto à noite. Você só precisa manter as portas fechadas e preparar o lugar do jeito que você faria para um bebê.

— Cley, isso é loucura. — Frank serviu-se de outro copo de vinho. Ele foi reabastecer o de Cleo, mas o copo dela ainda estava cheio.

— Bem, quemésuamamãequerida1956 não parece achar que é tanta loucura.

— Peço que pense no que acabou de dizer — disse Frank. — E então falaremos sobre loucura.

Mas é claro que Cleo conseguiu o que queria. Eles mudaram a gaiola para o quarto e deixaram a porta aberta à noite. Eles pesquisaram como preparar um quarto para um petauro-do--açúcar, sendo necessário bloquear os soquetes elétricos, garantir que as janelas estivessem bem fechadas para que ela não pudesse escapar e manter a porta do banheiro fechada com a tampa do vaso sanitário fechada para ela não cair e se afogar. Fora isso, ela estava livre para vagar por onde quisesse. Foi estranho e emocionante ouvi-la zumbindo pelo quarto enquanto eles estavam deitados na cama. Ela trouxe novo ânimo à vida. Naquela primeira noite, eles ficaram acordados ouvindo-a.

— Ela está cheia de energia — disse Cleo.

Eles estavam voltados um para o outro na escuridão, nariz com nariz.

— Eu dei a ela uma noz tarde hoje, pode ser por isso — falou ele.

— Eu dei também! Frank, temos que parar de fazer isso, ela vai ter um ataque cardíaco.

— Mas eu adoro dar comida para ela. De que outra forma eu vou ser o vínculo principal?

— Se algum dia tivermos um filho, ele ficará muito mimado — disse Cleo.

— Você... Você quer filhos?

Parecia ridículo que eles nunca tivessem tocado nesse assunto antes. Talvez tivesse a ver com a pressa em se casar, ele supôs. Você tinha que fazer isso antes de saber o suficiente para não se casar.

— Acho que sim — respondeu ela. — Você não?

— Não, eu quero — disse Frank, surpreendendo-se. Foi incrível para ele que eles não estavam falando hipoteticamente, que era desse jeito que os casais tomam decisões como essa na vida real. — Eu acho que você seria uma ótima mãe.

— Sempre me preocupei por não ter esse gene maternal. Eu não acho que minha mãe tinha, ou ela nunca teria, você sabe...

— Você tem — disse Frank. — Você tem, com certeza. Você é tão acolhedora. Você cuida de todo mundo.

— Você acha?

— Claro — falou ele. — Você cuida de mim. — Ele pegou a mão dela que estava oculta sob o travesseiro.

— Você será um pai maravilhoso — disse Cleo.

— Como você sabe?

— Você é gentil — disse ela. — E brincalhão. Você definitivamente será um pai divertido. E eu vejo como você é com Zoe. Você cuida das pessoas também.

Frank apertou a mão dela na escuridão.

— Eu gosto de como você me vê.

Frank virou-se sobre as costas e Cleo colocou a cabeça no peito dele. Ele acariciou-lhe o cabelo com uma mão.

— Acho que vejo você como você é — falou ela.

— Eu não quero ser como meu pai — disse Frank. — Isso é certo. Você sabe que eu fui para a Itália para encontrá-lo uma vez? Eu tinha uns vinte anos. Ele se recusou a me ver. Encontrei o restaurante que ele frequentava com os amigos beberrões, fui lá uma noite e disse a ele quem eu era. Nem se manifestou. Fingiu que não falava inglês. Babaca.

— Sua mãe sabe disso?

— Não — disse Frank. — Eu acho que isso a magoaria muito.

Cleo rolou em cima dele para que ficassem cara a cara, ela com as mãos dos dois lados da cabeça dele. Ele não conseguia distinguir a expressão de Cleo na escuridão.

— Frank?

— Sim?

— Eu vou dizer uma coisa e quero que você me ouça.

— Certo.

— Você não é como seu pai.

Ela rolou para trás, então eles ficaram lado a lado. Em algum lugar perto deles, Jesus saltou de uma superfície para outra com um baque suave. Frank se deitou com os olhos abertos, tentando ouvir seu próximo passo.

— Cley? — ele disse.

— Diga.

— Como era sua mãe? Você nunca fala dela.

— Ela era muitas pessoas diferentes — falou ela baixinho.

Frank ficou em silêncio. Se Cleo estivesse pronta para conversar, ela falaria. Ele não queria pressioná-la

— Ela fazia os melhores bolos de aniversário — ela começou. — Eu acho que é porque ela era boa em modelos de arquitetura. Em um ano ela fez um bolo com o formato da Torre Eiffel e uma boneca parecida comigo no topo. Fomos a Paris no feriado da Páscoa e amamos completamente, então toda a festa foi com o tema francês. Fomos eu e mais umas vinte crianças de onze anos de idade, todos usando boinas e brincando de espete o bigode no francês. Minha mãe até nos comprou cigarros falsos em uma loja de fantasias, o que eu achei bastante escandaloso naquela época.

— Que engraçado — disse Frank. — Como ela era?

— Ela tinha cabelos loiros como eu, mas era mais alta. Ela usava saltos altos todos os dias e essas camisas de seda personalizadas. Eu costumava entrar no armário dela para esfregá-las entre os dedos, simplesmente amava aquela sensação.

— Ela me parece muito chique — disse ele.

— Ela era — concordou Cleo. — Mas aí ela teve que começar a tomar um remédio que a fez ganhar muito peso e dormir o tempo todo. Ela era muito ativa, você sabe, então odiava isso. Eu acho que é por isso que ela parou de tomá-lo com o tempo.

— Quando foi isso?

— Foi quando ela e meu pai se divorciaram. Eu tive que ficar com ele e Miriam em Bristol porque ela precisava ficar no hospital por um tempo. Então ela melhorou e fui para casa. Quando ela estava bem, ela sabia como tinha sido o seu dia só pelo seu jeito de dizer "olá". Ela queria saber o que eu pensava sobre tudo, o que eu estava lendo na escola. Eu me sentava no balcão da cozinha e conversava com ela enquanto ela fazia o jantar. Mas ela tinha esses períodos ruins em que não conseguia dormir ou comer muito. Ela ficava tão focada em um projeto que você poderia dizer o nome dela dez vezes e ela não o ouviria. Eu odiava isso. Era como se você não existisse. Ela falava sozinha e ria. Ela trazia muitos homens aleatórios. Às vezes eu encontrava com eles no banheiro. A primeira vez em que ela tentou se matar foi durante um desses períodos.

— Sinto muito, Cley — ele disse. — Que merda.

— Então ela começou a tomar um novo remédio — disse Cleo, as palavras surgiam rapidamente agora. — E ficou normal de novo por um tempo. Ela voltou ao trabalho e eu me mudei para ir para a universidade, e ela começou a namorar sério um cara, dessa vez uma pessoa realmente legal, para variar. Ele era arquiteto também. Então algo aconteceu, acho que eles se separaram e ela largou o remédio outra vez. Eu não sabia disso na época, os médicos me disseram depois. Ela morreu quando eu estava no último ano. Ela tinha um pouco de dinheiro restante, não muito, e tudo veio para mim. Mas fiquei deprimida, e como eu disse, foi quando cheguei aqui para fazer o mestrado em belas artes. Eu comecei a tomar antidepressivos e me dedicar mais à arte, então as coisas melhoraram. Em seguida eu te conheci, e essa foi mesmo a melhor coisa, a melhor coisa que me aconteceu em anos.

Frank virou de lado e enrolou os braços e as pernas em volta dela. Ele a segurou o mais forte que pôde sem machucá-la. Ele podia ouvir o ruído suave do batimento cardíaco dela sob sua orelha.

— Você não vai ser como sua mãe — disse ele.

Jesus pulou na cama perto deles e saltou novamente, o corpinho mal deixando uma marca nas cobertas.

— Como você sabe? — ela disse. Sua voz no escuro era melancólica.

— Porque você tem a mim.

— Mas e se algo acontecer com você? Ou se você for embora?

— Não vai acontecer. Eu não vou.

— Promete?

— Eu juro por Jesus.

...

Frank não evitava Eleanor deliberadamente no escritório, mas ele estava tão ocupado trabalhando no argumento de vendas da Kapow! que seus caminhos não se cruzaram muito. Frank adorava o processo de *brainstorming*, adorava a sensação de ideias que orbitam ao seu redor, e se sentiu confiante naquilo que sua equipe havia criado. Na noite anterior à apresentação, Frank conseguiu beber apenas o suficiente para acalmar os nervos e dormir, ele esperava, sem impedir seu desempenho no dia seguinte. Ele estava dormindo quando Jesus derrubou o livro de Cleo da mesa de cabeceira.

— Você ouviu isso? — perguntou Cleo na escuridão.

— Hum — disse Frank. — Parece que ela está se divertindo.

— Me abraça?

— Estou com muito calor — disse Frank. — Meu peito superaquece. Você me abraça.

— Certo.

Cleo se aproximou das costas dele e enfiou o nariz no cabelo dele.

— Meu forno — falou ela. — É bom ter você aqui.

— Eu moro aqui — disse Frank.

— Você sabe o que quero dizer — ela respondeu. — Você está ficando mais em casa agora. É bom.

Ele estava quase dormindo, então concordou com os olhos fechados.

— Frank? — ela murmurou.

Ele ficou quieto. Ele realmente precisava dormir.

— Frank? — ela repetiu, mais alto desta vez.

— Iuh-huh.

— Eu me sinto sozinha.

Ele abriu os olhos na escuridão. Ele podia sentir a respiração de Cleo na parte de trás do pescoço.

— É mesmo?

— É. E Audrey, Quentin, você sabe, eles não ajudam. Eles são tão...

— Fodidos?

Cleo soltou uma risada chorosa atrás dele.

— Sim. Mas, querido, eu odeio dizer isso para você, nós também.

— Vou tentar ser menos fodido. — Ele bocejou. — Eu prometo.

— Como? — ela perguntou.

— Você quer detalhes específicos?

— Não, nada tão específico... Exceto, talvez uma coisa.

Ele podia sentir o corpo dela se enrijecer em alerta atrás dele. Frank ficou perfeitamente imóvel e olhou para a escuridão à sua frente.

— Talvez, não sei, você poderia beber um pouco menos.

— Eu poderia?

— Você não acha?

— É isso o que você acha?

— Bom, eu apenas pensei que parece estar piorando... E se você pudesse, não sei, tentar cortar um pouco ou tentar não beber todas as noites, poderia, bem, poderia ajudar.

Frank sentou-se na cama.

— Você pensou que a noite anterior à minha reunião importante seria o momento certo para trazer esse assunto à tona?

— Ah — disse Cleo. — Certo, eu entendo. Eu não achei que tivesse que ser uma grande discussão ou algo assim. Eu só pensei...

— Me desculpe, devo estar confuso — interrompeu Frank. — Há algo que eu não estou proporcionando para você?

— Como assim?

A sua voz, Frank percebeu com surpresa, saiu um pouco arrastada. Ele desacelerou a fala para esconder isso, pontuando cada palavra.

— *Há. Algo. Que. Eu. Não. Estou. Proporcionando.*

— Claro que não — disse Cleo, bem baixinho. — Você me proporciona tudo.

— O que você está tentando dizer, então? Eu não pago a nossa casa? Não vou trabalhar todos os dias? Eu não ralo a bunda para que você possa fazer só o que quiser com a porra da sua vida?

— Não estou questionando o quanto você trabalha. Nunca! É que eu percebi agora...

— O que você percebeu, Cleo? É você quem está pagando este apartamento? Com suas... Suas pinturas? Você morava em uma merda de lugar quando eu te conheci.

— Frank, pare!

A voz de Cleo estava embargada. Ele sabia que deveria parar, mas não conseguia. Havia um tipo de prazer doentio em se defender de forma tão implacável.

— E não se atreva a chorar — disse ele. — Não é você que está sendo atacada. Eu não acredito que você esteja sentada aqui me criticando depois de tudo o que fiz por você.

— Não estou te criticando — implorou Cleo. — Eu só me preocupo às vezes se você poderia...

— Eu pensei que tinha me casado com uma artista, não com uma dona de casa que me censura e conta minhas bebidas.

— Eu não conto suas bebidas...

— O que mais posso fazer? Sério, o que mais eu poderia fazer por você? — Ela tentou falar, mas ele a interrompeu. — Não, me diga, Cleo, por favor, o que *não* estou proporcionando para você. Eu trabalho como um cão. Eu ganho mais do que todos os seus amigos juntos. Eu te dou tudo o que pede. Eu nunca tentei controlar o que faz. Você pinta, você não pinta, eu a apoio de qualquer jeito. E agora você vai me acusar de negligenciá-la, de negligenciar meus deveres.

— Você está distorcendo as minhas palavras! Eu... Eu nunca disse isso.

— Sabe de uma coisa? Isso me deixa enojado, Cleo. Me dá nojo ver que você pode ser tão ingrata.

— Sinto muito, sinto muitíssimo — disse ela. — Eu não sei o que estava tentando dizer. Finja que eu não disse nada.

— Eu pensei que você era uma artista — falou ele novamente. — Eu nunca esperava esse seu puritanismo de pequeno burguês, Cleo. Esperava de qualquer outra pessoa, mas não de você. Sendo honesto, essa coisa toda me deixa enojado. Isso me faz sentir que eu nem te conheço.

— Mas você me conhece — ela soluçou. — Você é o único que me conhece *bem*.

Frank estava se observando como se ele não fosse ele mesmo. Ele se sentiu terrível e poderoso ao mesmo tempo. Nunca tinha permissão para sentir raiva enquanto crescia. Não tinha permissão para sentir nada. Agora, a raiva se sobressaía a todos os outros sentimentos. Não havia vergonha, nenhum remorso, nenhuma ternura. Ele se sentiu protegido e intocável. Ele se sentiu bêbado.

Cleo se levantou da cama e se trancou no banheiro. Ele olhou para a faixa amarela da luz escapando embaixo da porta. Ele a ouviu assoar o nariz e abrir a torneira. Ele observou a sombra dos pés dela passar na faixa de luz embaixo da porta. Ele a ouviu fechar a torneira e abrir o armário. Deixe-a chorar, ele pensou. Ele não havia feito nada de errado. Ela ainda não havia voltado do banheiro quando ele caiu em sono agitado e sem sonhos.

...

Eles ganharam a conta da Kapow! Fizeram a apresentação de manhã, e Frank recebeu a ligação naquela mesma tarde. O cliente disse que eles sabiam. Frank reuniu toda a equipe para dar a notícia, exigindo que todos saíssem do trabalho imediatamente para ir ao bar no mesmo quarteirão e comemorar. Ele estava de volta ao seu escritório, tentando fazer Cleo atender o telefone para contar a ela, quando Jacky passou pela porta dele, liderando uma equipe e cantando "We Are the Champions".

— Você vem, querido? — ela gritou. — Você é o cara!

— Cleo não está respondendo — disse ele. Ele pegou o casaco no encosto da cadeira. — Vou correr para casa e ver se ela está lá. Ver como está Jesus. Encontro vocês lá em uma hora, talvez menos.

Jacky sorriu para ele.

— Certo, homem de família — respondeu ela.

Frank entrou no apartamento e encontrou Cleo no chão da sala com Audrey, agachada sobre pedaços de papelão com pincéis. Jesus estava no ombro dela, levemente emaranhada nos cabelos.

— E aí, Frank — chamou Audrey. — Veja o que estamos fazendo. Estamos protestando!

— Eu tentei ligar para você — disse Frank para Cleo. — Você não ouviu?

— Eu deixei o telefone na outra sala — respondeu Cleo sem olhar para cima. — Desculpe.

— Jesus acordou cedo — disse Frank, curvando-se para beijar as duas.

— Ela ainda está acordando — falou Cleo, afastando o rosto. — Ela nunca fica parada por tanto tempo.

Frank pegou a petauro-do-açúcar nas mãos. Ela já estava um pouco maior. Ele podia ver o seu reflexo nos enormes olhos escuros. Ele fez um carinho embaixo do queixo dela com as pontas dos dedos. Ela fechou os olhos de prazer. Ele jurava que, às vezes, parecia que ela estava sorrindo.

— Vocês são tão estranhos — comentou Audrey.

— Por quê? — Cleo e Frank perguntaram em uníssono.

— Vocês têm um roedor de estimação chamado Jesus — disse Audrey. — Essa é a definição de estranho.

— Ela não é um roedor — contestou Cleo. — Ela é uma marsupial.

— E daí? — disse Audrey.

— Cley, posso falar com você um instante? Na outra sala?

— Alguém está com problemas — disse Audrey cantarolando.

— Estou ocupada — respondeu Cleo.

— Por favor — pediu Frank.

— Podemos conversar aqui — disse Cleo.

— Certo. — Frank olhou de lado para Audrey. Ela estava deitada de bruços, com o queixo apoiado nas palmas das mãos, visivelmente preparada para se divertir. — Bem, a primeira coisa que quero dizer é que sinto muito. Eu realmente sinto muito. E, hum, sobre o que você disse ontem à noite? Provavelmente está certa e, bom, farei algumas mudanças. Eu prometo.

— Isso é tudo? — Quis saber Cleo.

— Não — disse Frank. — A outra coisa que eu queria dizer é que vencemos. Eu acabei de saber.

— O quê? — Cleo levou as mãos à boca. — Mas você só apresentou esta manhã.

— Eu sei, eu sei, é loucura. Eles disseram que já sabiam.

— Eu não posso acreditar! — Cleo se levantou e começou a pular. — Eu pensei que você tinha ouvido que eles talvez preferissem outra pessoa.

— Aparentemente não.

Ele tentou encolher os ombros com indiferença, mas não conseguia parar de sorrir.

— Será que alguém pode me dizer o que está acontecendo? — perguntou Audrey.

— Ele ganhou uma conta *enorme* — falou Cleo. Ela se virou para Frank. — Puxa, estou tão orgulhosa de você. Eu não posso acreditar. — Ela abraçou-o.

— Começaremos a filmar na África do Sul no mês que vem — disse ele. — É o meio do verão deles. Vinte e cinco graus e dias ensolarados, baby!

Cleo soltou os braços.

— Uau, isso é maravilhoso! — respondeu ela, olhando para baixo.

Ele apoiou as mãos nos ombros dela.

— O que você acha, Cleópatra? — ele disse. — Você quer fugir do frio comigo?

Ela olhou nos olhos dele.

— Você quer que eu vá?

— Claro que sim — respondeu ele.

— Mas você nunca me chamou para uma gravação antes.

— Bem, você estava fazendo os trabalhos têxteis antes — disse Frank. — E eu não achei que você gostaria. Mas vai adorar a África do Sul. Você pode pintar, ter o serviço de quarto, passear na praia. Vai ser fantástico.

— Ah, Frank!

Cleo pulou sobre ele e beijou o rosto, a testa, a boca.

— Estou tão feliz por vocês — Audrey falou devagar, ainda no chão.

— Todo o escritório está comemorando — disse Frank. — Eu tenho uma comanda aberta. Vocês querem ir ao bar?

— Porra, claro que sim — respondeu Audrey.

— Bem, na verdade... — Cleo olhou para o papelão que elas estavam pintando no chão. — Devemos ir a esse protesto contra o aumento do preço da escola de artes. Fizemos cartazes.

— Mas e o bar? — perguntou Audrey.

— É que isso é bem importante — disse Cleo. — Como a próxima grande geração de artistas poderá crescer se eles não podem pagar pelo ensino?

— Eu estava indo só pelos garotos fofos da escola de artes — disse Audrey. — Vamos para o bar.

— Você quer que eu vá? — perguntou Cleo para Frank. — Eu posso ir. Posso protestar outro dia.

— Não, não, vá fazer suas coisas — disse Frank. — A noite vai terminar cedo para mim de qualquer maneira. Vamos nos encontrar em casa e faremos nossa própria comemoração.

— Vamos? — perguntou Cleo. — Você não quer passar a noite fora?

— De jeito nenhum — respondeu Frank.

Cleo olhou para o cartaz que ela estava pintando. Estava escrito "FAÇA ARTE, NÃO DÍVIDA!"

— Tudo está mudando — comentou ela.

— Mudança é uma coisa boa, querida — disse Frank.

Cleo olhou para ele e sorriu.

Frank chegou ao bar, que estava lotado com o pessoal da empresa. Um balão de orgulho inflou-se dentro dele. Ele havia fundado a agência há dez anos, em um escritório de merda, na avenida FDR. O primeiro contratado foi Anders, um ex-modelo que ninguém levou a sério como diretor de arte. No primeiro ano, eles tiveram apenas um cliente, um fabricante de ternos masculinos de seda, conhecido como o traje favorito da máfia italiana. Ele se deu um bônus de final de ano de cem dólares nos primeiros três anos. E veja ele agora.

— Frank! — Jacky estava acenando para ele. Ela estava segurando o telefone à sua frente. — Estou com um repórter da

Admania na linha. Ele quer uma palavra sua antes de publicar a matéria hoje à noite.

Jacky gritou para que todos ficassem quietos e sinalizou para o barman desligar a música. Frank segurou o celular na frente dele. Uma multidão se juntou para ouvi-lo. Uma voz minúscula emanou do telefone.

— Ei, Frank, parabéns pela vitória. Posso ter um comentário sobre o recorde do seu sucesso recente?

— Claro — disse Frank. — Como você sabia que esse é o meu assunto favorito?

— Apenas um palpite — falou o repórter. — Agora, olhe, eu serei franco...

— Já não sou Frank, o Franco? — ele respondeu.

Todo mundo ao seu redor riu.

— Muito esperto — disse o repórter. — Mas, falando sério, você enfrentou alguns cachorros grandes para ganhar essa conta e, bom, eu acho que ninguém esperava que ganhasse. Ouvimos dizer que seu lance foi certeiro. Como se sente, com uma agência desse tamanho, ao estar oficialmente no mapa das que merecem ser observadas?

— É incrível — respondeu Frank. — Mal podemos esperar para colocar as garras nessa campanha. É grande, ousada, é impetuosa como nós. Olhe, não somos cachorros grandes. Nós somos lobos. E nós somos superferozes.

Frank jogou a cabeça para trás e uivou. Um coro da sua equipe se juntou a ele e o ar estava, de repente, cheio de sons de uivos e urros. Frank revelou os dentes em um sorriso e fez um gesto para eles se acalmarem.

— Isso me leva à minha próxima pergunta — começou o repórter. — Você fez seu nome como o *bad boy* da publicidade. Podemos esperar ver mais, digamos, pirotecnias indisciplinadas no próximo capítulo da sua carreira?

— Não, não, esses dias ficaram para trás — disse Frank. Ele piscou para Jacky.

— Algum comentário sobre o boato de que você quer abrir um escritório na Europa?

— *T'etait jolie comme enfant*? — disse Frank.

— Perdão. Como?

— Isso significa "você era bonito quando era criança?" em francês.

— Então, significa que Paris está no seu horizonte?

— Isso significa o que você quiser que signifique — disse Frank. — Agora, por que não vem aqui e bebe alguma coisa comigo? Jacky, tire isso daqui, por favor.

O repórter ainda estava falando quando Frank devolveu o telefone para ela. A música voltou a tocar. Ele caminhou para o fundo da sala, aceitando parabéns e apertos de mão da multidão ao seu redor. Ele estava procurando por Eleanor. Ele não pôde evitar; ele estava sempre procurando por Eleanor. Ele a encontrou empoleirada em um banquinho no canto mais distante do bar, onde a multidão era mais rara e menos estridente. Ele foi em sua direção e se apoiou no balcão de madeira ao lado dela.

— Olhe só quem é — disse ela. — O filho pródigo.

— Você não está usando óculos — comentou ele.

— Eu tenho lentes de contato — respondeu Eleanor. — Eu estava cansada de ver animais mortos.

— O quê? — perguntou Frank.

— Nada — disse Eleanor.

— Bom — respondeu Frank. — Você parece bem.

— Acho que o verdadeiro marco da idade adulta é a disposição de tocar nos seus próprios olhos todos os dias.

— Isso. E ter coisas como um aerador de vinho.

— Você tem um aerador de vinho?

— Eu tenho *dois* — disse Frank. — Nós nos demos como presente de casamento.

— Quanta maturidade — disse Eleanor.

Ela tomou a bebida e sorriu para si mesma daquele jeito engraçado e secreto que ela tinha. Ela parecia estar sempre mantendo um diálogo mental divertido consigo mesma, do qual ele constantemente esperava fazer parte.

— De qualquer forma, como homem... — disse Frank.

— Ah, você é *homem*? — Ela suspirou. — Eu gostaria que você tivesse me dito antes.

— Cai fora! — grunhiu Frank.

— Um homem britânico, quem diria.

— Isso é a influência de Cleo — disse Frank. — De qualquer forma, eu estava dizendo que sim, como *homem*, sempre achei que as lentes de contato eram meio afeminadas. Eu não sei por quê. Mas continuo perdendo meus óculos a toda hora e, se você for muito míope como eu, quando perde os óculos, também perde a possibilidade encontrá-los. A visão, ou seja... É um enigma.

Do que ele estava falando? Ele estava tagarelando. Ele só queria falar com ela.

— É verdade — disse Eleanor com seu meio sorriso irônico.

— O que quero dizer é — ele continuou — talvez seja hora de mudar também. Afinal, a vida é uma renegociação constante com a própria vaidade.

— Agora eu concordo — falou Eleanor.

— Concordamos muito — disse Frank, percebendo, ao dizê-lo, que era verdade. — O que você está bebendo?

— Refrigerante com limão. — Ela balançou o copo. — Ácido.

— Você é ácida.

Eleanor riu e desviou o olhar. Frank limpou a garganta.

— Parece ótimo — disse ele. — Vou tomar também.

Ela levantou uma sobrancelha quando ele fez o pedido.

— Você não está bebendo?

O barman despejou o refrigerante da torneirinha e colocou o copo na frente dele, com um limão de aparência desidratada na borda. Frank tomou um gole grande e insatisfatório.

— Estou fazendo a minha parte para controlar a conta. Isso tudo vai me levar à falência. — Ele acenou para a multidão na outra extremidade do bar, onde um dos executivos da contabilidade já estava, inexplicavelmente, sem camisa, com a gravata amarrada em volta da cabeça.

— Isso é certo? — disse Eleanor.

— É. — Frank olhou-a de lado. — Estou pensando em parar.

— É preciso pensar bem — comentou Eleanor.

— Se você diz... — Ele tocou a testa. — A vizinhança mais perigosa que eu conheço.

Eleanor riu de novo. Sua risada era o som de um grande prêmio de máquina de caça-níqueis, de uma lata de refrigerante sendo aberta, da música de um parque de diversões à distância, do motor de um Corvette ganhando vida, mil mãos aplaudindo ao mesmo tempo. Era um daqueles sons verdadeiramente bonitos.

— Você deveria tentar — disse ela. — Faça o que você nunca fez para conseguir o que nunca teve. Ou algo do tipo.

— Uau — disse Frank. — Onde você ouviu isso? Na Oprah?

— Minha mãe tem um ímã com esses dizeres.

— Você deveria dizer que criou isso. — Frank tomou outro gole de soda.

— Mas eu não criei — falou Eleanor. — Então eu não diria.

— Você não foi feita para a publicidade — disse Frank. — O que é bom, confie em mim.

A mão dela estava apoiada no banquinho entre eles, bem à vista de qualquer pessoa que passasse. Ele deu um tapinha, depois deixou seus dedos permanecerem sobre os dela. As superfícies lisas das palmas das mãos repousavam uma sobre a outra, como duas placas tectônicas, finalmente encaixadas sob a superfície da Terra. Eleanor olhou para ele com seu olhar engraçado e objetivo. Ele sentiu-o percorrendo todo o caminho para dentro dele.

— Eu não posso mentir, Frank — ela disse calmamente. — Mesmo... Mesmo se eu quisesse.

— Não estou perguntando se você mentiria — disse ele.

— Então o que você está perguntando?

Se pudesse, ele perguntaria se ela se lembrava de como, na primeira vez em que eles se encontraram, uma corrente passara da mão dele para a dela, um choque elétrico. Era um detalhe aparentemente inconsequente, mas que havia significado tudo para ele. Perguntaria se seus e-mails eram o destaque do dia dela, como os dela eram dele. Perguntaria se o pai dela estava morrendo e se era por isso que ela estava sempre um pouco triste, mesmo quando ela dizia que não estava. Perguntaria a ela como era ter pai. Perguntaria se ela acreditava que você poderia estar apaixonado por duas pessoas de uma só vez. Se ela sabia como era amar alguém que você não deveria. Se ela sabia como era não amar a si mesmo como você deveria.

— Nada — disse Frank. — Apenas, hum, se você assumiria a conta imobiliária, já que agora vou concentrar meu tempo na Kapow!

Cabisbaixo. Essa era a palavra para um rosto como o dela. Ela tirou a mão de baixo da dele.

— Já conseguiu, chefe — respondeu ela. Ela tomou o restante da bebida, bateu o copo no balcão entre eles e arrotou alto. — Veja isso, acabei.

Ela deu de ombros com sua jaqueta estofada singela e se virou. Ele a observou abrir caminho na multidão rumo à saída. Seus cabelos encaracolados estavam presos em seu capuz. Ele a observou sair. O barman veio pegar os copos vazios.

— Mais um? — ele perguntou.

— Claro — disse Frank. Então, contra sua própria decisão, contra tudo, ele acrescentou: — Desta vez, com vodca.

...

Frank deve ter deixado a porta do banheiro aberta quando voltou. Já passava da meia noite e Cleo já estava dormindo. Ele chegou tropeçando em casa e tomou um banho, tentando tirar o cheiro dele. Ele poderia escondê-lo. Se Cleo não cheirasse, ele poderia escondê-lo. Frank acordou algumas horas depois, precisando fazer xixi. Ele ainda estava meio dormindo, tonto de ressaca, quando olhou para baixo e viu a petauro-do-açúcar boiando no vaso sanitário. O corpo dela foi arremessado no fluxo da urina. Ela estava de bruços, desdobrada na forma de uma estrela. Parecia uma estrela caída.

Ele deu a descarga. O que mais ele poderia fazer? Ele deu a descarga com o corpo dela antes que Cleo pudesse acordar e ver o que ele tinha feito. Ela rodopiou, resistiu e desapareceu. Mais tarde, ele vomitou pela primeira vez em anos, naquela familiar posição, de joelhos, levando-o de volta aos verões da sua juventude. *Ai, Jesus*. Ele olhou para a água imunda e espumante à sua frente. Deu a descarga. A água não ia embora. Ele deu a descarga novamente. Não funcionou. A água imunda continuava subindo.

CAPÍTULO DEZ

FEVEREIRO

Anders não estava com vontade de participar do evento beneficente na Cubed, uma casa de bolinhos chineses que virou galeria independente em Chinatown, mais conhecida por suas festas tumultuadas depois do horário comercial do que por qualquer obra de arte que exibisse. O espaço estava repleto de vários tipos de artistas, todos vestidos para expressar ao máximo a individualidade, mas todos parecendo iguais para Anders. *É possível reconhecer um estudante de arte em qualquer lugar do mundo*, ele pensou. A busca pela individualidade resultou no oposto: a total previsibilidade. Ele olhou sobre a multidão fervilhante de gorros e cabeças descoloridas para encontrar algum conhecido, viu duas mulheres com quem havia dormido conversando perto da parede mais distante e seguiu na direção oposta, em direção ao bar. Nova York, que no passado servia-lhe como um terno perfeitamente ajustado, parecia-lhe mais e mais apertada a cada ano.

No caminho para o bar, ele topou com Elijah, o criador de um site cult que publicava críticas ácidas das críticas de exposições de arte, e quem a revista de Anders estava cortejando atualmente para ser um redator da equipe. Elijah estava ocupado, olhando indiferente para uma escultura composta por brinquedos sexuais em uma correia transportadora, quando Anders se aproximou.

— Você já notou como um plug anal se assemelha a uma ponta de flecha dos nativos americanos? — ele perguntou.

— É bom ver você também — disse Anders.

— Estou tentando encontrar algo para dar um lance — falou ele. — Embora eu pareça ser o único.

Eles deram a volta na galeria, Elijah expressando suas opiniões, principalmente as negativas, em um falsete alto. Anders, distraído, examinava as fotografias e pinturas, mas continuava de olho na dupla de mulheres que ele vira mais cedo. Nunca acabava bem para ele quando as mulheres se encontravam. Para ser honesto consigo mesmo, ele estava se cansando do desfile de belas criaturas que passavam pelo seu quarto. Ou melhor, ele estava cansado de si mesmo. Ele decepcionou todas elas. Não porque tivesse quebrado alguma promessa, mas porque se recusava a fazer qualquer uma. Ele oferecia-lhes momentos quando elas queriam meses, anos, casamentos.

— Você parece perdido em seus pensamentos — disse Elijah. — Está pensando em dar um lance?

Anders olhou em volta. A maior parte do trabalho aqui era impenetrável para ele. Tudo parecia ter sido feito por computadores. Ele caminhou diretamente até uma pintura a óleo de uma mulher nua. Esta, pelo menos, não era ruim. Ele gostava de poder sentir a presença do pintor na tela, as pinceladas igualmente expressivas e contidas. Ele se inclinou para mais perto a fim de ler o nome do artista. Era da Cleo.

— O que você acha deste? — Anders perguntou.

Elijah empurrou os óculos nariz acima e franziu a testa.

— Tímido — ele declarou. — Feminina demais, sentimental. Eu odeio quando você olha para uma pintura e *sabe* que foi feita por uma mulher. A arte não deve ser tensionada pelos tropos de gênero. Uma pena, realmente, porque tecnicamente ela é muito boa.

Pena para você, talvez, pensou Anders. Você acabou de perder a chance de um emprego.

— Vamos beber alguma coisa — disse ele.

— Ah, eu não bebo álcool. — Elijah pressionou as pontas dos dedos protegendo o peito. — Estive em reabilitação por Adderall há dois anos. Você não leu a biografia no meu site?

Anders sorriu sem abrir a boca.

— Água com gás então.

Ele passou o resto da noite preparado para encontrar Cleo. Ele procurou por sua cabeça loira entre a multidão, sentiu o aperto no estômago de excitação quando pensou que a tinha visto, depois a gota de decepção quando percebeu que não era ela. Depois de mais copos plásticos de champanhe do que ele conseguiria contar, ele deu um lance na pintura dela. Ele ofereceu mil e duzentos, não muito mais que o último lance, mas o suficiente para aumentar o preço para que ela fizesse a venda a um preço respeitável. Ele ficou surpreso ao receber um e-mail no dia seguinte, informando que ele havia vencido. Naquela tarde, durante o trabalho, ele recebeu a ligação dela. Anders sorriu para si mesmo no espelho acima da sua mesa quando apertou para atender.

— Doze mil dólares — disse ela. — Que diabos doze mil dólares quer dizer?

Anders tinha certeza de que seu reflexo havia empalidecido fisicamente.

— É você, Cleo? — Ele gaguejou.

— Esse é o seu jeito de se desculpar pelo que você fez?

Seu cérebro zumbia para digerir essas novas informações. Mil e duzentos. Doze mil. A colocação de uma casa decimal. Oito, dez, doze copos de champanhe...

— Estou contente por você estar arrependido — ela continuou. — Você deveria estar. Mas já faz um ano, e isso... é um grande exagero.

— Como foi... Eu pensei que o lance era anônimo.

— Eu não podia acreditar quando eles me disseram. — Cleo riu, ignorando-o. — Eu até ouvi dizer que alguém estava pensando em superar a sua oferta. Você pode imaginar? É como na história "A Roupa Nova do Rei". Tudo o que você precisa é de uma pessoa para acreditar, e é verdade.

— Bom, eu sem dúvida acredito em você.

Anders já estava recalibrando os fatos da noite passada para se adequar a essa nova narrativa. Talvez ele tivesse tido a intenção de dar um lance tão alto. Não era o ideal, é claro, mas ele podia pagar, e isso pareceu-lhe agora encantadoramente espontâneo.

— Obrigada, Anders. Sério.

Ele a ouviu suspirar de satisfação ao telefone.

— O que você vai fazer com o dinheiro? — perguntou Anders. — Comprar alguma coisa bonita?

— Foi um leilão beneficente, Anders. *Eu* não recebo o dinheiro. Mas ainda parece bom eu ter vendido por tanto.

— Quem recebe então?

— Eu acho que vai para a Sociedade Aviária do Central Park.

— O que é isso?

— Conservacionistas de pássaros.

— Você está brincando comigo. Eu dei doze mil dólares para um monte de observadores de pássaros?

— Parece que existem alguns falcões que precisam ser protegidos.

— Me diga que você está brincando.

— Eu nunca brinco com dinheiro — disse Cleo, em uma voz que não confirmava nem negava se isso era verdade. — Então, onde você vai colocar?

— Colocar o quê?

— Minha tela, Anders.

— Ah. A parede não é o lugar habitual?

— Não banque o espertinho. No seu apartamento?

Anders não tinha pensado nisso. Ele nunca esperou acabar sendo o dono da coisa.

— Por que você não vem e vê? Você pode me ajudar a escolher um lugar.

— Nós dois sabemos que já vi o seu apartamento.

O comentário surpreendeu-o. Nenhum deles jamais reconheceu abertamente qualquer detalhe da noite que passaram juntos. Foi logo depois que ela e Frank se conheceram, antes que qualquer um deles soubesse que seria sério. De fato, ele percebeu, foi a primeira vez que eles se falavam sem a presença de Frank desde então.

— Nunca à luz do dia — disse ele.

— E de quem é a culpa?

— De ninguém. É apenas um fato.

Mas ele havia sido frio, ele sabia, mandando-a para casa no meio da noite daquele jeito. Foi culpa. Deixá-la dormir ao lado dele, com a luz sóbria da manhã tocando-a, teria parecido como uma segunda traição a Frank.

— Você me humilhou — falou ela, baixinho.

— Olha — disse ele. — Eu esmigalhei os meus dentes por causa disso, foi o que eu fiz.

— O quê?

— É o que dizemos na Dinamarca quando lamentamos algo que dissemos.

Ele podia ouvir o sorriso dela no silêncio.

— Quantos dentes você esmigalhou?

— Todos. Enfim, é diferente agora.

— O que é diferente?

— Meu apartamento. Você deveria vir vê-lo.

— Como?

— Ele tem... maçanetas novas.

Cleo riu. Já estava muito bom.

Ajudou o fato de Frank estar fora nas semanas seguintes, filmando uma série de comerciais na África do Sul para uma nova bebida energética que supostamente teria propriedades de curar ressaca. Milhões de dólares em besteira, ele tinha dito, rindo, para Anders, bebendo cerveja antes de ir viajar. Anders teve a impressão de que Cleo iria com ele, mas, na verdade, ela ficou para trás. Ele nunca havia pensado antes no que ela fazia enquanto Frank estava nessas viagens. Pintura, ele suponha, mas quando perguntou sobre o trabalho dela algumas horas depois, ela desconversou com uma indelicadeza que revelava irritação.

Cleo estava de pé no apartamento dele, olhando para as grandes paredes brancas da sala de estar. Abaixo deles, o tráfego noturno manifestava sua queixa habitual em forma de buzinas de carros e sirenes.

— Como você pode viver sem nada nas paredes? — Cleo perguntou.

Anders deu de ombros. Ele passava o dia inteiro sendo atacado por imagens na revista; era um alívio voltar para a escassez do lar.

— Posso pegar algo para você? — ele perguntou. — Uma bebida, talvez, ou...

Ele caminhou na direção dela e a ergueu. Ela envolveu as pernas ao redor da cintura dele e o deixou serpentear a língua dentro da sua boca. Eles caíram no sofá, mas Cleo balançou a cabeça e o puxou para o chão. É claro. Na última vez, eles ficaram no sofá. Ela estava embrulhada em camadas. Ele tirou um suéter, uma blusa de gola alta, uma camiseta e, em seguida, desabotoou o jeans para revelar um par de meias. Ele riu enquanto puxava as meias dos pés dela.

— Você é como abrir uma boneca russa.

Ela ofereceu a ele seu sorriso lento e felino.

— Vale o esforço — ela disse.

Ela estava nua e espalhada no tapete diante dele, suas roupas jogadas em uma auréola em volta da cabeça. Ele arrancou a camisa e empurrou a calça e a cueca até os joelhos. Ele nem esperou para tirá-las antes de separar as pernas dela e fazer movimentos impetuosos dentro dela, mergulhando rapidamente e com força.

Ele estava em outro mundo, sem pensamentos além da sensação dela apertando-se em torno dele. Nossa, como era bom, ainda melhor do que ele se lembrava.

Cleo colocou as mãos no peito dele e afastou-o. Séria, ela olhou para ele.

— Anders — disse ela. — Isso não é sexo.

Ele olhou para ela, ofegante.

— O que você quer dizer?

— Quero dizer, o que você está fazendo, essa coisa de espetar, não é sexo. Você está se masturbando com o meu corpo em vez de com a sua mão.

— Eu.... Nossa, Cleo... Então o que você gostaria que eu fizesse?

Cleo colocou as mãos na parte inferior das costas dele e o puxou mais fundo para dentro dela.

— Você sente isso? — ela perguntou. — Aquela crista no alto, atrás? É isso que você está tentando acertar. Bem, não acertar, exatamente, apenas um golpe com a ponta do... Isso, isso, assim, só que *mais devagar*. Esfregue em círculos. Bom... Bom.... Bem devagar. Hum, continue circulando e acariciando, acariciando e circulando. Assim, assim mesmo...

Ele não estava acostumado a receber instruções. Elas o irritaram. Ele pensou em sair dela, mas era Cleo, afinal. Aquela que ele mais queria. Aquela a quem ele mais queria agradar. Ela deslizou dois dedos longos até a boca dele, girando-os em volta da língua. Eles tinham gosto de cinza de cigarro, mas ele não se importava. Os olhos dela estavam fixos nos dele com aquela intensidade engraçada e furiosa que ela tinha. Eles eram de um verde mesclado incomum, incrivelmente claros. Como ele nunca os havia notado antes? Ela retirou a mão e enfiou-a no espaço entre o estômago dele e o dela. Ele podia sentir a curva dos dedos de Cleo se esbarrando nele enquanto ela se tocava. Suas pálpebras se abriam e fechavam como asas batendo. Ela escorregou a mão até onde ele entrava nela, apertando-o entre os dedos enquanto ele entrava e saía, entrava e saía. Ele demorou mais dez segundos, permitindo-se algumas rápidas investidas para finalizar, e então liberou dentro dela.

Cleo riu quando Anders soltou o peso de seu corpo sobre ela com um gemido.

— Tudo bem — disse ela, dando-lhe um tapinha nas costas. — Vamos trabalhar nisso.

Ele estava ficando velho demais para fazer sexo no chão desse jeito. Na parte inferior das costas, ele sentiu uma pontada de queixa quando a deixou e se apressou para colocar o pênis murcho de volta na cueca. O corpo pálido de Cleo estava parado no tapete ao lado dele como um vaso de lírios caído. Ela estava olhando para o teto com uma expressão vazia e inescrutável. O que ela estava pensando? Teria se arrependido? De repente, ela parecia ter se afastado dele. O corpo dela estava lá, mas ele podia sentir a presença dela se retirar. Parecia sair da luz do sol rumo às sombras.

— Tem um cigarro? — ele perguntou, esforçando-se para soar natural.

Ela rolou de bruços, em silêncio, para pegar a bolsa e tirar o maço, colocou um cigarro na boca e acendeu-o com a graça nascida da prática. Exalando, ela passou-o para ele.

— Você não está na África do Sul — disse ele.

Ela balançou a cabeça.

— Você teve que trabalhar ou algo assim?

Outra sacudida de cabeça.

— Por que então?

Ela se sentou e tirou o cigarro da boca dele, trazendo-o de volta para a sua. Ele podia ver uma mancha úmida no tapete no lugar onde o sêmen escorrera de dentro dela.

— Você não vai falar mais nada? — ele perguntou.

Cleo pousou os olhos claros nele. A suavidade que ele havia testemunhado nela momentos antes se fora, substituída por uma severidade que o inquietou. A voz, quando ela falou, era baixa.

— O que você quer que eu diga?

— Por que você não foi para a África do Sul?

Ela olhou em volta procurando algum lugar para deixar o cigarro, então bateu as brasas na palma da mão.

— Nossa. Aqui...

Ele pulou e pegou uma xícara no balcão da cozinha. Esse era o problema com Cleo, pensou ele, ela nunca pedia ajuda para nada. Ajoelhando-se na frente dela, ele pegou a mão dela e gentilmente limpou a cinza da palma, deixando-a cair na xícara.

— Eu não quis mais ir — disse ela silenciosamente.

— Vocês dois brigaram ou algo do tipo?

Seus ombros pálidos se aproximaram das orelhas.

— Não importa.

— Tenho certeza de que importa para Frank.

— Frank é um bêbado — falou ela bem baixinho.

Anders pensou nisso por um momento. Frank bebia muito, ele teve que admitir, mas ele também. É claro que para Anders, por ser escandinavo, era apenas um fato cultural. E Frank não era como um mendigo que bebia até morrer embaixo de uma ponte. Se era um bêbado, ele era pelo menos um de alto desempenho.

— É por isso que você está aqui, então? — ele disse. — Por vingança por ele beber?

Ela balançou a cabeça novamente e olhou para a mão, que ele ainda estava segurando na dele.

— Então por quê? — ele perguntou. — Você só queria companhia?

Ela agarrou os dedos dele com uma firmeza surpreendente.

— Eu queria você — ela falou.

...

O que mais o surpreendeu foi como era fácil estar com ela, quão pouca culpa ele sentia. Ele pensava nela com frequência, desde aquela noite de bebedeira que passaram juntos, é claro, mas ele soube como colocar os sentimentos por ela em uma parte profunda e intocada de si mesmo. O dia em que Frank disse-lhe que se casariam, ele sentiu um tipo estranho de traição — por

Frank ou Cleo, ele não saberia dizer — e prometeu manter distância dela. E ele conseguira por quase um ano. Até agora.

Todas as noites, depois do trabalho, ele corria para casa para vê-la, ansioso para tê-la de volta nos braços. Eles mal saíam do apartamento. Pediram pratos de sashimi e comeram-nos com os dedos. Fumaram maconha em uma maçã e fizeram sexo lento, surreal. Assistiram a filmes abraçados. Ignoraram a neve que caía suavemente pela janela. Tomaram banhos juntos. Beberam chá. Apertaram os pés um do outro. Tocaram músicas para o outro. Fizeram um boneco de neve na varanda. Fizeram sopa. Cheiraram cocaína e ficaram acordados conversando até que a manhã os levasse de volta para a cama. Dormiram um ao lado do outro, às vezes com intermitência, às vezes em paz, todas as noites durante duas semanas.

No dia da volta de Frank, Anders acordou ao clarear. Cleo estava ao lado dele, com uma faixa de luz do sol atravessando-lhe o rosto. Sua expressão, mesmo no sono, era de preocupação. Ele tirou o braço lentamente sob a costas dela e saiu da cama. Ele pensou em tomar banho, mas queria sentir o cheiro de Cleo nele o dia todo. Ele se vestiu depressa com os jeans escuros e a gola alta habitual, depois foi para a cozinha. Chá e mingau, era isso que Cleo gostava de manhã. Assobiando entre os dentes, ele ligou a chaleira e tirou o leite da geladeira. Uma pluma de vapor flutuou para a sala. Mexeu a aveia, acrescentou um redemoinho de açúcar mascavo granulado. Frank estaria aterrissando em poucas horas.

O cartão postal que Frank enviara estava sobre o balcão da cozinha. Na frente, havia uma foto de um homem sendo atacado por um leão. A legenda dizia "Envie mais turistas para a África do Sul!", Anders o recebeu com um choque de medo — seria Frank o leão? — quando ele se lembrou de uma brincadeira antiga entre os dois de enviar o pior cartão postal que pudessem encontrar de todos os países que tinham visitado. Na parte de trás, rabiscadas na letra quase ilegível de Frank, havia quatro palavras: "Pensei em você, irmão".

Anders olhou para o relógio; não tinha muito tempo. Hoje era o dia dele com Jonah, filho de sua ex-namorada Christine. Jonah não era seu filho biológico, mas Anders conviveu com ele dos quatro aos dez anos e o amava de uma maneira feroz e desconfortável que ele imaginava estar perto do amor paterno. Estava ansioso para vê-lo, embora não dedicasse tempo a ele com a frequência que deveria. Nesta ocasião, ele ficou contente por essa distração. Seria bom tirar o pensamento do avião de Frank pousando lentamente em Nova York.

Cleo estava espalhada na cama como uma estrela quando ele voltou com o café da manhã. Ela tirou as cobertas dela, deixando o peito pálido exposto. Ele gostava dela desse jeito logo de manhã, sem adornos. Os cílios prateados deram ao seu rosto um ar aberto e desprotegido. Ele se sentou na beirada da cama e se inclinou gentilmente para beijar o mamilo. Ela deu-lhe um dos seus sorrisos sonolentos, como um raio de sol lutando em um céu nublado.

— Dormiu bem? — ele perguntou.

— Tinha barulho no encanamento.

— É um prédio antigo — ele disse. — Eu fiz o café da manhã.

Cleo sentou-se e olhou para ele, séria.

— O que você acha de Eleanor?

— Quem?

— A redatora da firma de Frank.

— Ela é legal, eu acho? Por que diabos você está perguntando isso?

— Eu acho que Frank está apaixonado por ela.

Anders colocou o mingau e a caneca de chá na mesa de cabeceira com força.

— Por que você está falando disso agora?

— Você também acha que ele está?

— Eu acho que você está sendo ridícula. Eleanor? Ela... Ela não é o tipo de Frank.

— Eu vi os e-mails dele.

— Agora?

— Não. Há pouco tempo.

— E daí?

— Eles mandam piadas. Coisas que eles acham engraçado.

— E?

— É o tipo de coisa que as pessoas fazem quando estão apaixonadas.

— Ou são colegas de trabalho entediados. Você nunca teve um emprego em um escritório, Cleo. Esse tipo de coisa é normal.

— Não parece normal.

— Ah, então é isso? Você acha que Frank está tendo um caso, então queria ter um também?

— Eu não acho que eles estão tendo um caso exatamente. Eu acho que ele... Eles sentem alguma coisa.

— Você está louca.

— *Não* me chame de louca.

Cleo sentou-se distante da cabeceira da cama e enrolou-se de volta nas cobertas. Seu rosto estava tenso e pálido.

— Olhe... — Ele pegou as mãos dela que estavam apertadas contra o peito e segurou-as entre as dele. — Eu sei que é difícil, Frank está voltando, e nós, sem saber... Como agir. Mas passamos um tempo tão feliz juntos. Não vamos brigar agora, por favor.

— Vou falar alguma coisa para ele — disse ela.

Ele largou as mãos dela.

— O que você quer dizer?

— Eu não posso... — Ela parou, tentando encontrar as palavras certas. — Alguma coisa tem que mudar.

Anders sentiu um impacto no estômago, como se um plugue tivesse acabado de ser arrancado da tomada.

— Cleo, por favor, seja lá o que você for fazer, não diga nada sobre nós para ele. Ainda não. Eu preciso de... Eu preciso de mais tempo.

— Eu não vou te envolver nisso.

— Então o que você quer dizer?

— Não sei! Que eu não estou feliz. Que estou mudando. Eu tenho que fazer *alguma coisa*. Você pode me fazer uma promessa?

Ela pegou as mãos dele onde haviam caído no seu colo. Anders podia se sentir afastando-se dela fisicamente enquanto ela se agarrava a ele. Ele teve que resistir ao impulso de saltar da cama e fugir pela escada de incêndio.

— O quê?

— Prometa que você estará comigo. Você não precisa sair contando para todo mundo que estamos juntos. Apenas prometa que você estará comigo.

— Olha, eu tenho que ir — disse ele. — É o meu dia com Jonah, eu te disse. Tem mingau para você lá. Por favor, não faça nada por impulso, Cleo. Por favor.

Ele a beijou rapidamente no rosto e apontou para o mingau, como se comê-lo fosse resolver tudo.

— Fique aqui — pediu ela, mas ele já estava saindo pela porta.

Ele chamou um táxi e seguiu para a região oeste. Ele estava atrasado. Quando eles entraram na via para o oeste, Anders relaxou a cabeça no encosto do banco. Corredores bem agasalhados contra o frio corriam ladeando a água, e além dela se via o horizonte sem glamour de Nova Jersey. Eleanor era de Nova Jersey, ele se lembrou de Frank ter dito. Anders não deu muito crédito à teoria de Cleo a respeito dos sentimentos daqueles dois. Cleo era sensível, criativa, levemente paranoica; e enxergava demais em tudo. Frank teria contado a Anders se tivesse se apaixonado por outra pessoa. Enfim, o que o faria ir atrás de uma mulher como Eleanor quando ele tinha Cleo?

Os sentimentos de Anders por Cleo eram um redemoinho de contradições. Sua reação inicial à possibilidade de ela contar a Frank sobre eles era de terror, quase repulsa. Agora, no silêncio do táxi, o pensamento de Cleo ser sua o tempo todo, às claras, não apenas por alguns momentos roubados, acendeu um calor de prazer dentro dele. Mas qual seria o preço desse prazer? Ele conhecia Frank há mais de vinte anos, e Cleo, há apenas um.

Mas estar com Cleo o fez se sentir imprudente, como se pudesse queimar sua vida por completo e reconstruí-la.

Ele chegou à casa de Christine e ligou para o apartamento dela pelo interfone. Ele adorava o lugar quando morava lá, as paredes curvas e as claraboias empoeiradas, mas ficou aliviado ao voltar para o centro da cidade quando eles se separaram. Ele achou o Upper West Side opressivo, com seus inevitáveis carrinhos de bebê e conversas sobre escola. Ele sempre sentiu, talvez ilusoriamente, que era jovem demais para morar lá.

Ele entrou no elevador e aguardou até chegar ao andar dela. Christine era contadora de um escritório de arquitetura e se mantinha sem ajuda de um parceiro, fato que a deixava extremamente orgulhosa. As portas se abriram para revelar seu rosto anguloso e familiar. Ela o puxou para um abraço.

— Ah, Anders — disse ela, esfregando o rosto no pescoço dele. — Você voltou a fumar.

— Apenas socialmente — respondeu ele.

— Você cheira a adolescente.

— Você cheira igual — rebateu ele.

Ele reconheceu o cheiro familiar, amadeirado e um pouco picante, do perfume que ela costumava roubar dele.

— Jonah está no quarto dele se arrumando — disse ela. — Cidades já foram construídas em menos tempo.

Ele a seguiu até a cozinha.

— É possível que eu tenha que ir embora um pouco mais cedo.

Frank deveria estar pousando agora, ele calculou. Então, em uma hora, talvez duas, ele deveria passar pela alfândega e voltar à cidade. Ela diria algo no momento em que ele passasse pela porta? Ele confiava em que ela não o trairia contando para Frank. Mas o que ela diria? Ela iria deixá-lo? E se Frank suspeitasse dele de qualquer maneira?

— Tudo bem — disse Christine. — Divirta-se com Jonah, mas não muito. Estou de olho nele. Um expresso?

Anders concordou e verificou o telefone. Nada de Cleo.

— O que ele fez? — ele perguntou.

— Ele me chamou de vadia porque eu não vou dar para ele um cartão de crédito como todos os outros amigos supostamente têm. Um cartão de crédito! Ele tem *treze* anos, pelo amor de Deus. Ele deveria se sentir milionário se tivesse cinquenta dólares.

Ela foi até o corredor e chamou Jonah. Na boca dela, o nome do garoto era formado por duas sílabas longas, como uma sirene de ataque aéreo.

— Mulher, já estou indo! — Ele ouviu Jonah gritar.

Christine revirou os olhos.

— Só porque cresceram dez pentelhos ele já pensa que pode me chamar de "mulher" — disse ela. — Às vezes me preocupo se criei um verdadeiro fedelho.

— Nós criamos — disse ele. — E todas as crianças são fedelhas nessa idade.

Ela sorriu, depois franziu a testa.

— Eu não era.

Ela se virou para a máquina de café expresso e entregou-lhe a xicarazinha fumegante.

— E aí, você está saindo com alguém agora? — ela perguntou. — Mais top models russas?

— Sasha era ucraniana — disse ele. — E não.

— Veja só. — Christine arqueou as sobrancelhas. — O que você tem feito com todo o seu tempo livre?

Cleo, ele pensou.

— Trabalhado — disse ele.

As coisas estavam indo bem na revista, apesar da sua desatenção. Eles estavam abrindo um escritório em Los Angeles e, de fato, pediram a ele alguns dias antes para ser o chefe da equipe da Costa Oeste. Ele ainda não havia contado isso para ninguém e agora percebeu, com uma onda de prazer, que podia contar a Christine.

— Na verdade — ele disse —, fui convidado a ser o editor-chefe do novo escritório de Los Angeles.

— Ah, Anders, que maravilha. — Ela se inclinou e o beijou no rosto. — E aí, quando você vai se mudar?

— É uma honra, mas não vou aceitar — ele respondeu. — Tem o Jonah, você sabe, eu devo ficar aqui, perto dele. E seria muito mais longe para meus pais, se eles quisessem vir me visitar.

Ele não tinha intenção de sair de Nova York. Não quando sua vida, de repente, se tornou tão cheia de Cleo. Talvez fosse melhor se Frank soubesse mais cedo ou mais tarde. No fim, ele o perdoaria. Especialmente se ele estivesse, como Cleo suspeitava e Anders não conseguia acreditar, apaixonado por Eleanor. Anders poderia ser feliz com Cleo. Eles poderiam viver juntos, ter sua própria casa. Talvez em Uptown, perto do parque. Jonah iria gostar dela, ele tinha certeza.

— Anders. — Christine franziu sua testa ao falar com ele. — Seus pais nunca vieram aos Estados Unidos em todos esses anos que te conheço. E quanto a Jonah, você não o vê nem uma vez por mês agora. Ele pode ir visitá-lo. Tenho certeza de que ele adoraria.

— Eu o vejo mais do que isso, com certeza — Anders disse.

— De qualquer forma, não é com Jonah que você precisa se preocupar. Frank é quem realmente não pode viver sem você. — Christine tomou um gole de café e fez uma careta. — Ele é o típico exemplo de dependência.

— Isso não é verdade. E ele tem a Cleo agora.

Apenas o som do nome dela na boca deu-lhe uma sensação de calor.

— Eu acho que esses dois não vão durar muito.

— Você não acha? E por quê?

Porque ele transou com ela duas vezes na noite anterior.

— Frank ainda age como criança — disse Christine. — E, pelo que eu ouvi, ela é praticamente uma criança.

— Ela dificilmente... — Ele ficou levemente em pânico por essa descrição dela, considerando que ele era dois anos mais velho do que Frank.

— Ah! — Christine ergueu as mãos no ar, olhando para além dele. — E aqui está minha criança!

— Eu não sou criança, mãe — Jonah rosnou.

Anders correu para abraçar Jonah, que aceitou o abraço, mas não o retribuiu. Jonah estava na fase desajeitada de um surto de crescimento, com os membros longos demais para seu corpo. Os cabelos castanhos desgrenhados cobriam parcialmente as marcas de acne que estavam pipocando do rosto em direção às têmporas. Apesar de tudo, Anders pensou, ele parecia muito bem. Ele estava usando uma camisa do Chelsea e jeans selvedge justos que o próprio Anders usaria.

— Nossa — disse Anders. — Você está quase da minha altura.

— É, talvez — falou Jonah, olhando para seus tênis. — Mas você ainda é alto pra caramba.

— Eu pensei que poderíamos ir ao Museu de História Natural. — Anders descansou as mãos levemente nos ombros de Jonah. — Há uma exposição de borboletas.

A sugestão parecia totalmente sem graça, mesmo para ele. Jonah deu a ele um olhar que só podia ser descrito como fulminante. Quando ele aprendeu a olhar para alguém assim?

— Tudo bem, foda-se isso. — Anders sorriu. — Você quer ir comer uns filés ou algo assim?

— Olha o vocabulário! — disse Christine.

— Claro, tanto faz — respondeu Jonah, dando de ombros dentro do sobretudo.

A churrascaria à qual eles foram estava escura e vazia, impenetrável pelo sol ou pelo ar alegre do fim de semana que permeava as ruas do lado de fora. Para combinar com o item principal no menu, o interior do restaurante era vermelho-sangue; paredes recobertas carmim, jogos de cadeiras marrons-escuras, guardanapos carmesim grossos pregueados sobre mesas de mogno. Era como estar dentro de uma artéria.

Anders pediu filés *porterhouse* com acompanhamento de batatas assadas e creme de espinafre, além de uma cerveja Peroni e coca-cola. Comida de homem de verdade, ele observou secamente para si mesmo, pensando nos seus brunches vegetarianos semanais com Frank em Sant Ambroeus, nos pedidos de ovos orgânicos e muitas rodadas de Bloody Marys para melhorar os efeitos da noite anterior. Ele percebeu, para começar, que esses brunches terminariam para sempre.

— E então, como vai o colégio? — ele perguntou.

— Sou novo para o meu ano — disse Jonah, tomando a coca-cola em um gole. — Todo mundo tem catorze anos.

— Mas como é lá? — perguntou Anders. — Você está fazendo amigos?

— Está tudo bem — falou Jonah. — Como se chama quando você usa letras que significam palavras?

— Acrônimo — disse Anders, aliviado por ter se lembrado.

— Sim, isso. Você sabe que eles dizem que Dwight, o nome da escola, é um acrônimo? Dumb White Idiots Getting High Together [Imbecis Brancos e Burros Ficando Chapados Juntos].

— E quanto sua mãe está pagando para você estudar lá? — perguntou.

— Uma porrada de dinheiro. — Jonah deu de ombros. — Eles têm um bom time de futebol.

Anders checou o telefone discretamente. Nada. Ele tomou boa parte da cerveja no silêncio que se instaurou.

— Então... O colegial é bom — ele tentou novamente. — Muito diferente do ensino fundamental?

— Tem muito drogado lá — disse Jonah, brincando com seu guardanapo. — Um calouro foi pego cheirando coca na biblioteca na semana passada. Você já experimentou?

Experimentou? Ele amava. Mas não estava disposto a contar isso para Jonah. A lembrança de cheirar as carreiras de pó nos seios lisos de Cleo veio a ele como um choque elétrico. Ele tomou outro gole de cerveja.

— Não, amiguinho — disse ele. — Isso detona o cérebro.

— Então, temendo ter dado o tipo de resposta mecânica que ele teria ignorado quando era adolescente, acrescentou: — Fique só na cerveja e no baseado. É uma aposta mais segura.

— Bom saber. — Jonah sorriu. — Ei, que pulseira bacana.

Ele estendeu a mão do outro lado da mesa e tocou o pulso de Anders. Foi a primeira vez que ele fez contato com ele naquele dia.

— Você gostou? — Anders perguntou. — Fique com ela.

Ele desenrolou-a e observou Jonah colocando-a, hesitante, no próprio pulso fino. Era feita de corda marítima azul e tinha um fecho de anzol prateado. Jonah olhou para ela e depois de volta para Anders.

— Não — ele disse. — É muito gay.

Anders observava a pulseira enquanto Jonah a tirava. Oitenta e cinco dólares na Barneys por algo que seu pai poderia ter feito com o que tinha na sua caixa de ferramentas. Ele colocou-a no bolso do jeans.

— Não acredito que vocês ainda chamam as coisas de gay — disse ele.

— Significa apenas que não é bacana, você sabe, ruim. Não tem nada a ver com sexualidade.

— O que você sabe sobre sexualidade? — exclamou Anders. — Você só tem dez pentelhos!

— Bem — disse Jonah, endireitando-se na cadeira. — Eu já tenho uma namorada. Então foda-se.

Anders ficou emocionado por merecer essa confiança, mesmo que fosse agressiva. Jonah nunca havia conversado com ele sobre garotas antes.

— Isso é fantástico! Quem é ela?

— Ela é mais ou menos minha namorada, eu não sei direito — disse Jonah. — É a Raquel.

— Raquel — repetiu Anders. — Fantástico. Como ela é?

— Ela está na minha série — disse ele. — Ela é bacana. Ela não é a menina mais gostosa da turma, que é a Natalia, mas ela está entre as quatro primeiras. E — ele sorriu para si mesmo com a lembrança —, ela me deixou enfiar um dedo nela.

— Uau — disse Anders, verdadeiramente surpreso.

Jonah se inclinou para trás na cadeira e pegou a faca de bife, girando a ponta contra a ponta do dedo. Provavelmente o mesmo dedo, Anders observou, que recentemente esteve dentro de uma caloura de Dwight chamada Raquel.

— Eu tentei fazê-la me chupar — disse Jonah. — Mas ela ficou toda chorosa, então eu desisti.

Esse tom era totalmente novo para ele. O Jonah dele era sensível, gentil. Ele chorou na metade dos filmes aos quais Anders o levou para assistir. Anders lembrou-se de que Cleo havia falado a ele sobre empatia, como deveria ser exercitada como um músculo, principalmente nos meninos, a partir de tenra idade. Ela disse que era a habilidade mais importante que uma pessoa poderia ter, a capacidade de se colocar no lugar de outra.

— E, hum, como você acha que isso a fez se sentir? — Ele se aventurou.

— O que você quer dizer?

O garçom chegou para servir os filés. O sangue atravessou os pratos. Anders abriu a batata assada e olhou para Jonah através da nuvem fugidia de vapor.

— Quando você, hum, a tocou — ele disse quando o garçom se afastou.

Jonah mordeu um pedaço do filé.

— Ah, eu sei como isso a fez se sentir — disse ele. — Molhada!

O telefone de Anders vibrou. Ele o tirou do bolso e sentiu tudo dentro dele se contrair. Frank estava ligando para ele. Ela deve ter contado para ele. Ele murmurou algo para Jonah sobre uma chamada de trabalho e tropeçou na mesa. Ele saiu do restaurante e foi para a luz do sol, o telefone ainda zumbindo na mão. Era um dia atípico, quente demais para fevereiro; mesmo sem a jaqueta, ele estava suando. Um grupo de garotas passou, cantando uma música pop, acompanhando o som no telefone. O polegar de Anders pairava sobre o botão de resposta. Ele não conseguia se mexer. Ele quis que o polegar pressionasse, mas ficou paralisado. Ele olhou para o nome. Frank. Frank. Frank. Então a tela escureceu. Ele perdeu a ligação. As meninas atravessavam a rua, a música ia desaparecendo junto com elas. Ele exalou, procurando no bolso pelos cigarros que ele já sabia ter deixado com Cleo. O telefone vibrou novamente e avisou sobre uma mensagem de voz. Ele aproximou-o do ouvido, o coração disparado.

— Meu irmão! — a voz de Frank disse. — Voltei. Os melhores frutos do mar que já comi. Pernas de polvo do tamanho do meu braço. Você teria adorado. De qualquer forma, vou comprar comida com Cley. Ela quer comer durante o jogo do Arsenal, é claro. Venha nos encontrar! Ou se você quiser beber alguma coisa mais tarde...

Ele ouviu um murmúrio ao fundo, uma voz feminina baixa. Cleo.

— De qualquer forma, me ligue de volta — disse Frank. — Tenho saudades do seu belo rosto dinamarquês.

Anders voltou para a mesa. Ele sentiu alívio e decepção envolvê-lo em ondas, uma sensação ganhava força quando a outra se retirava. Cleo não o deixou. Ela não o faria. Ele foi poupado de uma tristeza, apenas para ganhar outra. Ele se sentou, olhou para o bife sangrento sem apetite e depois se levantou.

— Eu vou correr para o banheiro — disse ele em resposta à aparência confusa de Jonah. — Não coma meu bife enquanto eu não chegar. — Ele tentou dar um sorriso.

Ele se trancou em um cubículo e desabotoou o jeans, inclinando uma mão contra a parede e se posicionando sobre o vaso sanitário. Ele fechou os olhos e viu Cleo. Ela estava ajoelhada na frente dele, nua e sorrindo para ele. Ele esfregou o pênis e se imaginou estendendo a mão para mexer nos cabelos dourados. Acariciava seus seios, beliscava seus mamilos. Então apertava com força. Enfiava o pau na boca dela, sentindo ela engasgar com ele. Segurava a parte de trás da cabeça dela, enfiando-se mais profundamente na garganta dela. Lágrimas deslizavam pelo rosto dela; ele tirava de dentro da boca dela e dava um tapa em um lado do rosto dela, depois no outro. Estava fodendo-a por trás agora, as mãos separando as nádegas. Enfiava o pau no cu dela, rosa e enrugado. Batia e cuspia nela, puxando seus cabelos compridos. Virava e puxava as pernas dela. Afundava de volta na boceta molhada dela agora, esmagando-a. Enfiava os dedos na garganta vermelha apertada. Apertava os olhos dela com os polegares. Depois estava socando o rosto dela, seu rosto lindo, irreverente e comovente, bam, bam bam, até que o rosto esmagou, formando um buraco como em uma boneca de porcelana, e não havia nada além de um buraco preto onde antes estavam a boca e o nariz dela. E então ele estava fodendo o buraco, fodendo, fodendo, fodendo, fodendo o espaço onde estava seu rosto até que, depois de cambalear por um tempo, ele caiu nele e desapareceu completamente.

...

De alguma forma, Anders continuou com o almoço, apenas com o leve incidente de concordar, distraído, em dar um cartão de crédito a Jonah. Christine ficaria furiosa, mas ele daria um jeito nisso mais tarde. Eles voltaram do restaurante pela Columbus Avenue, e pararam para passear pelos brechós na 77ª Street. Jonah caminhava atrás dele com o olhar fixo no telefone, cego para a mistura de bugigangas em exibição. Anders sentiu vontade de jogar o seu próprio telefone no lixo. Ele caminhou até outra mesa e folheou, desatento, uma pilha de revistas *i-D* da década de 1980 até que, com um susto, ele se viu retribuindo o próprio olhar.

A foto foi tirada em um beco em Soho, em preto e branco, deliberadamente granulada, parecendo ainda mais velha do que era. Ele não tinha lembrança desse retrato, mas isso não o surpreendeu. Ele voltou para a capa: 1982. Ele tinha vinte anos. Ele usava calças folgadas e um paletó sem camisa, apoiado contra a parede de tijolos, as mãos nos bolsos, na pose atemporal de despreocupação da juventude. Ele era incrivelmente esbelto; rosto oco, peito oco, cabelos lívidos caídos sobre um olho, o outro olhava diretamente para a câmera, para ele.

— Ei, Jonah, venha ver isto!

Anders segurou a revista aberta para ele poder ver.

— É você?

— Parece que sim.

— Há um garoto um ano depois de mim que é modelo — disse Jonah, encurvando os ombros. — Todo mundo gosta dele. Era, tipo, divertido?

— Ser modelo? Às vezes. Na maior parte do tempo era um tédio.

E aterrorizante, o que nunca admitiu para ninguém. Ele quase nunca falava dos primeiros anos em que se mudou para Nova York. Como tinha sido passado para trás por agentes de elenco, gerentes e estilistas, todos mais velhos do que ele, todos iniciados nesse mundo de sugestões e insinuações que não conseguia decifrar. Houve uma sessão de fotos em que tinha sido convencido a ficar nu, exceto por uma mancha de batom. Lembrava-se muito bem da humilhação desconcertante de tentar parecer imperturbável diante do fotógrafo. Ele ainda não sabia para que essas fotos seriam usadas.

Jonah se inclinou para ver a imagem mais de perto.

— Não, não é você... Olha, o nome do modelo está aqui. Jack.

— O quê? — Anders trouxe a página mais perto do rosto e examinou o texto.

Jonah estava certo. No crédito do modelo aparecia outro nome.

— Esquisito. — Jonah deu de ombros. — Parece muito com você.

Jonah se afastou em direção a outro estande, e Anders ficou encarando, com constrangimento, o seu não eu. Em uma inspeção mais minuciosa, esse modelo era magro demais para ser ele, e tinha o rosto mais simétrico e americano. Anders fechou a revista e colocou-a de volta na pilha. O que seu agente costumava dizer? Todo mundo era substituível.

— E aí, Anders — Jonah chamou de um estande próximo. Ele estava jogando uma bola de futebol de couro marrom de uma mão para a outra. Ela era tão velha quanto Anders, do tipo com o qual o pai dele poderia ter praticado. — Quer chutar esta aqui? Eu tenho testes em uma semana.

Cem dólares por uma bola de futebol (o vendedor continuava insistindo que "era costurada à mão"), mas não importava. Jonah deixou Anders manter o braço ao redor dos seus ombros por toda a extensão das duas avenidas enquanto caminhavam até o parque. Ele nunca foi uma grande figura de autoridade para Jonah, razão pela qual Christine costumava repreendê-lo quando eles estavam juntos. Mas era diferente para ele. Ele conhecia Jonah desde os quatro anos, dois terços da vida dele, mas não a vida inteira. Ele não tinha um amor garantido.

Eles ficaram frente a frente no grande gramado, jogando a bola de um lado para outro. A mente de Anders seguia o ritmo da bola; seus pensamentos começaram a se desacelerar e a se organizar. Ela não iria deixar Frank. Ela precisava muito dele. E mesmo que ela o deixasse, ela e Anders não poderiam ficar juntos. Seria tudo muito confuso, um relacionamento nascido da destruição de um casamento e de uma amizade. E, no entanto, aqui estava ele se convencendo de que era uma boa ideia, como algum tonto romântico. Já bastava.

— Você ainda tem pernas muito boas para um velho — Jonah gritou.

— Obrigado — Anders respondeu gritando. — Mas eu não sou velho.

— Você tem uns cinquenta anos — disse Jonah, se aproximando.

— Tenho quarenta e cinco, porra — disse Anders.

Jonah riu.

— Olha o vocabulário!

— Não conte para a sua mãe.

— Mas você não tem filhos — disse Jonah de repente.

— Eu tenho você.

— Sim, eu sei, mas crianças de verdade que moram com você e essa merda toda.

— Olha o vocabulário, garoto — disse Anders, com menos convicção.

— Olha... — Jonah segurou a bola ainda com o pé. — Eu só acho que minha mãe se preocupa com você. Eu a ouvi falando de você ao telefone com a tia Vicky.

— A tia Vicky é aquela que tem um filho na Simulação da onu?

— Ned? Aquele garoto é um pé no saco.

— Com certeza — disse Anders e sentiu o sorriso de Jonah aquecê-lo por dentro. — Ninguém precisa se preocupar comigo. Agora, me mostre os seus chutes.

Anders assistiu Jonah fazendo embaixadinhas. Eles contaram juntos, *nove, dez, onze, doze...* Ele tinha quarenta e cinco anos. Ele não tinha filhos de verdade que moravam com ele e essa merda toda. Ele não era casado, nunca tinha sido. Seu relacionamento mais longo foi o de seis anos com a Christine. Mas ele ainda estava com saúde, ainda tinha sua bela aparência. Se ele tivesse um bebê no ano seguinte, ele teria apenas sessenta e seis quando o garoto tivesse vinte anos. Ele não era tão velho. As pessoas corriam maratonas aos sessenta e seis anos. Ele só precisava conhecer alguém. Alguém sem toda a bagagem. Jonah perdeu o controle da bola e Anders correu para recuperá-la.

— Ei, Jonah — falou Anders, jogando a bola de volta para ele. — Estou pensando em me mudar para Los Angeles. O que você acha?

— Tipo, para a praia?

— Talvez — ele disse. — Sim, na verdade. Eu podia dar uma olhada em Venice Beach.

— De onde vem os Z-Boys? — perguntou Jonah.

— Exatamente — disse Anders. — E você viria me visitar, é claro. Poderíamos surfar. E vou comprar um carro, um conversível, para que possamos dirigir até o deserto.

— Bacana — disse Jonah. — O Chelsea vai jogar no LA Galaxy em breve.

— Vou comprar ingressos — disse Anders, e apertou o ombro dele. — Não teria mesmo problema para você?

Jonah olhou para o chão e deu de ombros.

— Eu não ligo.

Ele apanhou a bola e começou a cabeceá-la. Anders interceptou-a e pediu que ele fosse mais longe. Jonah correu pelo gramado, a silhueta do West Side aparecia atrás dele. O sol ainda estava se pondo cedo, mas ainda restava uma boa hora de claridade. Anders deu alguns passos para trás, correu para frente e chutou a bola. Foi um passe perfeito.

CAPÍTULO ONZE

INÍCIO DE MARÇO

Frank deixou um bilhete no balcão da cozinha para que Cleo o encontrasse, mas não fora escrito por ele. Era do vizinho deles. Ele estava reclamando sobre seus "histrionismos noturnos de novela", nas palavras dele. O vizinho era um crítico de teatro com o cabelo impecável, de modo que ele podia dizer coisas assim. Cleo leu o bilhete mais uma vez, dobrou-o em quatro com cuidado e depois queimou-o na pia da cozinha. Era meio-dia.

Frank havia saído cedo naquela manhã para uma gravação que não duraria além do pôr do sol. Ela não o ouviu sair; ele tinha começado a dormir no sofá declaradamente para evitar perturbar Cleo por chegar tarde em casa, mas sobretudo para que ele pudesse chegar bêbado impunemente. Não seria preciso dizer que esse arranjo significava que eles não estavam mais fazendo sexo. Cleo passou a manhã deitada na cama, observando a luz do sol subindo de forma agressiva no teto, até que a sede a levou à cozinha, onde ela encontrou o bilhete esperando por ela. Frank não a avisou nem anexou nenhuma mensagem dele à do vizinho. Ele deixou para ela descobrir sozinha.

Ela colocou os fósforos de volta na gaveta de talheres. Lá estavam os *hashis* pintados à mão que ela havia feito para ele quando se conheceram, há mais de um ano. Ela estava sempre fazendo coisas naquela época, e levava-as para Frank como um gato que, orgulhoso, deixava um pardal aos pés dele. Não mais.

O bilhete era um tipo novo de humilhação. Alguém os tinha percebido. Pior, alguém havia confirmado o que ela já temia: eles não eram normais. Não era normal brigar como eles faziam. Não era normal Frank chegar bêbado tantas noites seguidas. Não era normal que ela reagisse com tanta selvageria quando ele chegava assim. No mês passado, ela quebrou um vaso e um cinzeiro, ela havia batido em seu rosto, peito e braços e na noite passada ela jogou nele a orquídea azul que ele havia comprado como presente de casamento, partindo o caule ao meio.

— Os outros não são assim — ela dissera na noite anterior. Eles estavam sentados no chão da sala, a terra preta da orquídea espalhada ao redor. — São?

Ela olhou para ele.

— Eu não sei, Cley — ele respondeu.

— Mas o que você acha?

— Tenho certeza de que existem casais que são piores. — Ele deu de ombros. — E outros que são melhores.

— Você achou que seríamos do time dos melhores?

Ele deu de ombros novamente.

— Eu não imaginava que seria tão difícil.

— Ser casado?

— Viver juntos, tudo. Eu não pensei que você seria tão... Tão afetada por mim.

— Pelo que eu seria afetada, senão por você?

— Eu sei, eu sei. É só que eu trabalho muito. A vida é difícil. Eu não quero voltar para casa e ter... As brigas, você sabe. Eu não gosto disso. E você está sempre chateada comigo.

— Mas por que o ônus de não estar chateada fica para mim? Por que você não pode voltar para casa mais cedo? Ou não passar tantas noites fora? Por que você não pode... Sei lá, ser melhor?

Frank apoiou a testa nas palmas das mãos e olhou para baixo.

— O quê? — ela perguntou. — São sentimentos demais para você, Frank?

Ele olhou para ela entre as mãos.

— Não tem graça, sabe — disse ele em voz baixa. — Sempre estar errado.

Ele se levantou todo rígido e saiu da sala, e foi como se toda a luz tivesse ido embora com ele, deixando Cleo no mundo sombrio dos seus próprios pensamentos outra vez.

...

Cleo abriu a torneira e jogou água sobre as cinzas na pia, recolhendo a sujeira escura do ralo na palma da mão. Uma novela, foi o que o vizinho escreveu, e era verdade.

Ela se ajoelhou no chão da cozinha e deu um soco uma, duas vezes, no estômago. Ela caiu para a frente sobre as mãos e joelhos, respirando pesadamente. Ela podia sentir os seios e estômago puxando-a em direção ao chão. Ela se equilibrou em uma mão e deu um soco no estômago outra vez. Era inútil; a gravidade trabalhava contra ela, suavizando os golpes. Ela queria que a raiva saísse dela, para se sentir quieta e imóvel, mas os socos foram insuficientes para desalojá-la. Ela continuou aumentando.

Ela ficou em pé sem esforço, com o olhar perdido vagando ao redor da cozinha. Ela e Frank ganharam um conjunto de facas no casamento, com cabos de madeira de faia. Eles nunca as usaram, é claro, nunca cozinhavam, nunca fizeram nada remotamente doméstico. O apartamento todo estava cheio de objetos práticos que se tornaram apenas decorativos — um elaborado aerador de vinho, um trampolim em miniatura, instrumentos musicais caros que nenhum deles sabia tocar. Eles tinham um teremim pelo amor de Deus. Eles não conseguiam nem ter um animal de estimação sem... Cleo espantou o pensamento. Foi doloroso demais lembrar.

Cleo tirou uma faca do bloco de madeira. Ela esticou o braço rígido à sua frente, apoiando a parte de trás da mão no balcão da cozinha, e fechou o punho. A parte interna do seu antebraço era muito clara, e a pele amarelada ia clareando gradualmente, até chegar a um branco suave e exposto, como a barriga de um cachorro. Ela precisava expulsar esse sentimento, controlá-lo para ele parar de controlá-la. Ela ergueu a faca e ensaiou alguns golpes. A faca emitiu um sussurro satisfatório no ar. Ela fechou os olhos e inalou. O truque era não hesitar.

Mas ela hesitou. Ela abriu os olhos. Ela largou a faca e voltou para o quarto, para a cama desfeita e a superfície de lençóis amassados, e se deitou. Lá estava o teto novamente. A raiva estava indo embora, mas no seu rastro havia um vácuo que poderia ser preenchido por qualquer coisa. Ela fechou os olhos e esperou. Ela imaginou lascas de cinzas emplumadas caindo do teto. Prateadas e macias, elas pressionavam seu corpo na cama. Os flocos se prendiam nos cílios e se juntavam nas cavidades entre os braços, o peito e as pernas. Ela ficava sob um monte de cinzas prateadas que silenciava todo o som.

Só então, nessa quietude, chegava o novo sentimento. Era vergonha. Vergonha por ter saído do emprego, vergonha por não pintar, vergonha por ter se casado com Frank, vergonha por ele ter se apaixonado por outra pessoa, vergonha por ter corrido para Anders em busca de consolo, vergonha por ele tê-la descartado, vergonha por Frank beber desse jeito, vergonha por ter deixado Jesus morrer, vergonha por Frank tê-la deixado destruir todo o apartamento procurando por ela antes de esclarecer o que ele havia feito, vergonha por tê-lo acobertado e ter dito a todo mundo que Jesus havia escapado, vergonha de isso ter se tornado seu segredo também, vergonha de ter sentido muito medo de deixá-lo quando disse que faria, vergonha por sua mãe estar morta e não poder pedir conselhos a ela, vergonha por sua mãe não querer ser sua mãe o suficiente para *não* estar morta, só vergonha, vergonha, vergonha.

Ela queria desamarrar os fios que mantiveram os últimos doze meses juntos, desmanchar os pontos como um vestido ao ser liberado para outra pessoa. Queria ser uma pessoa nova. Ela ficou deitada enquanto a luz do sol preenchia e se afastava do apartamento. O seu telefone tocou uma vez e outra vez. Cleo aguentou o telefone tocar dez vezes, depois se levantou da pilha de cinzas e atendeu a ligação.

— Aí está você. Por que você está fingindo que está ocupada? Eu sei que você não está.

Era Quentin. Ele ia pegar um aspirador que encontrou no Craigslist e queria que ela fosse com ele, caso o vendedor tentasse matá-lo.

— O que faz você pensar que eles não me matariam também? — Cleo disse. Ela ficou surpresa com a sua voz, que soou leve e natural. Assustava-a como era fácil para ela fingir a sua própria felicidade.

— Bem, ele não está esperando você — respondeu Quentin. — E é muito mais difícil matar duas pessoas de uma vez só.

O fato de Quentin estar comprando aspirador de pó usado era típico da sua mistura peculiar de extravagância e frugalidade. Ele poderia desperdiçar, com alegria, milhares de dólares em um casaco de pele de cordeiro ou em uma estatueta de anime japonês, mas gastar dinheiro em qualquer coisa minimamente útil, como material de limpeza ou TV a cabo, aborrecia-o profundamente. Talvez ele fosse o membro mais ativo do cartão de fidelidade da farmácia, juntando pontos com entusiasmo de fanático. Era o lado de Quentin que ela estranhamente mais gostava, no entanto; o mesmo lado que significava que ele quase só usava as meias distribuídas gratuitamente nos aviões, o lado que desenhava à mão um cartão de aniversário para ela todos os anos, que fumava cigarros poloneses baratos e comia cereais que ele comprava a granel da internet. O outro Quentin — arrogante, rico, invulnerável — era mais difícil de tolerar.

— Por esse aspirador, vale mesmo a pena ser estuprado e assassinado? — ela disse.

— Credo, ninguém disse nada sobre estupro — respondeu Quentin. — Mas é um Dyson Ball Compact com *três* das cinco cabeças originais.

Cleo estava quieta, olhando para o braço dela.

Quentin exalou ao telefone.

— Isso significa um "sim".

Cleo permitiu que ele a persuadisse a encontrá-lo em uma hora, sentiu o alívio mesclado de ressentimento que chegava quando fazia o que as outras pessoas queriam que ela fizesse. Ela ficou na frente de seu guarda-roupa, congelada. Só o ato de ter que escolher algo para vestir parecia intransponível. Bem devagar, ela deslizou em um jeans. Bom, já era metade do trabalho feito. Ela pegou um dos suéteres de caxemira de Frank e vestiu-o sobre o torso nu. Ele tinha o cheiro da colônia dele, folha de tabaco e especiarias, e outro perfume que era específico de Frank. Ela tirou-o e colocou um dos seus próprios suéteres. Olhou para os sapatos. Estava muito frio lá fora, clima para usar botas mas ela não tinha certeza se lembraria de como amarrar os cadarços. Vestiu meias grossas e deslizou os pés, com cuidado, em um par de tênis sem cadarços. Ela estava indo bem.

Enquanto esperava pelo elevador, ela tentou ouvir o vizinho. Muitas vezes, ao passar pela porta, Cleo podia ouvir as óperas que ele gostava de tocar ressoando no corredor. Era um som bonito e elevado. Mas hoje havia apenas silêncio.

Quando ela o encontrou do lado de fora do prédio, Quentin usava um traje de pijama de seda azul-noturno adornado com pequenas flechas douradas sob um casacão de pele e um par de tênis de corrida antigos. Quentin sempre teve a dupla capacidade de fazer coisas caras parecerem que foram resgatadas de lixeiras e coisas baratas parecem proibitivamente caras.

— Pijama bonito — elogiou Cleo.

— É o meu look de Jack Nicholson-vai-a-um-jogo-dos-Lakers — disse Quentin colocando um par de óculos de armação dourada e grossa no nariz. Ele a olhou com aprovação. — Você está magra.

Cleo havia colocado um sobretudo marrom de Frank e apertado-o na cintura com um de seus cintos vintage. Ela deu uma pequena pirueta na calçada, na frente dele.

— É depressão!

Quentin deu de ombros.

— A melhor dieta que conheço.

Cleo percebeu que ficou decepcionada por ele não ter se dado ao trabalho de fazer mais perguntas. Eles estavam caminhando em direção ao final do quarteirão, onde o trânsito já estava se intensificando na avenida. A luz amarela dos faróis disseminava-se e se acumulava em poças enlameadas ao longo da calçada.

Quentin verificou o telefone.

— Estamos atrasados.

— Quer correr e aproveitar o farol?

— Correr é coisa de crianças e ladrões — disse Quentin.

Ele estava tirando as luvas para acender um cigarro quando seus olhos detectaram algo do outro lado da rua. Cleo o viu inalar bruscamente. O rosto de Quentin era naturalmente expressivo; suas emoções pareciam viver logo abaixo da superfície da pele, como peixes que sobrevivem em águas rasas. As sobrancelhas sozinhas poderiam registrar medo, esperança, decepção ou alívio no intervalo de uma respiração.

— O que foi? — perguntou Cleo.

— Nada — disse Quentin. — Eu pensei que era Johnny por um segundo.

— Onde? — Cleo examinou o outro lado da rua em busca do cabelo laranja de Johnny.

— Pare — ele ordenou. — Não era ele.

Eles esperaram pelo farol em silêncio. Ele mudou de cor, e Quentin caminhou à frente dela.

— Como está Johnny? — ela perguntou, alcançando-o do outro lado da rua.

— Como eu vou saber?

— Eu pensei que talvez vocês ainda se falassem.

Uma multidão de crianças em idade escolar passou, deixando para trás um rastro de gritos semelhante a fitas coloridas de som.

Quentin desviou para evitá-los, e Cleo viu quando ele fez uma careta ao se virar.

— Desculpe — disse ela. — Por tocar no assunto.

Quentin a encarou novamente e revelou os dentes em um sorriso.

— Aquele zé-ninguém? — Ele bateu o cigarro fumado pela metade em uma poça congelada nas margens e ferida pela luz. — Nem me lembro mais dele. Na verdade, estou meio que saindo com alguém.

Cleo levantou as sobrancelhas de surpresa.

— Eu não sabia que você tinha um namorado novo — disse ela.

— Alex não é meu namorado — respondeu Quentin.

— Aaah — provocou Cleo. — É Alex, então?

— Eu já disse a você o nome dele antes — afirmou Quentin. — Você é que não se lembra.

Cleo franziu a testa. Ela tinha certeza de que ele não havia dito.

— Olha — continuou Quentin. — Ele é apenas um cara com quem eu... Me encontro às vezes. É imprevisível. Ele é bem moreno e russo.

— Delicioso — disse Cleo.

— Não sei se eu diria isso dele — respondeu Quentin. — Mas ele definitivamente tem alguma coisa.

Cleo olhou Quentin de lado.

— Mas você está... Bem com essa situação? — ela perguntou. — Ele te trata bem?

— E você lá se importa? — Ele perdeu a cabeça. — Você parou de se preocupar comigo na hora em que você se casou com Frank. Não banque a preocupada agora.

Quentin anunciou que eles haviam chegado com o objetivo de deixar claro que ele não tinha ouvido a resposta dela. O endereço que o vendedor tinha enviado era um daqueles prédios do período pré-guerra com porteiro, em uma rua tranquila perto da

Washington Square. Uma grande paisagem nórdica cobria uma das paredes do saguão. Cleo geralmente achava essas pinturas opressivas, com montanhas escuras e florestas de pinheiros sombrias, mas essa tinha uma bela moldura dourada que se refletia no piso encerado brilhante como uma piscina de ouro. Cleo imaginou patinar nela, como se cruzasse um lago escuro e congelado. Ela pensou em uma música que sua mãe tocava, uma mulher cantando de maneira lamentável sobre desejar um rio congelado para patinar... Como esse sentimento era verdadeiro. A mãe dela sentia isso; agora ela também sentiu. Essa era a verdadeira herança da sua mãe, ela pensou, mais definidora do que qualquer característica facial ou trejeito. As duas queriam desaparecer.

— Adoro entrar na casa de estranhos — disse Quentin, enquanto eles entravam no corredor de carpete grosso. — Parece transgressor. E se tivéssemos planejado melhor, poderíamos roubá-lo agora. Não estou dizendo que faríamos. Mas nós *poderíamos*.

O homem que abriu a porta para eles era ruivo, tinha o rosto largo e sardento e olhos da cor de vidro marinho sob cílios loiros esbranquiçados. Ruivos eram, aliás, a maior fraqueza de Quentin. A coloração deste homem fez Cleo se lembrar de pinturas pós-impressionistas holandesas, com todos os azuis, ferrugens e cremes.

— Você está aqui para falar com um homem sobre o aspirador — disse ele, enrugando os olhos em um sorriso. — Aqui está. — Ele levantou a coisa pesada no corredor na frente deles. — Como eu disse na publicação, estão faltando duas peças do bocal mas, fora isso, está como novo.

Quentin não fez nenhum movimento para mexer no aspirador ou para pegar a carteira e pagar. Ele estava olhando para o homem de um jeito que Cleo já tinha visto muitas vezes antes. Era nostalgia.

— Então, se você tiver dinheiro, fica ótimo — disse o homem, dirigindo sua atenção para Cleo. — Cheque também serve, eu acho. Se é que alguém ainda anda com talão de cheques.

— Será que eu poderia experimentar? — perguntou Quentin. Ele levantou uma sobrancelha. — Verificar a... Sucção?

— Ah, sim, claro — disse o homem, afastando-se para deixá-los passar.

O apartamento era pequeno e comum em todos os aspectos, esquecido, mesmo quando se estava dentro dele. O único ponto de interesse era um pôster emoldurado de Mozart com uma aparência, como sempre parecia a Cleo, altamente lasciva. O homem de cabelos vermelhos se agachou para ligar o aspirador atrás de uma prateleira baixa alinhada com a parede mais próxima. Quando ele se inclinou para frente, a camisa quadriculada subiu para revelar uma parte inferior das costas pálidas e sardentas. Leite salpicado de canela.

A mulher dele estava no chuveiro, ele explicou, tirando o pó dos joelhos. Passaram-se anos até eles perceberem que não precisavam mais de dois aspiradores. O dela era muito menor, portátil, e ela o preferiu. Ele sabia bem que não adiantava discutir com uma mulher sobre esse tipo de coisa.

— Dê uma volta com ele.

Ele passou a alça para Quentin e pressionou o botão de ligar. O aparelho rugiu de volta à vida e Quentin começou a empurrá-lo despreocupadamente no piso de madeira. Como se tivesse sido convocada pelo barulho, uma mulher apareceu na porta do quarto, usando um robe felpudo e florido... Ela estava visivelmente grávida, plena e arredondada como uma orla marítima. Ela entrou em cena com um sorriso confuso.

— Desculpe, querida — falou o homem ruivo. — Eles queriam fazer um test drive.

— Você se importa se eu experimentar no tapete? — Quentin perguntou.

Cleo olhou-o em sinal de advertência, o que ele ignorou.

— Pode ir — disse a mulher e abriu um sorriu convidativo.

Quentin foi mais para dentro da sala para atacar o tapete sob a mesa de café, movimentando os quadris no mesmo ritmo.

Os três ficaram triangulados ao seu redor, observando a imagem de Quentin, trajando seda e aspirando o tapete turco sem graça.

— É bom no tapete — comentou o homem, em tom de dúvida.

— Estou vendo — disse Quentin, e sorriu como se tivessem acabado de compartilhar uma piada secreta. Ele apertou o botão de desligar com o dedo do pé, e o silêncio da sala foi restaurado.

— Bem, parece que está tudo certo — disse Cleo, se movimentando para sair. — Vamos indo.

— Sem pressa, *babe* — respondeu Quentin.

— Há quanto tempo vocês estão juntos? — perguntou a mulher, olhando de Quentin para Cleo, perplexa.

— Nós não estamos... — disse Cleo.

— Dois anos — falou Quentin. — Certo, querida?

O homem levantou as sobrancelhas de surpresa. Quentin adorava fingir que ele e Cleo viviam juntos. Ela sempre se perguntava se essa era uma maneira de ele realizar uma fantasia secreta, uma na qual ele não teria que mentir para sua família sobre quem ele era. Quem poderia culpá-lo? A família ensinou-o que a única maneira de ser amado era mentir.

— Dois anos e meio — disse Cleo.

— Ah, eu lembro da fase de dois anos e meio — falou a mulher. — Foi há muito tempo para nós, os mais velhos.

Cleo observou-a compartilhar um olhar com o marido que continha um orgulho ilimitado e mais alguma coisa também. Alegria, ela percebeu. Eles estavam apaixonados. Ela teria o filho dele. Eles moravam em um apartamento de um quarto no West Village no qual ninguém precisava mentir para morar lá. Cleo queria isso? E se não queria agora, quando? O que ela fez, se casando com Frank? Cleo deveria ter se casado com Quentin. Ela não deveria ter se casado com ninguém. Como uma pessoa aprende a viver? Aprende a ser feliz? Cleo se cercou de pessoas que não sabiam. Esse casal, com seus aspiradores dele-e-dela, descobriu isso.

— Então, de onde vocês são? — a mulher perguntou.

— Inglaterra — disse Cleo.

— Imaginei. — A mulher sorriu.

— Daqui — disse Quentin, sucinto, dirigindo-se ao homem. — De onde você é?

— Eu sou de Philly. — Ele olhou para a mulher. — Mas Anna também é daqui.

— Sim, a propósito, eu sou Anna — disse Anna. — E ele é Paddy.

— Fui a um acampamento de gordinhos em Philly — contou Quentin, ignorando-a. — Quando eu tinha oito anos. Meus pais me mandaram da Polônia. Era bem perto da fábrica de chocolate da Hershey's. Que lugar absurdo para colocar um acampamento de crianças gordas. O ar sempre cheirava a chocolate ou a estrume. É claro que apenas um deles era favorável para perder peso.

Quentin se dirigia exclusivamente para Paddy com um tipo de intensidade fervorosa.

— Não consigo nem imaginar — Paddy concluiu.

— Fomos àquela fábrica uma vez... — Anna começou.

— E então, quando me tornei modelo no ensino médio, ouvi dizer que eles colocaram minha foto na parede como "inspiração" ou algo assim para as crianças. Você sabe, para incentivá-las a optar por alimentação saudável. Mas eu fiquei, tipo "queridos, não é tão complicado assim. É só parar de comer e começar a cheirar um monte de pó".

Quentin riu, e Cleo se esforçou para se juntar a ele. Ela podia ver o casal nervoso, tentando digerir essas novas informações. Cleo estava tão cansada de ser o tipo de pessoa que deixa os outros constrangidos. Ela podia ver isso quando estava com Frank, estranhos tentando entender entre si o relacionamento deles. Jovem demais para ser o pai, velho demais para ser o parceiro. E Quentin especializado em fazer as pessoas se sentirem constrangidas. Ela costumava se divertir — parecia um repúdio à sua rígida educação britânica — mas agora ela se sentia esgotada.

Paddy foi desligar o aspirador.

— Bem, logo vamos jantar. Então, se tudo estiver bem com o Dyson...

— Comemos tão cedo agora — disse Anna se desculpando e esfregando sua barriga saliente. — Eu mal consigo ficar acordada depois das nove horas.

— Quando você espera ganhar o bebê? — perguntou Cleo.

— Vocês deveriam ir ao Duplex uma noite dessas — disse Quentin. — É só virar a esquina. Eu canto lá às vezes. Se você conseguir ficar acordada, quer dizer. — Quentin olhou significativamente para Paddy.

— Vamos deixar você jantar — disse Cleo.

— Bem, espero que você goste — disse Paddy, apontando para o aspirador empoleirado entre eles como um animal vigilante.

— Eu sempre gosto — falou Quentin com a mais leve das piscadelas.

...

— Por que você faz isso? — perguntou Cleo. Eles estavam na rua, na esquina, Cleo pulava de um pé para o outro para se aquecer. Uma ambulância passou, sem sirene, iluminando seus rostos.

— Faz o quê?

Quentin acendeu um cigarro e entregou o pacote para ela.

— Mentir para estranhos. Sobre nós.

— Por que não? — Quentin deu de ombros. — Nós nunca mais vamos vê-los novamente. Mas eu não me importaria de ver o pirulito do velho Paddy. — Ele arqueou as sobrancelhas acima dos óculos.

— Eu acho que ele percebeu — disse Cleo.

— Ótimo — respondeu Quentin. — É sempre bom dar opções para um homem.

— E Alex?

— E o que tem o Alex? Ele não é meu namorado.

Cleo exalou. Teria Quentin sido sempre tão insolente e defensivo? Era impossível falar com ele — justamente quando ela precisava muito conversar com alguém.

— A vida deles parecia tão... Simples — comentou Cleo.

— Se você está usando *simples* como eufemismo para *chata*, então, sim, parecia muito simples — disse Quentin, pegando o telefone. — Há uma festa com open bar hoje à noite, se chegarmos lá antes das dez.

— Não, eu quis dizer que parecia agradável — explicou ela. — Feliz.

— Ai, meu Deus, Cleo, você não vai deixar Frank te engravidar, vai?

— Teríamos que fazer sexo para isso acontecer. — Cleo corou. Ela não havia falado sobre isso com ninguém.

— Bem — disse Quentin sem tirar os olhos do telefone. — Você não nasceu para isso — Quentin falou com a voz afetada de uma rainha idosa. — Nós não somos esse tipo de gente, querida.

Cleo imediatamente se arrependeu de ter tocado no assunto. Por que ele deveria se preocupar com o fracasso do casamento dela, afinal? Por que ela deveria esperar que alguém se importasse? Quentin tentou insistir para ela ir beber alguma coisa com ele, mas ela fingiu que iria jantar com Frank.

— Fale para o Frank sobre a festa hoje à noite — disse Quentin enquanto ele se arrastava para o banco de trás de um táxi com o aspirador. — Você sabe que *ele* gosta de um open bar.

O sorriso de Cleo despencou assim que o táxi se afastou. Seu rosto era uma barraca branca com as cordas se soltando, tudo caindo de uma vez só. A noite trouxe um vento congelante e as pessoas estavam amontoadas, correndo para o calor de restaurantes e casas. Ela caminhou para o sul, em direção ao apartamento, tremendo. Ela estava tentando pensar em uma única pessoa que ela admirava e que tenha vivido uma vida feliz. Quentin certamente não era um exemplo. Ele vivia como uma fantasia elaborada e brilhante, cheia de alfinetes.

Ocorreu-lhe que Anders parecia contente, do seu jeito egoísta. O pensamento era insuportável. Ela ligou para ele um dia depois que Frank voltou. Nenhuma resposta. Foram semanas de silêncio até que ela finalmente entendesse que não o veria outra vez. A frase em que ela continuou pensando era que Anders havia lavado as mãos em relação a ela. Ela era a sujeira, e ele queria estar limpo. Quando Frank disse a ela que Anders tinha aceitado um emprego em Los Angeles, ela sabia que ele a havia descartado para sempre. Frank estava olhando para ela em busca de conforto, mas ela ficou só olhando para ele. Na noite da festa de despedida de Anders, ela fingiu estar doente e ficou deitada na cama, acordada durante a noite toda. Só o nome dele enviava uma onda quente de humilhação dentro dela. Claro que ela não poderia ser feliz com Anders. Ela não conseguia se imaginar sendo feliz com ninguém. Quentin estava certo. Ela não era esse tipo de gente.

Cleo havia chegado à loja de jardinagem perto do apartamento dela e de Frank. Ela sempre adorou vislumbrar o pátio cheio de palmeiras enquanto passava, uma fatia tropical improvável em meio ao cinza tedioso. Sem pensar, ela entrou. De repente, a vida vegetal estava toda ao redor dela. Era como estar em uma pintura de Henri Rousseau. Cleo fechou os olhos. O ar cheirava a verde.

— Precisa de ajuda?

Um jovem vestindo macacão estava olhando para ela.

— Como você adivinhou? — Cleo perguntou. Ela começou a rir. Por que ela estava aqui? Ela estava lá para comprar uma nova orquídea azul, só poderia ser isso. Ela havia quebrado a orquídea azul. — Você tem orquídeas?

— A maioria delas está na estufa. Quer que eu ajude a escolher uma?

Cleo balançou a cabeça e caminhou na direção que ele apontou. O calor da estufa a envolveu imediatamente. Um perfume doce e intenso enredou-a. Cleo podia sentir os poros da sua pele se abrirem como centenas de olhos curiosos. Tudo estava tão perto, inundando-a de fora para dentro. As orquídeas estavam organizadas em fileiras; branca cremosa, fúcsia ardente, amarelo amanteigado, rosa vulva... mas nenhuma azul. Havia apenas uma orquídea azul-índigo e ela a havia destruído.

Ela olhou para as fileiras de rostos de flores-de-cera olhando para ela. Elas eram tão carnudas, tão humanas. Cleo acariciou uma pétala carmesim com a ponta do dedo. Ela esperava que fosse flexível, aveludada, mas era encerada e rígida. Então eles não eram rostos, mas, sim, cadáveres. Essas flores estavam todas mortas e fingiam estar vivas. Elas estavam apodrecendo atrás das suas máscaras de cera. A fragrância de flores adentrou em suas narinas e preencheu sua garganta. Ela estava se sufocando com o perfume doce e pútrido. Ela agarrou a porta, escapou e voltou para a noite fria.

Fora da estrutura de vidro, ela estava ofegante. Ela deveria ter sabido no dia do casamento, quando Frank comprou a orquídea azul, tingida com tinta venenosa, que ele não a entendeu, nunca entenderia. Ela precisava voltar para a terra, simples e sem adornos. Ela estava vivendo há muito tempo no mundo falso de Frank. Ela pensou que encontraria segurança lá, mas não encontrou. Ela entrou na loja principal e comprou um carrinho de mão e quatro sacos grandes de terra, ignorando o olhar interrogativo do homem de macacão. Ela entendeu o que precisava fazer agora.

O carrinho de mão era uma batalha, pesado e desajeitado, mas ela conseguiu manobrá-lo pelos dois quarteirões até chegar em casa e entrar no elevador do edifício. Ela podia ouvir o vizinho ao lado enquanto o empurrava para dentro. Música e risos, barulho de pratos e vozes de homens. Ela deixou o carrinho de mão no centro da sala e sorriu com alívio. A humilhação do bilhete naquela manhã parecia muito distante.

O mais importante primeiro. Ela foi até a prateleira de discos e revistou as capas até encontrar o que estava procurando. Ela retirou uma cópia manchada de *La Bohème,* de Puccini, que havia sido da sua mãe. Cleo carregou-a para fora do apartamento e a apoiou gentilmente contra a porta do vizinho ao lado. Tudo seria perdoado. Ele não aborreceria Frank.

Cleo voltou para dentro e serviu-se de um copo de leite. Ela olhou para a mão descansando no balcão. Lá estava o seu anel de ouro. Ela pensou no reflexo dourado no chão de mármore do saguão, mais cedo naquele dia. Lentamente, ela afundou o dedo na boca e o retirou, soltando o anel com os dentes. Ela equilibrou-o na língua, tomou um gole grande de leite e engoliu o anel.

Ela retirou uma faca do bloco de madeira — a faca de tornear, curva como um sorriso — e voltou para a sala de estar. A orquídea quebrada ainda estava no chão. Ela afastou-a e enrolou o tapete, apoiando-o contra a parede. Ela derrubou os pacotes do carrinho de mão e abriu o primeiro. Uma terra escura saiu do corte e caiu nas tábuas do piso aos seus pés. Ela colocou a orquídea no monte e sacudiu o restante da terra sobre ela. Quando todos os sacos estavam vazios, o monte tinha o comprimento dela e duas vezes a largura. Ela deu tapinhas na terra com as palmas das mãos. Era úmido e rico, confortavelmente familiar. Um por um, ela foi tirando os sapatos, os jeans, o suéter e a calcinha, dobrou-os e colocou-os no carrinho de mão. Ela pegou a faca.

Cleo deitou-se na terra e inspirou. Como ela estava calma. Frank levaria horas para chegar em casa. Ela estava sozinha, como sempre esteve. Ela pressionou a lâmina na pele macia para dentro do seu braço. O mundo, tão perto, apenas alguns momentos atrás, estava se dissipando, um vestido de seda escorregando pelos ombros. Ela não pensou em Frank, Anders, Quentin ou qualquer outro homem egoísta que ela havia egoisticamente amado. Ela não pensou nas suas pinturas, naquelas telas que costumavam respirar com vida enquanto Cleo se ajoelhava sobre elas durante a noite. Ela não pensou em Nova York.

Ela pensou em uma noite de verão quinze anos atrás. Ela tinha dez anos na sua casa de infância. Um quarto novo estava sendo construído para ela, projetado pela sua mãe. Ela a levava pela mão até o alto da escadaria, onde uma escada havia sido deixada apontando para uma claraboia no telhado. O ar estava cheio de poeira e luz. Cleo estava sendo erguida pelas mãos da mãe em volta da cintura. Então sua cabeça e os ombros ficaram livres, acima da casa, e tudo era céu. *Olhe.* A voz da sua mãe abaixo dela. Ela viu uma longa exalação de índigo, incrivelmente grande, incrivelmente azul. Era como se ela nunca tivesse visto o céu antes. Sentiu os braços da mãe em volta dela. *Você está vendo?* Uma grande extensão, imaculada por nuvens. Tudo azul, tudo lindo. Os braços de sua mãe em volta da sua cintura. Ela viu. Elas a tinham encontrado, as duas, a escotilha de fuga aberta e acessível, livre e desobstruída, lançando-as no grande, vasto mundo.

CAPÍTULO DOZE

AINDA EM MARÇO

No dia em que Frank ligou para contar o que aconteceu com Cleo, Santiago foi declarado O Mais Magro da Semana, fato do qual ele estava muito orgulhoso, mas que não comentara com ninguém. Ele havia perdido dois quilos naquela semana, foram oito no total. Isso foi graças ao Magro de Novo, Comece de Novo, o programa de perda de peso que ele frequentava há mais de um mês. Todo sábado de manhã, ele e aproximadamente outras dez pessoas que comiam em excesso se encontravam ao lado da Union Square Coffee Shop para falar sobre o que eles tinham ou não tinha colocado para dentro do corpo naquela semana.

A discussão foi liderada por Dominique, uma sorridente jamaicana-americana que usava batom fúcsia e vestidos feitos de faixas de tecidos brilhantes e diáfanos. Quando ela se movia, as longas tranças balançavam nas costas como cordas de massa retorcida. Santiago achou que ela era linda e gostaria de convidá-la para sair, mas depois de ser pesado na frente dela, ele perdeu a coragem. A própria Dominique havia perdido mais de cem quilos graças ao programa e era uma prova de que era possível não apenas perder peso, mas o mais difícil de tudo, *manter* o peso. Ela ainda não era uma mulher miúda, mas, como ela contava ao grupo, ela conseguia se abaixar para amarrar seus próprios cadarços agora, e isso não tinha preço.

Tinha sido uma semana difícil para o grupo. Uma mulher ganhou um bolo de aniversário no trabalho que ela não podia comer, a filha de outra reclamava que ela não tinha mais rosquinhas em casa, um homem esteve em um encontro durante o qual a única coisa do cardápio que ele podia pedir era um grande prato de brócolis, e o resultado foi flatulência inoportuna. Santiago também tinha sido desafiado. Ele estava no meio da abertura de seu segundo restaurante, bem como de outro pop-up em Los Angeles, e entre as degustações e sessões de fotos do menu e a gastança — ele havia emitido, tremendo, um cheque de depósito de um valor maior do que ele tinha ganho em seus vinte anos naquela semana — era difícil não "se autoacalmar", como o grupo dizia, com uma comilança. Às vezes, Santiago invejava a recuperação de alcoólatras e viciados em drogas; pelo menos, eles poderiam se abster completamente. Os viciados em comida precisavam continuar comendo.

Mas ele não havia se refestelado e agora, além da satisfação de poder prender o cinto no buraco mais apertado pela primeira vez em anos, foi recompensado com uma sacola amarela com a inscrição "O Mais Magro da Semana!" em letra cursiva borbulhante. Ele estava carregando esse prêmio, cheio de orgulho, até o restaurante, quando Frank ligou.

Santiago demorou um tempo para entender o que Frank estava dizendo, em parte porque uma sirene de ambulância estava tocando ao fundo, mas principalmente porque ele continuava usando a palavra *acidente* para descrever o que havia acontecido com Cleo. *Cleo sofreu um acidente.* Imagens de acidentes de bicicleta, incêndios na cozinha e atropelamentos inundaram a mente de Santiago, mas finalmente ele se deu conta de que o que havia acontecido com Cleo não tinha sido um acidente, mas algo doloroso e deliberado. A voz de Frank tremulou quando ele contou os detalhes.

— Trinta pontos — ele estava dizendo. — No braço dela. Parece que eles precisam manter pacientes na unidade psiquiátrica por pelo menos setenta e duas horas se, hum... — Aqui, Santiago podia ouvir Frank lutando para encontrar as palavras certas. — Fazem o que ela fez — ele afirmou.

— Ai, *Dios Mío*. — Santiago balançou a cabeça suavemente. — Sinto muito, cara.

— Mas a papelada levou uma eternidade. — A voz de Frank endureceu. — Então eles a deixaram em uma maca no corredor do pronto-socorro a noite toda. Na porra do corredor! Ela estava muito fora de si com os remédios para dor, mas foi... Bem, você pode imaginar toda a merda que acontece no pronto-socorro à noite. Foi duro, cara. Finalmente eles a transferiram para a psiquiatria ontem.

— Ela está passando bem lá?

— Acabei de sair de lá — continuou Frank. — E o horário de visita não reabre até as duas. Mas eu tenho que voltar ao trabalho. Temos essa reunião enorme de clientes que não posso perder. Basicamente, eu queria saber se você poderia ficar com ela às duas horas. Eu poderia perguntar a uma das amigas dela, mas elas são tão...

— Claro, irmão — disse Santiago. — Eu estarei lá. Posso levar alguma coisa?

— Não. Eu levei as roupas dela hoje de manhã. Traga só a si mesmo.

— E como você está se virando com tudo isso? Você está bem?

Frank deu uma risada seca e ácida pelo telefone.

— Para ser sincero, uma bebida seria útil. Mas estou bem, estou bem. É com Cleo que estou preocupado.

— Lembre-se de se cuidar também — disse Santiago, repetindo algo que Dominique havia dito a ele. — Você deve a si mesmo o mesmo cuidado que dá aos outros.

— Você não vai contar para ninguém, não é? — disse Frank de repente. — Sobre Cleo? Foi um erro, e eu não quero que ninguém pense... algo errado sobre ela.

— Eu nunca diria nada que machucasse você ou Cleo.

— Eu sei, cara. Obrigado. Você é um bom amigo.

Santiago parou de andar involuntariamente. Enquanto desligava, de repente ele percebeu as pessoas que passavam ao seu redor, cutucando sua circunferência com os cotovelos e sacolas. Ele estava cansado de ocupar tanto espaço. Ele entrou na ciclovia para evitá-los e verificou o telefone novamente. Era meio-dia, duas horas antes do início do horário de visita. A ideia de ir ao restaurante para falar sobre design de banquinhos de bares e arrumação das mesas era incompreensível. Ele gostaria de comer alguma coisa, mas já havia tomado seu café da manhã de *muesli* e o lanche da manhã estabelecido para aquele dia, uma única maçã com uma colher de sopa de manteiga de amêndoa. Do outro lado da rua, havia a tentadora imagem laranja e rosa de um Dunkin' Donuts. Ele imaginou morder a massa macia e morna, o açúcar de confeiteiro revestindo sua boca, acalmando sua mente. Ele olhou para a sacola amarela. Ele não pode desperdiçar o progresso desta semana, não quando Dominique havia dito que ela estava orgulhosa dele.

Já que ele não podia comer, poderia pelo menos cozinhar. Ele foi para casa para fazer algo para Cleo. Ele decidiu preparar sua comida caseira favorita, *arroz con leche,* ou seja, arroz-doce. Era o que sua avó fazia para ele em Lima quando ele tinha um dia difícil na escola, "para adoçar sua dor", dizia ela. Ele ferveu o arroz no leite e acrescentou canela, observando a mistura grossa e cremosa girar contra a colher de pau. Sua avó dizia que seus ancestrais na Babilônia faziam o mesmo prato milhares de anos atrás, adoçando a mistura com mel e tâmaras. Hoje, ele faria do jeito que ela o ensinara, com baunilha e casca de laranja. Ele acrescentou o leite condensado e inalou a nuvem de vapor doce que o envolveu.

E ali, naquele nevoeiro perfumado, ele pensou em Lila, a mulher que havia sido sua esposa. Lila era de Bogotá, tinha pouco mais de um metro e meio. Ela falava espanhol como se estivesse cortando grama alta com a língua. Podia andar sobre as mãos e preparar um frango perfeito. Estava sempre com frio e nunca errava. Lila foi vice-campeã no concurso de beleza local, mas tinha o bem mais premiado de todos, um passaporte americano, herança do pai meio americano. Aos quinze anos, ela fora enviada para fazer o ensino médio em Nova York para aprender a falar inglês como uma americana branca e, ao se formar, decepcionou sua família ao se matricular em Alvin Ailey para aprender a dançar como uma americana negra.

Santiago conheceu Lila quando ele ainda estava na escola de culinária, limpando mesas no The Diner, na 56ª Street. Ela entrava depois da aula com os outros alunos de dança, todos flexíveis como panteras, usando *collants* e agasalhos pretos, todos fumando cigarros e bebendo café preto e conversando com reverência sobre pessoas de quem nunca tinha ouvido falar. Ele memorizava os nomes enquanto tirava os pratos manchados de ketchup e os pães de hambúrguer descartados, tentava memorizá-los para que ele pudesse pesquisá-los mais tarde. *Martha Graham. Merce Cunningham.*

Ele notou Lila, é claro. Ela exigia ser notada. Uma noite, talvez por causa de um desafio, talvez porque alguém simplesmente sugeriu que ela não seria capaz, ela saltou da mesa e fez uma série de saltos mortais para trás no corredor de linóleo enquanto seus amigos gritavam e bradavam, seu corpo esbelto arqueado como um minúsculo arco-íris giratório.

Ela também o notou. Naquela época, ele era magro e musculoso de tanto carregar alimentos pesados nas entregas, e tinha a cabeça recoberta de cabelos grossos e encaracolados que enlouqueciam as mulheres. Foi ela quem falou primeiro com ele em espanhol, sussurrando, como se estivesse compartilhando um segredo com ele; quem o convidou para ir com eles uma noite em uma boate onde os meninos se vestiam como meninas e todos tomavam muito ecstasy; quem o beijou sob a ponte do Brooklyn; quem ficou nua no colchão dele e pediu que ele a aquecesse; quem se mudou para o apartamento-estúdio dele em cima da lavanderia e enchia-o de flores secas e *collants* molhados.

Foi Lila quem se casou com ele para que ele pudesse conseguir seu primeiro emprego legal em uma cozinha, quem o levou a apresentações de dança que o fizeram chorar no escuro, quem lhe ensinara que o corpo tem sua própria linguagem que expressa o que as palavras não podem dizer. E foi Lila quem o apresentou à heroína, quem injetou nos dois pela primeira vez com um apetrecho dado a ela por um coreógrafo que jurou que era como ser embalado por Deus. Santiago passou mal da primeira vez e não teve estômago para tentar de novo. Mas Lila não passou mal. Ela voltou ao colo dele, sorrindo, e disse que finalmente, até que enfim, ela se sentia aquecida.

Às vezes, quando o restaurante estava cheio, semanas inteiras se passavam sem ele pensar nela. Mas desde o casamento de Frank e Cleo, ela começou a visitá-lo nos sonhos outra vez. Às vezes ela estava dançando, mas em geral ela estava lá, observando-o. Agora ele se perguntou se ela teria aparecido para avisar sobre Cleo. Ela estava tentando dizer a ele que Cleo estava se machucando como Lila fizera antes dela, por razões que ele não tinha conseguido entender, de maneiras que ele não tinha sido capaz de impedir.

Surpreso, Santiago percebeu que o arroz-doce estava começando a grudar no fundo da panela. Ele colocou a massa cremosa em uma tigela de vidro e afundou dois paus de canela no centro. Ele se inclinou sobre o doce, inalando o perfume familiar de baunilha, e depois se afastou. Ele não o estragaria salgando-o com suas lágrimas.

...

Santiago pegou um táxi para o Hospital da Universidade de Nova York na 31ª Street, com o arroz-doce equilibrado como uma criança no colo. Ele seguiu as placas, passou pelo saguão e pela loja de presentes e foi até o elevador, onde a ala psiquiátrica estava indicada no sexto andar. As portas se abriram em uma salinha de espera com uma fileira de assentos em uma parede e uma pilha de armários no outro. Pela janela da porta de aço trancada, ele podia ver um longo corredor com iluminação fluorescente ladeado por carrinhos de metal. Ele verificou o relógio — ele estava alguns minutos adiantado — e sentou-se ao lado de uma mulher judia mais velha, vestindo um casacão roxo. Ela indicou a parede dos armários na frente deles. Os números pareciam ter sido atribuídos aleatoriamente, com o armário número 1 localizado entre o 45 e 12.

— A loucura começa aqui — disse ela.

Uma campainha alta soou nas portas de aço e anunciou a chegada de uma enfermeira, que instruiu o grupo de visitantes a colocar todos os seus bens dentro dos armários. Naquela ala, disse ela, não eram permitidos objetos externos, inclusive sacolas, telefones celulares, jaquetas, comida ou bebida.

— Fiz isso para uma das pacientes — disse Santiago, segurando a tigela à sua frente com um sorriso esperançoso.

— Nada de comida ou bebida externa — repetiu a enfermeira, se afastando.

— Mas eu...

— Olhe, eles não vão deixar você entrar com isso — disse a senhora vestida de roxo. — E se você escondesse uma faca dentro dela?

— Uma faca? — Santiago balbuciou. — É arroz-doce!

— Claro — disse a senhora e enfiou o casaco no armário.

A ala estava cheia de mulheres jovens de aparência triste, estudantes da Universidade de Nova York, ele pressupôs, arrastando camisolões e calças de moletom com uma mistura de expressões entediadas e desamparadas. Ele passou pelo que parecia ser uma aula de arteterapia, onde as pacientes estavam reunidas em círculo, pintando o pôr do sol.

Santiago encontrou o quarto de Cleo no final do corredor. Quando ele entrou, ela estava sentada em uma das duas camas baixas, de costas contra a parede, lendo. Ela vestia um quimono de seda em uma paleta de tons de pêssego, lilás e creme. O tecido das longas mangas estava dobrado ao redor dela como um ninho.

Os olhos dela lançaram-se sobre ele com surpresa. Foi a primeira vez em que ele a viu parecer outra coisa que não fosse bonita. O rosto estava pálido, quase cinza, com círculos de hematoma violeta ao redor dos olhos e uma crosta amarela nos cantos. O dourado cintilante usual do cabelo estava opaco e preso em um coque gorduroso. Os lábios secos estavam da mesma cor anêmica da pele. Tudo nela havia sido silenciado, drenado, exceto pelos olhos, que eram ainda mais translúcidos do que ele se lembrava, de um verde tão claro que ele se percebeu evitando-os.

— Mi amore — ele disse suavemente.

Ela largou o livro, apertando mais o quimono ao seu redor.

— O que você está fazendo aqui? — ela perguntou. — Quem te contou que eu estava aqui?

Santiago começou a entrar em pânico. Ele não reconheceu esta Cleo. E, pior, ela não parecia reconhecê-lo. Ela parecia ter medo dele. Seu amigo, Santiago, que faria qualquer coisa por ela! Ele abaixou a voz para um murmúrio não ameaçador.

— Frank me contou — ele respondeu. — Ele não queria que você ficasse sozinha.

— Para quem mais ele contou?

— Só para mim. — Ele suavizou o tom. — Só para mim e eu não vou contar para nenhuma outra alma.

— Você jura?

— Eu juro sobre o túmulo da minha avó.

Parecia que ela havia se acalmado. Os olhos pálidos pousaram nele.

— Você está tão esbelto — observou ela.

Ele não conseguiu conter o sorriso.

— Eu devo estar horrível — disse ela, levando a mão ao rosto.

— Você nunca estaria. Eu trouxe um pouco de arroz-doce para você, mas... — ele acenou com as mãos vazias para o teto, desculpando-se.

Cleo olhou para ele através das pálpebras meio fechadas, como um gato.

— O maior chef do mundo — disse ela em um tom acusatório demais para ser totalmente afetuoso. — Não é isso o que Frank sempre diz?

Santiago concordou com um gesto de cabeça.

— Vou fazer para você outra vez quando você sair daqui — disse ele.

Cleo estava puxando o cabelo para fora do coque. Ele percebeu, com angústia, que ela estava tentando ficar mais apresentável para ele.

— E aí, como você está? — ela perguntou, esforçando-se para parecer natural. — Como vai o novo restaurante?

— Vai bem. Eu vou voar para Los Angeles amanhã para fazer um — ele parou. Ele não queria parecer que estava se gabando de sua vida enquanto ela estava aqui em um hospital. — Está tudo bem — ele falou. — E você, como está?

Cleo arqueou uma sobrancelha. Ela não precisava dizer a ele como essa pergunta era estúpida. Ele puxou uma cadeira e sentou-se em frente à cama, colocando as mãos no joelho, depois apertando-as à sua frente. Ele se sentiu grande demais para a cadeira, como um elefante empoleirado em um cogumelo.

— Este lugar até que é bem legal... — ele começou.

O quarto era do tamanho de um apartamento-estúdio espaçoso. Havia duas camas encostadas na parede e duas escrivaninhas simples, de cadeiras de madeira baixas e discretas, como as encontradas nas escolas primárias. Da janela se via a 1ª Avenida na direção do Upper East Side e, além dela, o Harlem, onde ele passara seu primeiro ano em Nova York. Hoje, não parecia mais próximo dele do que a Suíça.

— É o Carlyle das alas psiquiátricas — disse Cleo. — De acordo com a minha colega de quarto.

— Ah, você tem uma colega de quarto. Onde ela está?

— Passando por uma lobotomia.

O rosto de Cleo se abriu em alegria diante da expressão chocada de Santiago.

— Aula de arte — disse ela. — Mas ela saberia. Ela foi levada para Bellevue da última vez. Sabe o tipo de pessoa que você vê gritando no metrô e troca de vagão para evitar? Lá, aparentemente, é só esse tipo de gente.

O próprio Santiago visitou Bellevue depois da primeira overdose de Lila e sabia que não era o tipo de lugar para o qual alguém gostaria de voltar. Ele ainda conseguia se lembrar da gritaria incessante que vinha das camas, como cães acorrentados latindo, e o cheiro acre de merda humana que pairava no ar.

— Você foi esperta em vir para cá — disse ele.

— Eu não tive escolha. A ambulância nos trouxe.

— Nós?

— Frank.

— Ele estava com você?

— Ele me encontrou.

O rosto de Cleo parecia um guardanapo branco amassado no chão. Ele queria dizer algo sobre como isso deveria ter sido aterrorizante para Frank, mas ele se conteve. Estava dizendo todas as coisas erradas, ele tinha essa noção.

— Você sabia que eu também fui casado? — ele disse, tentando um novo rumo para a conversa. — Foi por isso que eu fiquei aqui depois da escola.

Cleo assentiu.

— Com uma dançarina.

— Sim, Lila. Vocês duas teriam se dado bem, eu acho. Ela seria mais velha do que você agora, teria quase quarenta, mas você é parecida com ela, à sua maneira.

Ele não conseguia imaginar Lila na meia-idade. Ela era mais nova que Cleo quando ele a conheceu, com uma audácia, uma natureza pouco prática, inadequada para quem não é muito jovem.

— Como nós éramos parecidas?

— Ela era uma artista, como você. Com... não sei explicar muito bem... o ego grande, mas a autoestima pequena?

Cleo deu uma risada rouca.

— Parece correto.

— Isso é uma coisa perigosa. Ela estava muito ansiosa para entrar em uma companhia de dança, e com muito medo de não conseguir. Audição após audição... acabaram por feri-la.

— Ela conseguiu?

— Era competitivo, mas ela teria conseguido.

— Como você sabe?

— Ela dançava como água.

Lila era talentosa, ninguém poderia negar, mas ela não era disciplinada. Em meio ao talento, o dinheiro da família e o fácil acesso aos Estados Unidos, ela nunca precisou ser. Quando o coreógrafo de uma prestigiada companhia de vanguarda pegou em sua virilha para melhor mostrar-lhe uma ascensão, Lila não pensou duas vezes antes de jogar uma garrafa de água na cabeça dele. Isso prejudicou sua carreira, sua falta de vontade de resignar-se diante dos homens que a tateavam e aliciavam com o pretexto de corrigi-la. Foi isso que fez Santiago — tão medroso e condescendente ao aceitar o poder do homem branco de instruir — respeitá-la mais do que qualquer outra pessoa que ele conheceu. E, no entanto, no final, ela duvidava de si mesma.

— Quanto tempo vocês ficaram casados?

— Um momento. Ainda somos casados — ele bateu no coração — aqui.

— Mas ela morreu — disse Cleo categoricamente.

— Foi um acidente — explicou ele.

Acidente, a mesma palavra que Frank usou para descrever o que aconteceu com Cleo. Mas com Lila *havia sido* um acidente. A primeira vez que eles se injetaram foi logo antes do Natal; ele se lembra de ter usado um fio de luzes para decorar árvores como torniquete para o braço. No final do verão, ela estava morta. Era fácil ter uma overdose, todos disseram isso. E Lila era tão pequena, não pesava nem cinquenta quilos com sapatos.

— Foi um acidente? — ele perguntou. — O que você fez? Frank disse que foi.

Cleo olhou para o braço. Um curativo de gaze cor de argila seca podia ser visto sob sua manga do quimono.

— Nunca é um acidente — respondeu ela em voz baixa.

Ele sentiu uma onda surpreendente de raiva dela, essa jovem que desperdiçava sua própria vida. Como ela ousava? Ela não conheceu Lila. Lila não queria morrer. Ela estava mais viva do que todo mundo. E eles estavam felizes juntos, felizes no casamento. Ela simplesmente não conseguia parar de usar. Era diferente.

— Então você queria morrer? — ele perguntou.

Ela olhou para ele com seus severos olhos verdes.

— Eu queria que as coisas mudassem.

— Mas por quê? — A voz de Santiago era quase um lamento. — Frank te ama muito. Todos nós amamos. Eu, Quentin, Anders...

— Anders! Ele não se importa comigo. Nenhum deles se importa. Eles não se importam com ninguém...

— Isso não é verdade! — interrompeu Santiago, mas Cleo não parou.

— Eles me querem, eles competem por mim, mas eles se preocupam comigo? Você acha que Anders se lembra de mim depois de, depois de...

Ela inalou bruscamente e levou as mãos à garganta como se quisesse prender as palavras na fonte. Ela engoliu, e ele viu seus dedos magros deslizarem sobre a pele do pescoço com o esforço. Ele esperou que ela falasse mais, mas ela parecia estar vencendo a batalha para segurar o que estava querendo sair.

— Depois de quê? — ele perguntou.

Ela fechou os olhos e bateu a cabeça contra a parede atrás dela. Uma única lágrima escapou de uma pálpebra, correu pelo queixo e desapareceu no seu colo.

— Me desculpe, Santiago. Eu acho que preciso descansar. Eles me dão esses remédios aqui... Eles me deixam com tanto sono.

— É claro. Claro, você deve descansar.

A raiva havia desaparecido tão depressa quanto chegou. Ele tirou o livro do colo dela, para que ela pudesse se virar e se deitar na cama. Ela manteve os olhos bem fechados enquanto se deitava de lado, curvada, no colchão fino. Ela parecia encolher dentro das dobras do quimono; ele já não podia mais ver com clareza onde o corpo dela terminava e a cama começava. Ele sentou-se, observando sua forma amontoada, suas mãos grandes segurando o livro dela. Não lhe parecia certo ir embora tão cedo, quando Frank pediu que ele ficasse com ela. Ele abriu a boca e depois fechou-a.

— Eu poderia ler para você? — ele perguntou.

Ele decidiu entender o silêncio dela como consentimento.

— Por favor, desculpe meu sotaque — ele disse, limpando a garganta.

Ele não conhecia o livro, que era uma coleção de contos com uma foto sépia de uma mulher mais velha em um campo na capa. Ela tinha uma cabeleira branca e uma aparência dura e bem-humorada. Os contos eram muito curtos, alguns com apenas uma página ou duas, e muitas vezes parecia que nada estava acontecendo neles, até que algo surpreendente e irreconciliável ocorresse. Em um, quatro meninos brincavam entre os vagões, irritando os outros passageiros, até que um caia e era esmagado sob as rodas. Em outro, a amiga da narradora ligava para dizer que ela estava morrendo, ao que a narradora respondia, "Estamos todos morrendo", mas então a amiga morria de verdade, e ela ficava muito triste. Em outro, intitulado simplesmente "Desejo", uma mulher encontrava seu ex-marido na escada da biblioteca. Ele a acusava de não querer nada, mas ela dizia que tinha, sim, desejos, que incluíam ser uma pessoa diferente, terminar a guerra pelos filhos, ficar casada com uma pessoa a vida toda e conseguir devolver os livros da biblioteca no prazo. Exceto que a mulher não dizia isso em voz alta, ela dizia isso apenas para si mesma e para o leitor, para que ninguém mais viesse a saber.

Da cama, Cleo murmurou algo tão baixinho que ele não a entendeu. Ele se inclinou para a frente e colocou a orelha perto dos lábios dela. Ele podia sentir o cheiro doce e fermentado da respiração.

— Eu quero minha mãe — ela disse.

...

Santiago ocupou o assento no voo para Los Angeles, observando o carrinho de refeições se afastar pelo corredor enquanto abocanhava outra porção da salada de quinoa de cranberry que ele havia preparado para a viagem. As refeições das companhias aéreas estavam definitivamente na lista dos alimentos não aprovados pelo Magro de Novo, Comece de Novo. Ele ouvira, mas nunca foi capaz de confirmar, que cada refeição continha um dia inteiro de calorias, caso os passageiros precisassem delas para sobreviver após um acidente — o que explicaria por que ele as achava tão deliciosas. *Em caso de emergência, evite se empanturrar com as entradas de patele e os tortellinis com cogumelos.*

Havia certos alimentos que os chefs respeitados como ele simplesmente não deveriam apreciar. Isso incluía refeições de companhias aéreas, Mister Softee, queijo em palitos, Flamin' Hot Cheetos, cachorros-quentes de carrinho de rua, jantares de microondas, sushi de supermercado, Twinkies, nachos de cinema e todas as cadeias de fast-food (embora uma exceção tenha sido feita para a In-N-Out). Mas Santiago amava tudo isso. Para ele, eles tinham um gosto de América.

Agora, ele estava atravessando o país para ajudar a montar um restaurante pop-up na costa oeste. O conceito era criar alguns dos pratos básicos de seu novo restaurante, mas simplificados, em potes reutilizáveis que poderiam ser levados para viagem. Era comida simples e sustentável em um momento em que a tendência nos restaurantes era tornar tudo o mais complicado possível. Santiago achou que estava a anos-luz à frente do que seus concorrentes estavam fazendo e concordou em usar uma cápsula de madeira especial, criada com grande investimento, a partir da qual sua equipe poderia vender os potes.

Ele havia planejado ficar no Chateau Marmont, onde só olhar as pessoas já valia o preço, mas Anders insistiu que ele ficasse na sua casa em Venice. Ele havia aceitado, embora soubesse que seria mais difícil permanecer no seu plano de refeições perto de Anders, cuja vida, com suas festas com buffet, jantares de seis pratos e o fornecimento infindável de drogas, dificilmente seria ascética. Alvo e esbelto, Anders sempre fazia com que ele se sentisse o amigo latino atarracado — manso, não ameaçador, nada atraente. O que, é claro, só fazia com que ele quisesse comer mais.

E agora ele tinha também que guardar o segredo do que havia acontecido com Cleo. Ele ainda não tinha certeza se deveria contar para Anders. Cleo se recusou a dizer algo mais sobre ele no hospital, e ele deixou o horário de visita sem ter certeza se havia acabado de testemunhar uma confissão ou outra coisa. Mas o quê? Anders teria feito algo para magoar Cleo ou Frank? Ele decidiu descobrir o máximo possível de Anders sem revelar o que sabia. O que, ele estava percebendo, não seria muito no final das contas.

Quando Santiago chegou ao endereço que Anders havia lhe dado em Amoroso Place, seu primeiro pensamento foi que Anders havia conseguido encontrar um lar em Los Angeles que se parecia exatamente com ele. A casa de dois andares tinha estilo escandinavo de meados do século, com um teto angular alto, painéis de madeira clara e portas de vidro deslizantes e lustrosas. Era início da noite, e o céu ficou cor de lavanda empoeirada, contra o qual a casa brilhava em um dourado morno e convidativo. Ou melhor, teria sido convidativo se Santiago não sentisse imediatamente que tinha um metro e meio de altura diante dela. Ele tentou suavizar as rugas na camisa de linho com as palmas das mãos suadas enquanto tocava a campainha.

Havia o som da voz de um homem e o tique-tique das unhas de um cachorro na madeira, e então a porta se abriu para revelar um Anders bronzeado, sem camisa, e um filhote bagunceiro de Golden Retriever.

— Meu irmão — ele gritou, puxando a criatura que latia pela coleira e puxando Santiago para um abraço. — Como foi o voo?

Santiago estava suando, e ele se preocupou que Anders pudesse sentir o cheiro do odor azedo que emanava das suas roupas obsoletas. Ele deu um passo para trás e bateu palmas.

— Tudo bem, cara, tudo bem. E quem é este?

— Meu novo amigo! — Anders sorriu. — Este é Thor.

— Uau. Você só está aqui há um mês e já tem um cachorro!

— Seis semanas. Mas, eu não sei, eu só queria me acalmar um pouco.

— Bem, a vida da Califórnia combina com você, cara. É uma casa e tanto.

Anders conseguiu lutar com Thor até chegar a algo próximo da submissão e agora ele estava ajoelhado ao lado dele, mexendo vigorosamente no pelo loiro com as duas mãos. Até o cachorro se parecia com ele. Era ridículo. Anders afastou uma mecha dos seus próprios cabelos pálidos da testa e fez uma careta fingindo humildade.

— Tudo bem — disse ele. — Venha para o deck. Eu e as meninas estávamos só bebendo um pouco.

Santiago seguiu-o pela sala de estar espaçosa, aberta, decorada em tons de bege, de bom gosto, com detalhes em verde-palmeira. Uma escada ampla e moderna sugeria um andar de cima igualmente amplo. Eles passaram pelas portas de vidro até um deck nos fundos que funcionava como uma segunda sala de estar, cercada por canteiros de alfazema e cactos. Longos sofás de madeira cobertos de almofadas de lona e plush estavam posicionados em torno de uma fogueira ardente. Descansando neles, bebendo copos de vinho brilhantes, estavam umas cinco mulheres, todas parecendo ser modelos.

— Meninas — disse Anders. — Este é meu amigo Santiago. Ele veio de Nova York para ensinar aos los angelenos que não sabem nada da comida peruana.

Santiago, desajeitado, tirou do ombro a sua mochila de couro e levantou a mão em saudação. As modelos, em coro, deram boas-vindas. A mais impressionante entre elas veio abraçá-lo. Ela se moveu com a graça hipnótica e sutil de uma cobra. De seus ombros pendia um kaftan azul-noite, tecido com fios brilhantes.

— Que bom conhecê-lo — ela murmurou. — Eu sou Yaayaa. E — ela se virou para Anders com um sorriso conhecedor — é só angelenos, baby.

Anders sorriu.

— Foi o que eu disse.

Ele se afundou no sofá e encheu um copo de vinho para Santiago, depois outro para ele. Ele usava uma calça de linho solta, sem camisa e nem sapatos. A pele de seu abdômen reto queimado de sol se dobrava em rolinhos estreitos quando ele se inclinava para a frente para dar o copo a Santiago.

— Não estou aqui para educar — disse Santiago. — Só para saciar.

— Adorei isso! — gritou uma das outras mulheres, cujo rosto triangular e atrevido o fez lembrar de um morango.

Yaayaa voltou a se enrolar em uma almofada ao lado de Anders e a olhar para ele com um olhar direto e curioso. O nariz dela era polvilhado com sardas que se espalhavam sobre as maçãs do rosto até os olhos delineados em preto. Santiago empoleirou-se no lado oposto e encolheu a barriga. Ele se perguntou quando podia dar uma escapada e tomar um banho.

— Então, você mora em Nova York? — ela perguntou.

— Sim, como está Bosta York? — disse Anders. — Nossa, estou feliz por estar longe daquele lugar.

Santiago se arrepiou, mas manteve a voz neutra.

— O mesmo de sempre, cara.

— Você precisa mudar para cá — falou Anders. — Todo mundo está fazendo isso!

— Mas eu sentiria falta dos meus amigos — disse Santiago, com suavidade.

— Não é tão longe — comentou Anders.

— Aliás — continuou ele —, eu vi Cleo ontem.

Ele observou o rosto de Anders à luz do fogo para detectar alguma reação, mas ele permaneceu impassível como uma pedra.

— Ah, é? — ele disse. — Como ela está?

— Eu acho que ela está passando por um momento difícil.

— Ela é uma artista. Ela está sempre passando por um momento difícil.

— Quem é Cleo? — perguntou Yaayaa.

Anders abriu a boca para responder, mas Santiago falou primeiro.

— A mulher do melhor amigo dele — disse ele.

Anders fechou a boca e deu-lhe um sorriso amarelo.

— Eu pensei que você era meu melhor amigo.

— Nós dois somos.

— Como vocês dois se conheceram? — perguntou Yaayaa.

— Nós nos conhecemos há muito tempo — disse Santiago. — Provavelmente antes de você nascer.

— Sou mais velha do que você pensa — falou ela. — Eu só tenho bons genes.

— Nós nos conhecemos quando eu estava trabalhando como modelo — disse Anders. — Sua esposa Lila e eu fomos escolhidos para uma sessão de fotos para o *Paper* sobre a cena da dança no centro da cidade.

— Você era dançarino? — Yaayaa perguntou.

— Ela era. Eu estava lá so para enfeitar.

Lila e Anders logo se tornaram amigos. Os dois eram extrovertidos, imprudentes e divertidos. Santiago se sentiu ameaçado inicialmente, mas logo começou a gostar de ter outro homem heterossexual para conversar sobre futebol, uma raridade nos círculos de dança de Lila. Os três frequentaram festas juntos durante o período inicial, no auge da década de 1980, quando o hip-hop, o new wave e a dance music estavam se encontrando nas boates. Nos anos sombrios que se seguiram, durante os quais eles navegaram pela AIDS, epidemia de crack e heroína, e a morte de Lila, Santiago e Anders continuaram amigos. De fato, foi Santiago quem convenceu Frank, um frequentador do restaurante em que se tornou chef, a dar uma chance a Anders como diretor de arte.

— Eu ainda tenho aquelas fotos — disse Santiago.

— Meu Deus, ponha fogo nelas. — Anders riu. — Não acredito em como o estilo era horrível naquela época. Aquelas calças de paraquedas. — Ele escondeu o rosto no pescoço de Yaayaa quando se lembrou.

— Eu não vou queimar nenhuma foto de Lila — disse Santiago em voz baixa.

O rosto de Anders ressurgiu com um olhar de contrição genuína.

— Desculpe, foi bobagem da minha parte. De qualquer forma, Lila deve estar fenomenal. Ela sempre estava.

Yaayaa, evidentemente entediada por essa mudança no rumo da conversa, revirou-se no sofá.

— Então... Você é um chef?

— No momento, ele é *o* chef — disse Anders. — Não é, cara?

— Eu tenho um restaurante pequeno — ele respondeu.

— Já fez catering como cortesia para sessões de fotos? — ela perguntou.

— Não — disse ele.

Thor veio correndo de dentro de casa e pulou no colo de Anders em um borrão de pelos dourados.

— Ei, amigo — disse Anders, começando a brincar. — Você quer atenção?

— Provavelmente ele precisa dar outra caminhada — disse Yaayaa. — Você saiu com ele esta noite?

— Ele está bem, não está, amigo? — Anders empurrou gentilmente o filhote para fora do sofá. — Ele pode fazer cocô nos cactos, se precisar.

Yaayaa se voltou para Santiago e olhou para ele outra vez com seu olhar firme e viperino.

— E você é modelo? — Santiago perguntou.

— Sou. Mas eu também faço roupas.

— Ela está lançando sua própria linha de kaftans — disse Anders.

— E biquínis de crochê.

— Muito bom — elogiou Santiago.

— É por isso que minhas meninas estão aqui. Amanhã vamos para Joshua Tree para usar cogumelos e fazer uma sessão de fotos. Anders vai nos emprestar o carro.

Uma das modelos tirou os olhos do telefone e deu um gritinho sem graça.

— Este é, na verdade, um dos designs dela — disse Anders. — Vamos, boneca, levante-se. Mostre para ele.

Yaayaa revirou os olhos, mas logo depois ela estava girando diante dele, os braços estendidos para que ele pudesse ver o material cintilante e, sob ele, ela. Como deveria ser ter tão pouca consciência sobre o corpo? Os olhos dele passearam pela longa linha da cintura fina até a curva de seus seios pequenos. As auréolas escuras dos mamilos estavam visíveis sob o tecido fino. Anders sorria como um cafetão observando-a. Mas, na verdade, Santiago não se sentiu atraído por ela, nem por nenhuma daquelas mulheres.

Ele pensou em Dominique falando com orgulho sobre correr seus primeiros dez quilômetros. Uma vez, quando ela estava se curvando para a frente, ele tinha visto as estrias pálidas que riscavam a superfície dos seus seios grandes como fissuras de relâmpago. O corpo de Dominique tinha caráter e história. Era substancial como ela, generoso como ela. Ver beleza nela o fez sentir como se alguém pudesse um dia ver o mesmo nele. Qualquer um poderia ver beleza em Yaayaa.

— O que você acha? — perguntou Anders.

— *Que hermosa* — ele falou baixinho.

— Eu gostaria de falar espanhol — disse Yaayaa.

— E dinamarquês? — quis saber Anders.

— Um pouco menos útil.

— Você cresceu aqui? — Santiago perguntou.

— Meus pais são de Gana, mas eu nasci aqui. Eu morei em Paris por um tempo, então voltei aqui para fazer faculdade.

— O que você estudou?

— Negócios em Stanford.

— Eu não sabia disso — disse Anders.

— Você nunca perguntou — falou Yaayaa.

— Bem, não nos conhecemos há tanto tempo.

— Santiago acabou de me conhecer, e ele perguntou.

O estômago de Santiago roncou e ele tentou cobrir o som com tosse.

— De qualquer forma — continuou Yayaa — eu desisti depois do segundo ano porque modelos negras estavam finalmente começando a receber alguma atenção e minha carreira decolou.

— Eu sempre trabalhei com uma infinidade de garotas negras — disse Anders. — E isso foi nos anos 1980.

— Babe, se vista — disse ela, dando um tapinha no peito nu dele. — Sua brancura está me cegando.

Santiago bufou e caiu na gargalhada antes que pudesse se conter. Ele nunca tinha ouvido alguém falar assim com Anders. Anders olhou-o com os olhos apertados através do fogo.

— Desculpe, estou sendo um mau anfitrião — disse ele de repente. — Você quer tomar um banho, cara? Aposto que você está fedendo.

...

Os dois dias seguintes foram ocupados, Santiago mal viu Anders. Entre a criação do pop-up e as inúmeras reuniões, refeições e telefonemas com possíveis investidores que ele foi obrigado a fazer (os "*swine and dine*" como o subchefe de cozinha os chamava), ele simplesmente não teve tempo. Ele voltava tarde todas as noites para uma casa vazia — Anders ainda estava fora em alguma festa ou evento que ele escolhera para participar naquela noite —, e encontrava Thor em seu posto em frente à porta, aguardando o retorno de Anders com agitação esperançosa.

Cansado, Santiago soltava a coleira do prendedor e levava a criatura superanimada para passear no calçadão, onde Thor se deleitaria em cheirar pilhas de lixo ou enfiar o focinho no colo dos muitos itinerantes agachados na praia. Thor era grato pela a imundície pungente de Venice, enquanto Santiago sentia-se em conflito, com medo e preocupado com as legiões de sem-teto que povoavam a área. Ele tinha vergonha da ansiedade com a qual ele se afastava deles para apagar da sua mente as imagens de pés nus e rachados com enxames de moscas. Ele puxou Thor para o brilho reconfortante da casa de Anders com uma mistura de tristeza e alívio.

No último dia, ele fez questão de perguntar a Anders se ele gostaria que passassem a tarde juntos. Anders o surpreendeu ao sugerir que eles pegassem sucos e depois fossem de carro até Malibu com Thor para caminhar por Sandstone Peak. Com certeza, Santiago pensou, não demora muito para que Los Angeles mude uma pessoa. Mas ele estava feliz com a distração da atividade, não apenas porque significava que ele com certeza atingiria os dez mil passos naquele dia.

Ele tinha desistido de descobrir qualquer coisa de Anders a respeito de Cleo. Anders não tinha ideia do que ele havia feito para deixar Cleo tão chateada com ele ou ele não confiava em Santiago o suficiente para contar o que tinha acontecido entre eles. Além de um inquestionável confronto, o que assustava a natureza gentil de Santiago, ele precisou aceitar que simplesmente não era mais próximo de Anders. Eles estavam crescendo em direções diferentes. Santiago estava procurando amor, do tipo que Anders, segundo ele imaginava, não valorizava ou entendia.

Pelo menos ele poderia desfrutar de uma boa caminhada antes de voltar para casa.

Eles deixaram o carro perto e caminharam para onde as trilhas começavam. Era meio-dia em um dia de semana, e o estacionamento estava vazio, exceto por alguns outros veículos empoeirados. Um deles tinha uma placa inovadora que dizia ESPiRiTUALiSTA.

— Temos duas opções aqui — falou Anders. — Há uma curta e íngreme ou outra mais longa e mais fácil.

— Curta e íngreme — disse Santiago. — Eu consigo.

Anders deu um tapa nas costas.

— Esse é o cara.

Eles iniciaram a trilha estreita em fila indiana, Thor pulando à frente. O céu de azul profundo se estendia luxuosamente acima deles, desvestido de nuvens. Eles atravessaram uma ponte curta de madeira e depois começaram a subida nas colinas. Ipomeias silvestres, madressilvas e artemísias cobriam os morros ao redor deles. Para todo lugar que Santiago olhava, o verde mesclado era pontuado por grupos de flores do campo brancas espumosas, outras eram amarelo cheddar intenso e rosa magenta. O caminho empoeirado era suave, exceto pelas pedras salientes, em uma das quais Santiago tropeçou ao tentar dar uma olhada melhor em uma borboleta laranja que voava de forma provocativa logo à frente.

— Tudo bem aí atrás? — Anders gritou, divertindo-se visivelmente.

Santiago grunhiu em resposta. Ele não queria dar a Anders a satisfação de ouvir que ele já estava ficando sem fôlego. Perder oito quilos o deixou mais leve para caminhar do que em anos, mas ele ainda era uma carga pesada para carregar. À sua frente, Anders saltou como uma cabra da montanha de uma rocha para outra com pernas ágeis e tonificadas.

Eles caminharam por quase uma hora em silêncio por colinas cobertas de chaparral e afloramentos nas rochas íngremes. Finalmente, depois de um trecho implacável morro acima, onde Santiago teve que usar toda a sua força de vontade para não parar e se deitar, a trilha se abriu com a velocidade de uma cortina correndo de lado, e eles estavam no alto. Camada após camada de colinas que se espalhavam pelo sol, esparramadas embaixo deles, além das quais a curva da costa deu lugar a um mar azul brilhante e calmo. Anders sentou-se em uma pedra plana e enxugou o rosto com a camiseta. A camisa de Santiago estava encharcada de suor, e ele pegou uma bandana do bolso para enxugar a testa. Thor, cujas reservas infinitas de energia não haviam sido diminuídas pela subida, entrou em uma moita.

— Quer água, grandalhão? Parece que você precisa. — Anders entregou sua garrafa de algas em direção a Santiago com um sorriso de satisfação. Santiago tomou um gole grande e jogou-a de volta para ele.

— Ei, cara — ele chamou. — Posso pedir um favor? Você poderia não me chamar de grandalhão?

Anders levantou as palmas das mãos em um gesto de rendição.

— Eu não sabia que isso te incomodava. Claro.

Santiago olhou para o chão e chutou a poeira com a parte de trás do tênis.

— Não é nada de mais.

— Tudo bem com você? Você está, eu não sei, distante desde que chegou aqui.

Santiago estava prestes a dizer algo que dispensasse o assunto, como estar ocupado com o restaurante, mas ele se deteve. O que Dominique havia dito? Nada muda se nada mudar. Ele estava cansado de ser o capacho afável. Ele levantou o olhar que estavam nos seus pés.

— O que aconteceu entre você e Cleo? — ele perguntou.

Ele notou o choque momentaneamente inscrito no rosto de Anders antes que ele se endurecesse em defensividade.

— O que faz você pensar que aconteceu alguma coisa entre mim e Cleo?

— Ela não está muito bem, cara.

Anders pegou um pedaço amarelo seco de mato e o chacoalhou com desdém na frente dele.

— Cleo está bem. Ela tem Frank. É tudo o que ela quer.

— Que nada, cara. Ela se machucou muito.

— O que você quer dizer?

Santiago fez um movimento de corte no pulso.

— É sério, Anders.

— Você está brincando comigo? Quem te disse que ela fez isso?

— Eu fui visitá-la no hospital.

— Quando?

— Antes de vir aqui.

Anders se levantou de repente. Ele tinha ficado com um tom avermelhado pálido. Ele agarrou o cabelo com as duas mãos e lançou-se à esquerda e à direita, balançando todo o corpo, como se Cleo pudesse aparecer de repente diante dele. Quando ele falou, sua voz era rouca.

— Por que você não *disse* algo? Ou o Frank? Por que ele não me ligou?

— Ele me pediu para não falar. Eu acho que ele não queria... que as pessoas soubessem da vida deles.

Santiago ficou satisfeito por ver a ferroada de exclusão no rosto de Anders.

— Eu preciso ir vê-la — disse ele com firmeza.

Ele se esforçou para pegar a garrafa de água e a coleira. Então era verdade, Santiago percebeu. Anders e Cleo. A indignidade da situação o atingiu como um golpe físico. Ele ficou na frente de Anders, bloqueando o caminho dele.

— Como você pôde fazer isso, cara? Frank é como seu irmão.

— Que voo você vai pegar? Vou voltar com você.

— Seu *melhor amigo*. O que há de errado com você?

— Olha, você não entende a situação... Então, com todo o respeito, saia da porra da minha frente. — Anders se afastou dele e fez menção de ir embora, depois voltou. — Espere, onde está Thor? Thor! Thor!

Ele desceu correndo um trecho da trilha, voltou e depois pulou na moita de capim alto e de flores do campo, batendo na vegetação com os braços enquanto gritava o nome do cachorro. Santiago começou a chamá-lo também. O nome parecia estranho na sua boca, mas ele manteve a voz clara e firme. Anders voltou, parecendo suado e perturbado.

— Eu não consigo vê-lo — disse ele.

— Será que você deveria deixá-lo sem coleira?

— Não sei. Ele é um cachorro. Eles devem correr, não devem?

Depois de quinze minutos infrutíferos de busca, eles deci-diram refazer o trajeto na esperança de que o filhote os encon-trasse no caminho de volta. Anders partiu em ritmo acelerado.

— Me acompanhe! — ele gritou por cima do ombro.

Bufando atrás dele, Santiago o seguiu. Era mais fácil morro abaixo, e eles fizeram um bom progresso na trilha estreita e sinuosa. Em praticamente todo passo que dava, Anders gritava o nome de Thor em uma voz tensa. Santiago fez o possível para colaborar, mas ele estava se concentrando em manter as pernas firmes enquanto descia aos trancos pela encosta íngreme. Seus pensamentos sacudiam na sua cabeça a cada passo. Quem Anders pensava que ele era? Como ele se atrevia a dizer que não era da sua conta? Cleo e Frank eram seus amigos queridos. Ele havia preparado a refeição de casamento deles. Ele não era apenas um companheiro gordo e sem sentimentos, feliz em fazer o papel do ouvinte simpático sem opinião própria. Ele fazia parte disso. Ele *era importante.*

— Você é tão egoísta, que louco, cara! — ele gritou às costas de Anders.

— Vá se foder! — Anders gritou por cima do ombro.

Anders estava começando a ganhar distância dele. Santiago respirou fundo e acelerou o ritmo, pulando sobre uma pedra com facilidade. Ele se sentiu sobre-humano.

— Você tem que deixá-la em paz! Ela já sofreu o suficiente!

— Não me diga o que eu tenho que fazer!

— Você parece uma criança! — ele gritou.

— Eu tenho que ir! — Anders gritou de volta. — Eu preciso vê-la!

— Não interessa do que você precisa!

O ágil Anders desapareceu em uma curva à frente. Santiago continuou seguindo, não havia como ele escapar impunemente. Ele estava voando, alcançando mais velocidade do que em anos, quando sentiu o tornozelo torcer embaixo dele. Um momento de suspensão vertiginosa e sem peso, e então ele estava caindo para a frente, os braços estendidos, derrapando pela trilha sobre a barriga em uma nuvem de poeira. Ele podia ouvir os passos leves de Anders recuando quando se deu conta do coro de cigarras rindo ao seu redor. Ele se virou de costas e olhou para o trecho brilhante do céu acima dele. Havia uma dor intensa no joelho direito. Fora isso, ele se sentia bem. Ele se sentia vivo.

Santiago ficou deitado de costas, recuperando o fôlego. Ele colocou uma mão sobre o coração disparado e outro no abdômen, como ele aprendeu a fazer nas aulas de ioga que ele começara a frequentar recentemente, e se concentrou em desacelerar a frequência cardíaca. Ele ouviu uma barulheira perto dele e, em uma enxurrada de chorinhos e rosnadinhas, Thor estava com ele. Ele apoiou as patas alegremente no peito e no estômago de Santiago, lambendo-lhe o queixo, as narinas e até, infelizmente, o interior da boca quando Santiago a abriu para protestar. Ele se sentou e deu alguns socos de brincadeira em Thor.

— Onde você estava, *hombre?*

Deitado no chão, onde Thor o tinha visivelmente descartado em favor do brinquedo mais divertido do que um Santiago prostrado, ele viu a forma verde e polpuda de um lagarto meio mastigado.

Santiago levou um tempo enterrando o lagarto sob uma pilha de sálvia e plantas rasteiras e colocando uma única flor branca em cima do montinho. Por sorte, Thor ficou tão intrigado com esse comportamento que ele permaneceu perto dos pés de Santiago. As nuvens estavam escurecendo o céu quando ele retomou a descida com o filhote se contorcendo nos seus braços. Ele chegou ao final da trilha e encontrou Anders encostado no carro com os ombros caídos, todo o seu corpo desabando. Ao som da aproximação deles, ele levantou a cabeça e encontrou o olhar de Santiago. Então Anders fez algo que Santiago nunca poderia imaginar. Ele caiu em lágrimas. O cachorro saltou dos seus braços e correu para Anders com um latido de prazer. Anders caiu de joelhos e enterrou o rosto no pelo dourado.

...

Anders não se mexeu para ligar o motor enquanto eles estavam sentados lado a lado no carro escuro. Thor, finalmente cansado, estava enrolado na forma de um croissant no banco de trás, roncando baixinho.

— Eu a amo — disse Anders. — Sei que não deveria, mas amo.

Santiago assentiu lentamente.

— Talvez você apenas pense que a ama porque ela é a única pessoa que você não pode ter?

— Pode ser. Mas não parece que seja isso.

— Cleo é uma pessoa especial — ele concordou. — Mas ela não é a mulher para você.

— Mas e se ela for?

— Ela não é.

— Como você sabe?

— Porque se ela fosse, ela não teria se casado com Frank.

— O que devo fazer então? O que você faria se você fosse eu?

— Deixaria ela em paz. Ela precisa se curar. Frank também. Ele não pode sofrer mais agora. Você sabe que ele foi quem a encontrou?

— Nossa. Foi ele? Ele está bem?

— Ele não vai melhorar se você for lá e declarar amor pela mulher dele. Finja que isso não aconteceu. Deixe-os seguir em frente, o que quer que isso signifique para eles.

— Eu só quero falar com ela.

— Eu sei, cara, eu sei. Fale comigo.

Anders esfregou os olhos de forma brusca com as costas da mão.

— Você acha que ela queria mesmo morrer?

— Ela me disse que queria mudar.

Anders exalou com tristeza.

— Que jeito de mudar.

— Ela é jovem. Lembra quando tínhamos vinte e cinco? As coisas que fizemos? Nós éramos loucos.

Anders circundou o volante com a palma da mão.

— Eu entendo querer que as coisas mudem. Por que você acha que estou nesta cidade insana?

— Eu pensei que você amasse Los Angeles!

— Eu não odeio. É que… Já me perguntaram se eu preciso de recomendação de um xamã três vezes desde que eu mudei para cá, cara.

Santiago suspirou. Era verdade. As pessoas em Los Angeles levavam a questão espiritual a um novo nível.

— E você e Yaayaa? — ele perguntou.

— Yaayaa? — Anders bufou. — Ela só quer que eu coloque seus kaftans na revista.

— Tenho certeza de que não é…

— Você sabe que todas essas modelos transam entre elas, certo? — Ele continuou. — Elas realmente não querem um homem por perto. — Ele exalou. — A menos que elas precisem de um carro grande emprestado.

— Sério?

— É, sim.

Os dois homens começaram a rir. Anders se virou no assento para que pudesse olhar diretamente para Santiago.

— E você? — ele perguntou. — O que está acontecendo? Eu pensei que você poderia me bater lá. Não apenas por causa da Cleo.

— Eu estou mudando, cara.

— Estou vendo.

— Durante todo esse tempo, você me tratou como se eu fosse apenas o... — foi difícil para ele dizer a palavra em voz alta, mas ele tinha que fazê-lo. — O amigo *gordo*. O companheiro. Mas eu tenho sentimentos. Sentimentos profundos.

— Ninguém te vê assim. Exceto, talvez, você mesmo.

— Não me diga que está tudo na minha cabeça. Eu sei o que vocês pensam de mim.

— É isso que você tem dito a si mesmo todos esses anos? Acorde, homem! Você é tão bem-sucedido. Todo mundo está vibrando com o seu restaurante. E você é charmoso, você é profundo. Yaayaa não parava de falar sobre como você é atencioso. Isso me irritou, honestamente.

— Sim, eu sou o cara com quem as mulheres gostam de *conversar*, mas é só isso. Elas não me veem como amante.

— Bem, você já chamou alguém para sair?

Santiago teve que admitir que não. Ele esteve com mulheres, mas a última vez em que ele esteve apaixonado foi por Lila. Ele era um jovem então, trinta quilos mais leve. Mais leve em todos os sentidos.

Anders procurou pelo rosto dele com uma ternura incomum.

— Você sabe que eu sinto falta dela também, certo?

Santiago concordou com um movimento de cabeça.

— Na verdade — disse Santiago — eu tenho medo.

— Deixe de besteira. Estamos todos com medo.

— Você não. Você é o Don Juan.

— Ah, sim, estou indo muito bem. Quarenta e cinco anos. Solteiro. Apaixonado pela mulher do meu melhor amigo. Você nem queria ficar na minha casa.

— Isso não é verdade. — Santiago se virou no assento. Ele odiava mentir.

— Tudo bem, entendo. A pior parte é que Jonah não vem. Enviei uma passagem para ele e tudo mais.

— Por que não vem?

— Ele está bravo comigo por ter me mudado, eu acho. Eu tenho sido um padrasto de merda, ou seja lá o que eu sou para ele. E eu nunca tive os melhores exemplos. Você sabe que meus pais nunca me visitaram nos Estados Unidos? Faz vinte e seis anos que eu moro aqui.

Os próprios pais de Santiago só apareceram no ano passado. Eles o envergonharam comendo no seu restaurante todas as noites, declarando em voz alta que eram seus pais a qualquer cliente que estivesse por perto.

Anders inclinou a cabeça para trás contra o apoio de cabeça e olhou para o telhado.

— Ninguém me ama — disse ele. — Não de verdade.

Santiago pensou em como no grupo Magro de Novo, Comece de Novo, se falava muito sobre por que as pessoas comiam, a fome que estava além da comida. Elas comiam porque isso as lembrava dos seus pais quando as alimentavam e dos momentos em que recebiam cuidados. Elas comiam porque seus pais não as alimentavam, e foi assim que aprenderam a cuidar de si mesmas. Elas comiam porque se sentiam menos sozinhas enquanto comiam. Porque elas queriam se sentir satisfeitas, depois queriam não sentir mais nada. Dominique disse que era como a música de Bruce Springsteen "Hungry Heart" da década de 1980. Todo mundo tem um coração faminto. O truque é entender quando você come para preencher o coração em vez do estômago. Alimentar o estômago, disse ela, é fácil. Isso é apenas dieta. Aprender a alimentar o coração é a parte mais difícil.

Santiago apoiou a palma da mão no ombro de Anders.

— Eu te amo, cara — disse ele. — De verdade.

Anders inclinou a cabeça para a frente sem palavras. Então ele deu um tapinha na mão de Santiago e colocou as chaves no carro.

— Você só está dizendo isso para eu levá-lo até o aeroporto.

...

Antes do voo, Santiago fez algo que não fazia há anos; ele foi até a capela do aeroporto. A maioria das pessoas não sabia que muitos aeroportos têm capelas. Mas Santiago havia sido criado como um católico fervoroso, e sua avó sempre insistia para que ele orasse por um voo seguro antes da decolagem. Ele nunca fez isso, apesar de ter prometido a ela obedientemente, mas ele sempre procurava no terminal pelo ícone da capela e fazia o sinal da cruz só por precaução.

A capela do aeroporto internacional de Los Angeles era uma sala comprida e sem adornos, com duas fileiras de bancos de madeira e um altar simples. O cheiro foi o que ele notou primeiro. Ele poderia entrar em qualquer igreja católica vendado e saber exatamente onde estava. De Lima a Los Angeles, elas tinham o mesmo cheiro. O perfume remanescente de incenso e flores, sabão líquido Murphy, lustra-móveis, cera das velas, papel barato dos folhetos de missas e um cheiro um pouco mofado e indistinto que era simplesmente do tempo. O lugar era frio, escuro e vazio. Um quadro de avisos informava que havia missas todas as noites, mas ele acabara de perder a última. Ele não se importava. Ele preferia falar apenas com Deus.

Ele se espremeu em um dos bancos e se ajoelhou. Fazia muito tempo desde a última vez em que esteve aqui. O que ele deveria dizer? Frases da sua infância chegaram até ele, empoeiradas e rudimentares. Por hábito, ele começou a recitar a oração do Senhor, mas seus pensamentos reais, suas orações verdadeiras, interromperam-na antes de terminá-la. Ele pediu que sua avó descansasse na paz eterna. Ele pediu que Deus olhasse por seus pais. Ele orou para que Cleo não sentisse dor. Ele orou para ela e Frank para serem felizes novamente. Ele pediu misericórdia para Anders. Ele orou para que Lila pudesse dançar, onde quer que ela estivesse. Sua avó sempre lhe dizia para não orar por si mesmo, mas no final ele o fez. Ele orou para ter coragem de conversar com Dominique. Ele pediu que o amor voltasse para ele. Por fim, ele humildemente pediu a Deus força para aguentar seu coração faminto, o peso mais difícil de suportar.

CAPÍTULO TREZE

FINAL DE MARÇO

No norte, a pouca neve que restava endureceu-se em gelo. Cleo fingiu que estava dormindo durante a maior parte da viagem de trem que partiu da cidade, às vezes embarcando em um cochilo superficial e sem sonhos nas últimas paradas. Frank alternava entre olhar ansiosamente pela janela, olhar ansiosamente para o telefone e olhar ansiosamente para Cleo. Ela tinha tido alta do hospital naquela manhã.

Eles pegaram um táxi da estação de trem, passaram por campos brancos cobertos de gelo e casas dilapidadas discretamente, sempre em silêncio. Uma das casas pela qual eles passaram estava rodeada por uma cerca de metal cuja altura chegava até os ombros. Pendurado em um lado havia algo marrom e peludo. Quando se aproximaram, ficou claro que um cervo havia tentado, sem sucesso, pular sobre ela, dilacerando seu estômago em uma das pontas agudas no processo. Ele estava rasgado ao meio, suspenso em um arco desabado, as pernas dianteiras penduradas de um lado e as pernas traseiras do outro.

— Aquilo era mesmo o que eu acho que era? — perguntou Frank, espremendo-se para dar uma outra olhada enquanto passavam.

— Sim, se você acha que era um cervo morto — disse o motorista.

Cleo levou a mão à boca.

— Isso é normal? — perguntou Frank. — É uma coisa normal de acontecer? Um cervo cometer suicídio na sua propriedade?

O motorista riu.

— Não sei se é normal — ele disse. — Mas aconteceu.

Era final da tarde e o céu havia empalidecido para um tom anêmico de cinza quando chegaram à cabine de Frank. O táxi se afastou, e os dois se entreolharam em um silêncio desconfortável. Eles não estavam à vontade sozinhos, pensou Frank quando ele se virou para destrancar a porta da frente. O acidente de Cleo e os dias que se seguiram dissolveram qualquer intimidade fácil que eles haviam construído no ano passado.

Ele havia visitado Cleo todos os sete dias em que ela foi mantida sob observação psiquiátrica, mas eles fizeram pouco mais do que manter conversas irrelevantes sobre o trabalho e o clima. Ele imaginou que suas visitas seriam pontuadas por explosões violentas dos outros pacientes ou pelas divagações caóticas dos visivelmente loucos, mas na verdade o local era quieto e opressivo. A maioria dos pacientes, ao que parecia, passava os dias dormindo ou olhando para o ar à frente deles. A vida parecia estar parada dentro dos muros daquela ala. Frank esperava que agora que ela estava livre, Cleo se abrisse um pouco. Mas parecia que ela não tinha nada a dizer.

Lá dentro, a casa estava escura e silenciosa, com o ar espesso e estagnado que se desenvolve quando fica intocado por muitas semanas. Cleo ficou na porta de entrada, tremendo de frio, e puxou o casaco com mais força em volta dela.

— Está mais frio aqui do que lá fora — ela comentou.

— Estamos sem energia — disse Frank, ligando e desligando o interruptor de luz. Ele entrou na cozinha e checou as torneiras. — Pelo menos a água quente funciona. Deve ter acabado de faltar luz.

— Que sorte a nossa — disse Cleo.

— Estamos no interior. — Frank suspirou. — Acontece. Deve voltar amanhã.

Cleo pensou que esse conhecimento sugerido da vida no campo era bastante engraçado, vindo de um homem que acabara de ter paroxismos ao ver um cervo morto, mas ela decidiu não mencionar isso.

— Você pelo menos tem velas? — ela perguntou.

— No armário. Eu vou fazer uma fogueira.

Cleo olhou para ele por cima do ombro e levantou uma sobrancelha.

— Você sabe?

Frank deu de ombros para isso.

— Se os homens das cavernas conseguiam — ele respondeu.

A cabana não era grande, apenas uma sala de estar, cozinha e sala de jantar com dois quartos pequenos no andar de cima. Era realmente uma casa de verão, construída para os meses mais quentes, com um interior simples e sem enfeites projetado para direcionar o olhar para fora, através das janelas grandes, para a descida da colina repleta de árvores nas encostas até o corpo brilhante de água que estava adiante. Frank tinha comprado-a há mais de uma década, principalmente por causa da vista do lago, que era espetacular. Hoje, no entanto, a água estava coberta por uma camada de gelo, daquele cinza liso e sujo do camarão cru. Nada brilhava. Cleo voltou com algumas velas cônicas e um saco de velinhas. Ela olhou ao redor da sala e viu o sofá de couro marrom arranhado, o pufe que servia de poltrona e a mesa de café simples, de madeira.

— É diferente do que eu me lembrava — disse ela com ar triste.

Frank sentiu uma mistura de atitude defensiva e de desvalorização desta casa, a primeira propriedade que ele adquiriu.

— Vamos torná-la aconchegante — respondeu ele.

Os dois ficaram em silêncio, pensando na última vez em que estiveram ali, naquele final de semana feliz, iluminados pelo sol de maio. Era como se eles pudessem mergulhar as mãos sob a superfície do dia e sentir a corrente dessa outra vida, apenas nove meses antes, correndo logo abaixo dela. Havia Cleo correndo nua pela sala, pingando água do lago pelo chão, e Frank rindo logo atrás dela, tentando agarrar seus membros escorregadios. Aqui estava a cozinha onde eles comeram frutas frescas, cereais ou sanduíches em cada refeição, porque nenhum deles sabia cozinhar. Havia Frank cochilando no sofá, com um livro sobre o peito nu, Cleo colocando-o de lado para deitar a cabeça em seu lugar. Foi no trem de volta para casa que ele a pediu em casamento. Ela levantou o rosto do ombro dele, com admiração. *Como você sabia que era isso que eu queria?* Ele riu. *Então isso é um sim? Sim,* ela disse, *mil vezes sim, sim.* E parecia o começo de tudo.

Agora, Frank estava com os acendedores de fogueira na mão, olhando fixamente para a lareira enegrecida e vazia. Ele se lembrava vagamente de lhe terem dito como se fazia isso, algo sobre criar uma base. Na verdade, ele estava perdido. Cleo olhou para ele e franziu a testa.

— Você tem que verificar o abafador — disse ela.

— O quê?

— Aqui, deixe eu ver. — Ela afastou-o para o lado e se ajoelhou, enfiando a cabeça pela chaminé e alcançando a parte interna para ajustar algo. — Se estiver fechado, a fumaça invadirá a sala. Deve estar certo agora.

Frank ficou impressionado, novamente, pela amplitude das coisas que ele não sabia e que ela sabia. Ela sentou-se nos calcanhares e enrolou bolas de jornal da pilha que estava na cesta para prendê-las na grade, depois empilhou os gravetos entrecruzados até o topo.

— Você é boa nisso — ele disse com dificuldade.

Era pouco viril só ficar parado lá, atrás dela. Ele pegou um tronco grande da cesta e foi colocá-lo em cima dos gravetos, mas ela o interceptou e pegou outros dois, organizando-os em forma de cabina. Em um movimento hábil, ela acendeu vários fósforos de uma só vez e colocou cada um deles no ninho das bolas de jornal.

— Tínhamos uma lareira funcional quando eu era criança — falou ela, soprando nas chamas que surgiram. — Minha mãe me ensinou.

Essa menção à mãe surpreendeu Frank. Ele não sabia que, embora Cleo tivesse tido duas colegas de quarto no hospital (uma compulsiva com transtorno de escoriação seguida por uma que era bulímica bipolar), a verdadeira companhia viva naquela semana tinha sido sua mãe. Sua mãe estava sentada com ela durante as longas horas de chumbo, esperando que as poucas atividades do dia, a terapia de grupo ou aula de arte, começassem. Sua mãe estava inclinada na pia enquanto ela esfregava os dentes até que as gengivas sangrassem todas as noites, um ato de rebelião contra a dormência que ia tomando conta do corpo. Sua mãe tinha se interposto entre Cleo e Frank em cada visita, deixando de vigiar Cleo para espiá-lo. O pior de tudo é que, quando Cleo olhava no espelho, era sua mãe quem a olhava de volta. Ela estava lutando para pensar nas duas, em sua mãe e nela mesma, como algo que não fosse problemático e suicida. Elas eram mulheres que, pelo menos, sabiam acender fogueiras.

Ela continuou soprando até as chamas começarem a estalar, depois limpou as mãos no jeans e olhou para ele. Mesmo no inverno, as sobrancelhas dela eram quase invisíveis, quase brancas. Ela arqueou-as agora como se dissesse: *Não fique tão surpreso.* Sua severidade foi compensada por uma mancha preta de fuligem na ponta do nariz. Frank pensou que ela parecia uma adorável limpa-chaminés. Muito gentilmente, ele tocou a mancha com a ponta do dedo. Cleo recuou como se ele tivesse segurado um fósforo aceso contra a pele dela.

— Você está com fuligem — disse ele, levantando as palmas das mãos em rendição. Cleo esfregou o nariz com a manga da jaqueta.

— Ficou fofo — comentou ele.

— É terrível para a pele.

— Certo. — Ele se afastou dela para esconder o sofrimento no seu rosto. Ela nem o deixava tocá-la. — Você está com fome?

Frank tinha ido à Dean & DeLuca mais cedo naquela manhã para comprar mantimentos antes de ir buscar Cleo no hospital. Sem que nenhum deles tivesse mencionado o fato, os dois pareciam entender que era muito cedo para voltarem ao apartamento juntos, para o lugar onde ele a havia encontrado; assim, Frank sugeriu que eles fossem diretamente para a estação de trem e passassem algumas noites no norte do estado. Ele não tinha certeza do que Cleo gostaria de comer, então ele pegou uma variedade de alimentos que não combinam muito entre si: sushi, biscoitos, salada de macarrão, frango ao curry, filés de salmão, uma bola de muçarela de búfala, salada de frutas, um único limão e uma fatia grande de bolo de butter cream. E, é claro, ele também parou na loja de bebidas depois.

— Ainda não. — Para agradá-lo, Cleo tentou um sorriso. — Mas eu avisarei quando estiver.

— Você tem que comer.

— Vou comer quando tiver fome.

— Você não tomou café da manhã nem almoçou.

— Os medicamentos que eles me deram me deixam enjoada.

— Mesmo assim é bom tentar.

— Vou tentar quando estiver com fome.

— Certo.

Ambos se viraram para olhar o fogo outra vez. Cleo ergueu as mãos em direção a ele e as virou de frente para trás em um elegante gesto de torção. A manga desceu e revelou a ponta do curativo. Frank olhou para ele e viu terra molhada de sangue. A pele de seu braço aberta por um corte limpo, como um peixe estripado. Ela percebeu o olhar fixo dele e baixou as mãos.

— Até que enfim está um pouco mais quente — disse ela.

— Você já pensou sobre o que eles disseram no hospital? — Frank perguntou. — Sobre ver um terapeuta?

— Eu acabei de sair — respondeu ela.

— É que o médico disse...

— Não quero falar sobre o que o médico disse.

Frank exalou.

— Estou apenas querendo ajudar.

— Você não está.

— Certo — disse Frank. — Eu sinto muito. Você está muito frágil para ter essa conversa agora.

Cleo virou-se sobre os calcanhares e se levantou.

— Eu *não* estou frágil.

— Eu não quis dizer frágil. — Frank acenou com a mão como se pudesse dissipar a palavra como fumaça entre eles. — Sensível.

— Eu não estou sensível. *Você* está sensível.

— Tudo bem, como você quiser, Cleo. — Ele se afastou dela novamente. — Eu vou cortar um mais um pouco de lenha.

Cleo resolveu não dizer nada depreciativo sobre essa exibição de masculinidade. Depois que ele saiu, ela ficou tremendo na sala de estar. Em seguida, ela podia ouvir o som pesado e rítmico do machado. Acendeu mais algumas velas e avivou o fogo com o atiçador, olhando para as chamas por um longo momento. Estava tão desesperada para sair do hospital, mas agora que estava fora, não sabia como agir. Sabia que Frank estava tentando ajudar, mas isso apenas a fazia se sentir incapaz de ajudar a si mesma. Passou tantos anos tentando não ser definida pelo que sua mãe fez, tentando ser íntegra, tentando ser feliz e leve. Agora ela tinha desfeito tudo. Ela soltou o atiçador e se virou para segui-lo lá fora. Ela agiria de forma normal, seria mais tranquila.

Frank estava atrás da casa, onde uma varanda de madeira e um pequeno jardim davam para a encosta até o lago. Ele olhou para cima para vê-la em pé junto ao balanço enferrujado, acendendo um cigarro. Ela colocou o maço de volta no bolso enquanto o observava. Onde ela tinha conseguido aquilo? Ele certamente não havia trazido nenhum cigarro para ela. Cleo o viu perceber isso e sorriu para si mesma. Ela havia convencido uma das enfermeiras a dar-lhe seu maço antes de sair, e foi por isso que ela estava se permitindo fumar Camels em vez dos Capris habituais. Ela considerou esse como sendo seu único sucesso verdadeiro do tempo no hospital.

Frank, que notou esse sorriso e deduziu que ela estava zombando dele, decidiu continuar cortando lenha como se ela não estivesse ali. Claro, ele errou o próximo movimento e fez o machado derrapar pela lateral da madeira cortada e cair no chão, não conseguia fazer nada certo. Xingando baixinho, ele lutou com a lâmina que ficara enfiada na terra. Cleo apertou o cigarro entre os lábios e bateu palmas, que estavam brancas de frio.

— Tente outra vez — ela gritou. — O que os americanos dizem? — Ela adotou um sotaque anasalado. — *Você consegue.*

Ele observou o rosto dela para ver se ela estava rindo dele, mas os olhos estavam brilhando suavemente com bom humor. Ele desviou o olhar, sorrindo para si mesmo, depois se movimentou. Ele dividiu o pedaço de madeira em uma metade perfeita. Quando ele olhou para ela, a ansiedade estava no rosto todo.

— Bom trabalho — disse ela, ainda com sotaque vibrante. — Foi ótimo.

— Então você é americana agora? — ele perguntou.

— Só quando estou animada — respondeu ela. — Você sabe qual é meu americanismo favorito?

— Qual?

Ela modificou a voz para um barítono áspero do sul.

— Os vencedores vencem e os perdedores perdem.

— Onde você ouviu isso?

Cleo sorriu.

— Aquele americano na nossa lua de mel disse.

— Típico dele — Frank zombou.

Ele pegou os pedaços de madeira que acabara de cortar e carregou-os nos braços. O pensamento da lua de mel trouxe uma terrível tristeza. Foi antes de ele conhecer Eleanor, antes de comprar Jesus, antes que alguém tivesse magoado irremediavelmente outro alguém. Naquela época, ele se sentia como um vencedor. Ele caminhou até a varanda e colocou a madeira de volta entre eles.

— Eu sei que acha que sou um perdedor — disse ele. — Você não teria feito o que fez se não fosse assim.

Cleo olhou para cima e exalou a fumaça para o céu cinzento, balançando a cabeça.

— Não foi por isso que fiz aquilo. Era algo maior do que só você.

— Só eu? Eu *encontrei* você. Eu pensei que você estava...

— Eu não quis dizer isso — disse Cleo. — Eu quis dizer...

Frank foi até o balanço da varanda e colocou a cabeça entre as mãos.

— Eu pensei que você estava morta, Cleo.

Ela não sabia como tinha sido para ele enquanto estava lá caída. Primeiro, o horror de encontrá-la. Suas mãos convulsionando enquanto ele chamava a ambulância. Segurando uma toalha no pulso dela, sentindo seu sangue palpitar através do tecido. Ele ainda não tinha conseguido tirar as manchas da manga do casaco. A única coisa que impedia suas mãos de tremerem era uma bebida. Então vieram os dias e noites sem ela, desejando-a e odiando-a e se preocupando com ela. As terríveis visitas hospitalares nulificantes, nas quais ela mal parecia reconhecer que ele estava lá. Perdido, ele sentiu como se a tivesse perdido para sempre. Santiago, a única outra pessoa que sabia, tinha ido para Los Angeles. Eleanor o evitava no escritório desde a festa do Kapow! Ele estava desesperado para desabafar com ela, em quem ele confiava mais do que em todos os outros, mas ele se segurou por lealdade a Cleo. Pelo menos no hospital, eles sabiam. Do lado de fora, ele não tinha ninguém. Ia direto para casa depois do trabalho, abandonava seu sorriso falso junto com o casaco na porta. O alívio de uma bebida. O alívio de não ter que fingir mais. O alívio de desmoronar até a manhã seguinte, quando ele pegava o casaco manchado de sangue e o sorriso desgastado e fazia tudo de novo.

Cleo balançou a cabeça com uma expressão dolorosa no rosto.

— Eu não estava tentando morrer — disse ela. — Eu estava, foi... um momento de fraqueza.

Frank levantou os olhos das mãos dele para ela.

— Comer um pote inteiro de Häagen-Dazs é um momento de fraqueza, Cleo. O que você fez foi violência.

— Só em relação a mim mesma. Ninguém mais.

— *Só*? — Frank gaguejou. — Você acha que o que você fez não afetou mais ninguém? Não me afetou?

— Não, eu... — Ela fez uma pausa para pensar. — Eu só não quero que esse ato se torne a totalidade de quem eu sou. Não é mais definitivo para mim como pessoa do que o que você fez com Jesus é para você.

Frank olhou para ela sem acreditar.

— Era um animal, sem falar que foi um acidente. Isso é sobre *você*.

— Ela era tão importante quanto eu.

— Você está se escutando? Isso é insano.

— A vida dela tem tanto valor quanto...

— Não. Me desculpe, não. Algumas vidas valem mais do que outras. Isso é apenas um fato. Sua vida vale mais do que mil vidas de petauro-do-açúcar. Cristo, vale mais que a vida de mil *pessoas* para mim. Eu sei que isso não é ético, mas é assim que eu sinto. É como o coração humano funciona. Sua vida é mais preciosa do que qualquer outra vida para mim. Até mais... até mais do que a minha.

— Isso é para ser romântico?

— Não é para ser nada. É só a verdade.

Cleo, que não tinha sentido nada durante sete dias, sentiu uma revigorante onda de raiva pulsar por dentro dela. Ela se sentiu articulada e forte. Ela se sentiu bem. Ela andava para cima e para baixo na varanda, balançando o cigarro.

— Você tem um jeito engraçado de mostrar que minha vida é tão valiosa para você quando você não faz absolutamente nenhuma concessão ou mudança no seu comportamento para promover ou acomodar minha felicidade.

— Por que você está falando como se estivéssemos em um tribunal? Foi o psiquiatra quem disse isso a você? Você está citando-o?

Cleo parou e ficou bem na frente dele.

— Estou citando a mim mesma.

— Você realmente acha que eu não fiz nenhuma mudança na minha vida por sua causa?

— Você pode citar uma?

Frank abriu a boca e depois a fechou novamente. Ele se levantou.

— Olha, nós dois estamos cansados. Vamos parar com isso.

— Eu não estou cansada! Não fiz nada além de descansar por uma semana!

— Tudo bem, eu estou cansado. Vamos fazer comida?

— Eu disse que não estou com fome.

— Certo! — ele gritou. Ele respirou fundo e tentou modular sua voz. — O que você gostaria de fazer então? Ler? Assistir a um filme?

— Estou congelando. Está gelado aqui.

— Então vamos voltar para dentro.

— Está gelado lá também.

— Eu posso preparar um banho para você.

— Eu não posso molhar os pontos.

— Você pode deixar o braço para fora da banheira.

— Mas eu não *quero*. Você não está me ouvindo.

— Pelo amor de Deus, estou tentando.

— E eu não estou?

— Apenas me diga o que você quer que eu faça, e eu farei.

— Eu não quero ter que dizer!

Cleo voltou para dentro da casa. Frank pegou a madeira e a seguiu, lutando para abrir a porta de tela com as mãos ocupadas. Ele largou a madeira perto do fogo e a seguiu para a cozinha. Ele não queria brigar com ela, mas não conseguiu impedir os seus pés de segui-la. Eles estavam um de cada lado da mesa de jantar, os pacotes de comida desembrulhados entre eles.

— Olha, eu *entendo*, Cleo — disse Frank, esfregando resíduos de lenha das mãos. — Eu sou o idiota. Eu sou o palhaço corporativo. Eu sou o cara mau que estragou sua vida.

Cleo revirou os olhos para ele.

— Não faça isso. Não se vitimize sob o pretexto de assumir a responsabilidade. Isso não é um pedido de desculpas, isso é autopiedade.

— Não importa se peço desculpas ou não! Você não *quer* me perdoar. Quantas vezes posso dizer que sinto muito?

— Eu não preciso que você diga nada! Estou cansada das suas palavras! Palavras, palavras, palavras. — Cleo deu um tapa na mesa para enfatizar. — As palavras podem ser suficientes para Eleanor, mas não são suficientes para mim.

Frank olhou-a com espanto.

— Eleanor? — Ele gaguejou. — O que Eleanor tem a ver com isso?

Cleo apertou os olhos em direção a ele.

— Você sabe, Frank.

— Não tenho ideia do que você está falando.

Cleo pensou em seguir essa linha de ataque, depois lembrou-se de Anders com golpe de vergonha e desistiu. Frank estava revirando o cérebro para entender como Cleo poderia ter encontrado qualquer coisa sobre Eleanor. Ele nunca a tocou, nunca contou a ninguém sobre ela, ele mal reconheceu para si mesmo seus sentimentos por ela. Eles nem se falaram no mês passado. Então, o que poderia ser? Cleo conhecia seu coração tão bem assim?

— Não acredito em nada do que sai da sua boca — disse ela, recorrendo a generalidades.

— Tudo bem, você não acredita no que eu digo — disse Frank. — Mas onde estão meus pés? Eu ainda estou aqui, Cleo. Pelo menos me dê algum crédito por isso. *Eu estou aqui.*

Cleo agarrou o peito e ficou ofegante.

— Você quer crédito por não me deixar? Você está brincando? Desculpe, Frank, mas você *se casou* comigo. Na riqueza e na pobreza, na saúde e na doença. Esse era o acordo. Você proferiu esses votos. Você fez essas promessas. E agora você quer crédito pelo quê, por cumpri-las?

— Nós dois sabemos por que fizemos esses votos, Cleo. Eu era mais rico, você era mais pobre.

— Ah, puta que pariu. Nem me fale dessa besteira binária. E agora? Eu sou a doença e você é a saúde?

Frank estava a ponto dizer alguma coisa, mas pensou melhor e se retirou pela passagem arqueada para a sala de estar. Cleo seguiu atrás dele e empurrou-o pelo ombro para virá-lo de modo que ele tivesse que encará-la.

— O quê? O que é, Frank? Diga!

— Não me empurre, Cleo...

— Diga!

Ele exalou lentamente.

— Eu ia dizer que não sou *eu* quem está usando uma pulseira de hospital.

Cleo olhou para o pulso surpresa. Ela usava a pulseira há tanto tempo que havia se esquecido dela. Que humilhação. Ela pegou o plástico e começou a puxá-lo.

— Você está delirando — ela cuspiu. A pulseira não saía. Ela tentou arrancá-la e ela ficou mais apertada em volta do pulso. — Sua doença *se tornou* a minha doença — disse ela, ainda torcendo a pulseira de plástico.

Ele agarrou as mãos dela.

— Olha, pare. Espere, espere um pouco...

Ele desapareceu no banheiro e depois voltou para pegar uma vela.

— Está muito escuro — ele murmurou.

Cleo olhou pela janela. O sol realmente começou a se pôr, e a sala mergulhou em uma escuridão densa. Frank voltou com uma tesoura de unhas e fez um sinal para ela levantar o pulso. Com muito cuidado, quase com ternura, ele cortou o plástico. Parecia ter libertado a pata de algum animal selvagem nervoso preso em uma armadilha. Frank olhou para o pulso nu. A pulseira caiu no chão entre eles, espiralando como um pedaço de casca de maçã. Ele não queria soltá-la.

Cleo não podia suportar o olhar no seu rosto. Ela fechou os olhos. Quando ele falou, sua voz era suave.

— Por que você faz isso com você mesma?

Cleo murmurou algo que mal eram palavras.

— O quê?

— Você fez isso comigo — ela sussurrou.

Ele largou o pulso dela e deu um passo para trás como se tivesse sido atingido. Ele se sentiu atingido.

— Você está apenas tentando me machucar.

Ela balançou a cabeça.

— Não — disse ela. — Estou tentando sobreviver a você.

Frank deu mais um passo para trás.

— Sobreviver a mim? O que você está dizendo? Eu apoiei você. Eu te dei tudo o que eu tinha. *Sobreviver* a mim? Como você pôde dizer isso?

— Sua bebedeira — disse Cleo baixinho. — Eu não estou falando sobre o que você fez por mim financeiramente. Estou falando sobre suas bebedeiras.

Frank estava balançando a cabeça, sem acreditar, enquanto a ouvia. Sim, piorou na semana passada. Pior do que antes. Mas ela não sabia disso. Ele faltou no trabalho pela primeira vez por causa da ressaca. Ele começou a beber um pouco de manhã também, uma novidade para ele. Mas quem poderia culpá-lo se toda vez que ele fechava os olhos, ele via Cleo sangrando naquele monte preto molhado? O álcool o acalmava, o entorpecia, o amava, quando ninguém mais podia fazê-lo. Sem isso, ele não teria sobrevivido à semana passada. Ela não tinha ideia do que estava dizendo.

— Eu sempre cuidei de você — foi o que ele disse.

— Não quando você estava bêbado.

— Eu não acredito nisso. — Frank se afastou dela. — Você quer saber como é sobreviver a um alcoólatra abusivo? Foi ter sido criado pela minha mãe. Ela costumava adormecer com um cigarro aceso na mão. Ela costumava esquecer de ir me buscar na escola. — Ele parou e respirou fundo. — Você não sabe do que você está falando.

Cleo olhou ao redor da sala fingindo surpresa.

— Pode isso? Estamos de volta à festa de piedade do Frank?

— Você é hilária — murmurou Frank. — Não, sério isso é hilário.

— Eu *gostaria* de estar brincando — disse Cleo. — Quantas vezes eu tenho que ouvir isso? O pobre Frank não foi criado direito. Ninguém te amou do jeito que você precisava. *Bem-vindo à porra do clube*. E daí que sua mãe era uma idiota? Grande coisa! Minha mãe *se matou*.

— Eu *queria* que minha mãe se matasse.

Cleo bufou com repulsa.

— Você está se ouvindo? — ela disse.

— Você está *se* ouvindo? Estamos mesmo brigando sobre quem teve a pior infância?

— Não estamos brigando por isso, porque eu sei que tive.

Frank levantou as mãos.

— Tudo bem, você ganhou. Você está irrevogavelmente danificada. Sua vida tem sido um inferno e a minha tem sido um paraíso.

Cleo agarrou o cabelo dos dois lados de suas têmporas.

— Eu não posso falar com você! Você é impossível. Ninguém está dizendo que sua vida tem sido fácil, embora sejamos honestos, ela tem sido. Mas, pelo menos, você ainda tem uma mãe.

— E você sabe quem é seu pai! O meu nunca reconheceu a minha existência!

— Ah, e tem sido uma bênção ter meu pai — disse Cleo. — Você o conheceu, Frank. Você sabe como foi para mim.

— E você sabe como foi para *mim*.

Eles estavam em um impasse. Frank se jogou no sofá e ficou olhando para o teto.

— Você tem alguma ideia de qual tem sido a sensação de estar casado com você? — ele disse calmamente. — Eu podia sentir sua decepção comigo a dez quarteirões de distância.

— Não, você pode sentir *sua* decepção com você. A proximidade comigo apenas te fez consciente dela.

— Veja, você afirma isso como se fosse um fato, como se você tivesse um conhecimento superior da minha psique ao qual eu não tenho acesso, mas é apenas sua interpretação.

— É a interpretação de alguém que não está bêbada na metade do tempo, Frank.

Frank levantou-se e se aproximou do fogo para jogar outro tronco nele. Fagulhas voaram de volta em sua direção. Ele se virou para ela com o rosto avermelhado. Ela sempre conseguia conscientizá-lo de como ele estava falhando, do que ele não conseguia. Foi desmoralizante.

— Eu nunca fui o que você queria — disse ele. — Desde o início.

Cleo circulou a mesa de café para que pudesse encará-lo diretamente. Ela podia ver as maquinações da mente dele construindo essa nova narrativa de que ele estava destinado a fracassar. Ela não iria deixá-lo escapar impune assim.

— Por que eu teria casado com você se isso era verdade? — ela perguntou.

— Por causa do visto...

— Pare de dizer isso! Eu poderia ter me casado com o maldito Quentin por isso. Eu *queria* me casar com você. Eu queria que você fosse suficiente. Eu queria me surpreender com você todos os dias. — Ela começou a contar com os dedos para enfatizar. — Mas eu nunca sabia quando você estava voltando para casa. Você é obcecado pelo seu trabalho e prioriza ele acima de tudo, acima de mim. E você se recusa a crescer e parar de culpar a sua mãe. Agora me diga, para quem isso seria suficiente? *Quem?*

Frank olhou para o rosto dela, âmbar brilhando à luz do fogo. Atrás dela, o céu visto pela janela era de um preto azulado profundo. Ela parecia se deliciar em fazer uma lista das suas deficiências. Naquele momento, ele aprendeu que tinha capacidade de odiá-la.

— E você desistiu do seu sonho quando me conheceu — disse ele. — Você era uma artista. O que você é agora?

— E *você*, o que é? — disparou Cleo.

— Eu sou quem sempre fui. Claro, trabalho muito, foi assim que eu fiz de mim mesmo um sucesso. E é verdade, às vezes eu bebo demais. Mas nunca fingi ser mais ninguém. Isso é apenas quem eu sou.

Cleo olhou para ele com puro desprezo.

— Essas devem ser as palavras mais tristes que uma pessoa pode pronunciar.

— Quais?

— "Isso é apenas quem eu sou."

— Por quê?

— Porque mostra uma total falta de vontade de mudar. Isso não é apenas quem você é, Frank. É quem você se tornou, quem você escolheu ser. Você apenas se recusa a reconhecer a escolha.

Frank levantou as mãos no ar.

— Ótimo! Quem você quer que eu seja, Cleo? Diga-me quem você quer que eu seja.

Cleo se virou e olhou pela janela. Ela podia ver estrelinhas brancas começando a aparecer, como sal derramado no céu. Em Manhattan, ela tinha se esquecido de que as estrelas existiam. Ela queria que alguém dissesse a *ela* quem deveria ser. Frank era um homem de quarenta e quatro anos. Por que seria dela o ônus de consertá-lo? Ela se virou para encará-lo novamente e se sentiu esvaziada de todo amor por ele.

— Você sabe como é fácil ser você? — ela disse. — Você mora na cidade em que nasceu. Você está cercado por pessoas que o amam. Até sua mãe, da sua maneira falha.

— Você também!

Cleo balançou a cabeça.

— Eu não sou daqui — disse ela.

— Mas você escolheu ficar aqui — disse ele. — É a sua casa.

— Eu não tenho família.

— Isso não é verdade.

— Não — disse ela. — Eu não tenho ninguém.

Sua voz mudou de tom enquanto ela dizia a palavra, pois ela percebeu que era verdade. *Ninguém.* Ela passou por Frank em direção ao fogo para não ter que olhar para ele. Frank deu um passo em direção a ela. Ele ergueu a mão até o ombro dela e depois deixou-a cair. Cleo estava olhando as chamas com tanta intensidade que seus olhos começaram a arder. Uma cortina de lágrimas embaçou sua visão.

— Você tem a mim — falou ele.

Ele colocou a mão sobre o ombro dela. Ela esquivou-se. Pena. Ela podia ouvir isso na voz dele. Pena para ela, a órfã do suicídio. Ela podia estar sozinha, mas ainda tinha seu orgulho.

— Eu não quero você — ela afirmou.

Ela não viu Frank estremecer. Quando ele falou, sua voz era dura.

— Então eu vou sair da sua vida.

Ela não se virou.

— Se eu tenho sido tão ruim para você — disse ele — o que ainda estamos fazendo aqui?

— Não faça isso — disse Cleo, com a voz densa de exaustão.

Ele voltou para a cozinha e pegou as sacolas de supermercado e soltou-as no chão sem motivo aparente. Ele voltou para a sala de estar.

— Vou chamar um táxi — disse ele. — Esta foi uma ideia estúpida. É óbvio que você não quer ficar perto de mim.

— Tudo bem — disse ela. — Faça o que você quiser.

Ele voltou para a cozinha, apontando para ela.

— Isso é o que *você* quer.

Ele discou o número, andando de um lado para o outro, para a geladeira, depois desligou e tentou novamente. Ele esperou, depois bateu o telefone de volta na mesa.

— Por que eu nunca aprendi a dirigir?! — ele gritou para o teto.

Cleo estava caída no sofá quando voltou. Nenhum deles havia tirado os casacos ainda.

— Vou tentar novamente em alguns minutos — disse Frank. — Você não ficará presa comigo por muito mais tempo.

— Cale a boca, Frank — respondeu Cleo cansada. — Só cale a boca.

— Eu sei que está passando por um momento difícil — disse ele. — Mas você é cruel.

Cleo bateu as mãos de ambos os lados abaixo dela em exasperação.

— Pare de falar comigo como se eu fosse inválida. Estou bem!

Ele caminhou em direção a ela e pegou o braço, o que estava machucado, segurando-o acima da cabeça, como um boxeador declarando vitória.

— Isto é bem? Você acha que isso é estar bem?

Cleo recolheu o braço, embalando-o em direção ao peito e levantou-se.

— Não se atreva a me tocar.

— Não se atreva me dizer que você está bem! — ele lamentou. — Nós não estamos bem! Isso não está bem!

— Eu sei que isso não está bem, porra! — Cleo gritou.

— Então me diga o que fazer para consertar. Apenas me diga o que fazer.

— Consertar? — Cleo olhou para ele com raiva inalterada.
— Você destruiu! — ela gritou. — Você me destruiu!

— Você já estava destruída! — Frank gritou.

— Não deste jeito — ela gritou, elevando o braço acima da cabeça. — Você causou esta dor!

— E quanto a mim? — Frank respondeu gritando. — Minha dor?

— Eu não me importo! — ela gritou. — Eu não me importo, não me importo, não me importo! — Frank se aproximou dela e colocou o rosto perto do dela. Foi o auge de todas as brigas que eles já tiveram, de todas as palavras cruéis que eles já tinham dito um ao outro. Não havia mais nada a proteger.

— Você é a pior coisa que já me aconteceu! — ele rugiu.

Cleo o empurrou para longe dela. Ele cambaleou para trás sobre o saco de feijão e caiu no chão, batendo a cabeça em um dos pedaços de madeira que estava ao lado do fogo. Ele se sentou novamente, atordoado, e colocou a mão na parte de trás do crânio.

— Meu Deus, sinto muito. — Cleo caiu de joelhos enquanto a raiva drenava-se do rosto dela. — Você se machucou?

— Está tudo bem — disse Frank, acenando para ela. — Estou bem. — Então, se recuperando, ele acrescentou: — Bem, como concordamos, nada está bem. Mas não me machuquei.

— Deixe-me ver pelo menos.

Ela se aproximou para que pudesse inspecioná-lo por trás, pegando nos cabelos dele com os dedos com gentileza. Uma lembrança de sua mãe inspecionando-lhe a cabeça em busca de piolhos quando ele era criança voltou à superfície da sua mente. Foi um dos momentos muito raros em que ela o tocou de bom grado e, depois disso, ele coçava a cabeça sem parar sempre que estava perto dela, na esperança de que ela o fizesse outra vez. *Saia de perto de mim, Frankie, você parece um cão sarnento.*

— Dura como uma noz — falou Cleo, batendo suavemente no crânio.

Frank se arrastou até cair sobre o saco de feijão e fechou os olhos.

— Sinto muito — disse ele. — Eu não posso mais brigar.

— Você sente muito que não possa continuar brigando ou por dizer que eu sou a pior coisa que já aconteceu com você?

— Os dois — ele murmurou sem abrir os olhos.

Cleo sentou-se no chão e se inclinou no saco de feijão ao lado dele. Eles estavam em silêncio, ouvindo o estalido e assobio do fogo enquanto a sala mergulhava em uma escuridão mais profunda. Uma a uma, as velinhas foram queimando e se apagando, deixando apenas o brilho amarelo e pálido das velas cônicas. Finalmente, Cleo falou.

— Você se lembra de quando estávamos voltando da França e havia um casal à nossa frente no aeroporto?

Frank abriu um olho e olhou para ela.

— Da nossa lua de mel? Nós os conhecíamos?

— Não. Eles eram apenas um casal comum com dois filhos pequenos, um bebê e uma criança. Eles estavam passando pela segurança, tentando desmontar o carrinho de bebê e tirar os sapatos e tirar o computador, toda essa merda, você sabe, e o bebê estava chorando e a menina estava fazendo birra, gritando para ser pega no colo.

Frank balançou a cabeça.

— Eu não me lembro disso.

— Bem, no meio de todo o caos, a mulher olhou para o marido, eles se olharam nos olhos sobre as cabeças dos filhos gritando e começaram a rir.

— Por quê? — perguntou Frank.

— Porque era um pesadelo tão grande sabe? Eles tiveram que rir. — Cleo pensou sobre isso por um momento. — Na verdade, esse é o ponto. Eles *não tinham* que rir. Meus pais estariam gritando um com o outro.

— Meu pai não estaria lá para gritar.

Cleo concordou com um gesto de cabeça.

— Exatamente — respondeu ela. — Mas aqueles dois, eles estavam juntos. Eles estavam rindo.

— E você se lembra disso — disse Frank.

— Eu me lembro.

— É porque você quer isso?

— É porque eu percebi que é isso que a vida exige. Quando tudo fica confuso, difícil e sem glamour. Esse tipo de parceria.

— E não temos isso.

Poderia ter sido uma pergunta, mas foi uma declaração.

— Acho que não posso ter isso com ninguém. — Ela sorriu com tristeza para si mesma, lembrando o que Quentin havia dito a ela no dia em que se feriu. — Eu não sou "esse tipo de pessoa".

— Quem te disse isso?

Cleo balançou a cabeça.

— Eu pensei que poderíamos ser felizes outra vez — disse ela.

— Eu sei.

— Eu pensei que poderíamos nos perdoar.

— Não tenho nada para te perdoar.

Cleo olhou para o seu colo.

— Você não sabe de tudo o que fiz.

Frank sentou-se para procurar o rosto dela. Ela o desviou dele, para que não estivesse mais iluminado pelo fogo.

— O que é que você fez? Você pode me dizer, Cleo.

— Estou tão envergonhada — ela sussurrou.

— O que foi?

Ela abaixou a cabeça. Ela estava pensando em Anders em cima dela. As mãos de Anders no corpo dela, o pênis na boca dela. Como ela implorou para que ele ficasse quando ele saiu correndo porta afora. Nos dias depois de Frank ter voltado da África do Sul, esgueirando-se para telefonar para ele, que nunca atendeu as ligações. A percepção humilhante de que ele nunca atenderia.

— Às vezes a vergonha... Eu não consigo suportar. — Ela apertou sua garganta como se estivesse engasgada. — Você já se sentiu assim?

— Sou meio judeu e meio católico, o que você acha?

Frank tentou sorrir para ela, mas ele pôde ver, quando ela virou o rosto para ele, que ela estava atormentada.

— Mas do que você poderia ter tanta vergonha? — ele perguntou gentilmente.

Cleo queria contar a ele sobre Anders. Ela queria se revelar exatamente como era, falha como era, e ser perdoada. Mas o preço dessa absolvição seria mais dor para Frank. Mesmo que ele pudesse suportá-la, ela não tinha certeza de que poderia suportá-la por ser a causadora.

Naquele momento, Frank intuiu que o que quer que Cleo não podia dizer era algo que ele não queria ouvir. Só podia ser uma infidelidade humilhante, o que mais? Outro golpe na sua masculinidade. E, mesmo a contragosto, ele esperava que ela o poupasse.

De modo sutil, ele afastou o corpo do dela, voltando-se para o fogo. Cleo olhou para o perfil brilhante dele, e ela sabia que ele não queria saber. Ela ficou em silêncio e ambos ficaram sentados na ausência da confissão, um entendendo o outro, os dois totalmente sozinhos nesse entendimento. Por fim, ele pegou na mão dela.

— Você está gelada — ele disse. — Posso te dar um banho?

Cleo consentiu com um movimento mínimo de cabeça. Ele soltou a palma da mão dela e pegou uma das velas cônicas, retirando-se para o banheiro. Ela ficou sentada enquanto ouvia o murmúrio da água enchendo a banheira. Lá fora, a escuridão era absoluta.

CAPÍTULO CATORZE

ABRIL

Frank estava sentado à mesa perto da janela quando Zoe chegou, bebendo um Bloody Mary. Ela ficou aliviada ao ver que ele já estava bebendo e imediatamente se sentiu culpada por estar aliviada. Foi ela quem sugeriu que eles se encontrassem, embora ela não tivesse mencionado sua motivação. Na verdade, ela estava passando por um momento difícil. Ela havia perdido o emprego na boutique da Christopher Street no início daquele mês, depois que o proprietário a encontrou uma noite usando um macacão caro de seda que ela havia pego emprestado na loja. Mas mesmo antes desse encontro lamentável, Zoe conseguiu acumular vários milhares de dólares em dívidas de cartão de crédito, o que estava se tornando cada vez mais difícil de ignorar.

Zoe não estava exatamente vivendo à base de macarrão instantâneo e nem pulando catracas, mas ela dificilmente considerava seu comportamento como perigosamente indulgente — ou, pelo menos, não mais do que as outras pessoas que ela conhecia. Seu erro era esquecer que não era como seus outros amigos da Tisch. Quando eles reclamavam de estarem falidos, não queriam dizer isso literalmente. Quando iam beber e jantar depois dos ensaios, dividiam o custo da droga, pegavam uma frota de táxis com tarifa noturna de uma festa para a outra ou tomavam um suco verde que custava doze dólares com propriedades de cura de ressaca antes da aula, eles o faziam sabendo que sempre havia um pai ou um fundo de investimentos invisível para levá-los de volta às terras seguras da solvência. Zoe, por outro lado, estava à deriva.

O plano dela era encher Frank de bebidas durante o jantar, depois fazer a sua melhor cara de cão pidão para conseguir o dinheiro, mas ele a desarmou sugerindo um café da manhã no novo restaurante de Santiago. Mesmo quando ela concordou com o plano vários dias antes, sabia que chegaria atrasada. Mas, sério, o que ele esperava? Afinal de contas, seria antes do meio-dia de um sábado.

Ela foi caminhando entre as mesas já cheias e olhando ao redor do restaurante de forma apreciativa. O local era americano moderno com um toque peruano tradicional, e essa reunião de estilos culinários antigos e novos estava refletida nos móveis elegantes de aço inoxidável justapostos com tecidos andinos coloridos. Em geral, o espaço parecia fresco, aberto e descontraído — exatamente o oposto, aliás, de como Zoe se sentia.

Frank havia cortado o cabelo desde a última vez em que ela o vira, a nuvem de cachos escuros que costumava estar ao redor do rosto fora cortada e restaram apenas alguns rolinhos no alto da cabeça. Sua cabeça parecia estranhamente exposta, ela pensou, como a de um recém-nascido. Ele se levantou para dar-lhe um abraço, depois se afastou, segurando o peito.

— O que há de errado? — perguntou Zoe.

— Nada. — Frank acenou para ela. — Uma queimadura.

— Azia? Você está se transformando na mãe.

— Não é azia. Eu... Bom... — Ele parou, depois exalou alto. — Ah, foda-se. Eu estava tentando pintar os pelos grisalhos do peito, mas os produtos que comprei eram muito fortes e queimaram metade da minha pele.

Em deferência ao constrangimento de Frank, Zoe engoliu o riso que estava subindo pela garganta.

— Deixe-me ver — disse ela, puxando a camisa para o lado para revelar o que parecia ser uma queimadura vermelha e irritação cobrindo o peito. — Não parece muito ruim — ela mentiu.

Eles se sentaram frente a frente e se olharam em silêncio.

— Então, você fez um corte de cabelo de separação — disse Zoe.

— Nada a ver — disse Frank. — Os homens não fazem isso.

Zoe queria retrucar que os homens também não tingem os pelos do peito, mas ela resistiu.

— Estava ficando muito comprido — ele falou. — De toda forma, o que você acha?

Ele tirou os óculos e despenteou o topo. Ela pensou que ele parecia um jogador de futebol gay, mas a visão de seu couro cabeludo pálido, espiando por baixo da penugem, seus olhos nus e semicerrados, fizeram-na sofrer.

— Ficou bacana — disse ela. — Faz você parecer mais jovem.

Ela ficou feliz em vê-lo sorrir enquanto ela agarrava o copo de água gelada da mesa e o pressionava contra a testa. Frank olhou-a por cima dos óculos e deslizou o Bloody Mary em direção a ela.

— Você está de ressaca.

— Só um pouco. — Ela tomou um gole grande.

— O que você fez ontem à noite?

A noite anterior. Ela tinha saído com os amigos já mencionados da Tisch, prometendo a si mesma que não beberia, mas uma vez que estava lá, parecia inútil não tomar um copo de vinho e, de fato, eles dividiram uma garrafa, e só um pouco mais, e depois havia um produtor de cinema que ela conheceu em uma festa que estava se oferecendo para pagar uma bebida para ela e para todo mundo, e parecia uma boa ideia dar uma cheirada no banheiro, só uma e então ela beberia menos, e então ela ouviu que havia uma festa em um armazém no Brooklyn, e tudo bem, entrou no táxi, mas só para ver, não iria ficar por muito tempo, e uau! As bebidas eram muito mais baratas do que em Manhattan, praticamente de graça, ela tinha dinheiro, tomou duas, tomou três e onde estavam suas amigas, elas tinham sumido mas quem se importa havia o produtor com quem ela estava dançando, suando e gritando junto com a música que ela não conseguia ouvir parecia ser ESTOUTÃOSOZINHOESTOUTÃOSOZINHO e ele não era feio, só era realmente um pouco velho e ele estava em um hotel e ele tinha mais um grama no fundo da sala ele chamou um carro para eles apagão ela estava gritando sobre a diversidade em Hollywood ou algo assim, ela estava com raiva apagão rolando na cama rindo, dizendo não solte no meu cabelo apagão nua no chão do banheiro tentando limpar alguma coisa molhada levante-se pegue uma toalha apagãoapagãoapagãoapagão.

— Drink com amigos — disse Zoe, balançando a cabeça para limpar os pensamentos. — De qualquer forma, você também está de ressaca. Estou vendo.

— Eu tenho o direito — disse Frank.

— Que conveniente para você.

Um atendente loiro que não parecia muito mais velho que Zoe aproximou-se da mesa, segurando seu bloco de notas. Ela deu uma piscadinha para ele. Para sua satisfação, ele ficou muito vermelho.

— Queremos os *huevos* — disse Frank, entregando-lhe os cardápios antes que ele pudesse abrir a boca. — E outro Bloody Mary. Vou tomar uma cerveja também.

— Eu também — falou Zoe.

— Hum, que marca? — ele perguntou, anotando ferozmente.

— Corona — responderam eles em uníssono.

Ele riu.

— Vocês estão namorando há muito tempo?

— Ela é minha irmã — disse Frank.

Seguiu-se uma profusão de desculpas envergonhadas, enquanto Zoe assegurava-o de que isso acontecia o tempo todo, o que era verdade. Ninguém imaginaria que eles eram parentes com base na aparência. A mãe deles pode não ter feito os filhos à sua imagem, mas ela os carimbara com sua natureza, fato do qual ambos se ressentiam profundamente. Rápidos para amar, rápidos para se irritar, rápidos para se autodestruir. O atendente trouxe suas bebidas e recuou, ainda se curvando em contrição.

— Como está indo o estágio? — perguntou Frank.

— Incrível. Estou trabalhando muito.

Zoe estava acumulando créditos para o curso em uma companhia de teatro experimental em Dumbo. Ela deveria estar ganhando experiência prática no movimento de teatro alternativo do Brooklyn, mas estava principalmente aprendendo a viver com o mínimo possível de horas de sono e ainda começar a trabalhar e ir à escola no horário. Tomou um gole de Bloody Mary e seguiu com a cerveja. Ela estava tentando decidir quando tocar no assunto da recente fatura do cartão de crédito quando uma corrente de náusea atravessou-a.

— Essa é a melhor maneira — disse Frank. — Você sabe que quando comecei na Saatchi, eu trabalhava setenta horas por semana. Todos os faxineiros da noite sabiam o meu nome.

— E você tinha um terno extra no armário das vassouras — Zoe murmurou.

— Tudo bem, você está cansada de ouvir isso — disse Frank. — Mas eu não era como você, todo especial e talentoso. Eu era trabalhador, era o que eu podia fazer. — Zoe tentou contradizê-lo, mas ele a ignorou. — Estou feliz por isso agora. Me deu a vida que eu queria. Me ajudou a dar a você a vida que queria.

A vida que ela queria. Zoe estava vivendo assim? Ela tinha vinte anos e o máximo que conseguiu foi um retorno de chamada para o papel de Garota na Jacuzzi. Ela achava que era especial, mas não teria admitido. Sabia o suficiente para saber que não havia nada menos especial do que achar que você era especial.

— De todo o jeito — ele disse —, estou orgulhoso de você, é o que estou tentando dizer.

Agora era a hora de tocar no assunto do dinheiro. Ele havia oferecido a ela a chance perfeita. Mas quando ela tentou falar, as palavras simplesmente não saíram. Ele ainda ficaria orgulhoso dela se soubesse por que ela pedia para encontrá-lo? Se ele soubesse do problema que ela enfrentava? Ela tomou outro gole da bebida.

— Você tem falado com Cleo? — foi o que ela perguntou.

Zoe ficou triste ao saber da separação de Frank e Cleo; no entanto, no fundo da sua alma, não estava totalmente surpresa. Ela costumava pensar no que Cleo havia dito naquela noite de verão na varanda. *Às vezes, Frank é o buraco.* Zoe não entendia muito de relacionamentos, mas ela sabia que isso não era algo que alguém feliz no amor diria.

— Estamos dando espaço um ao outro. — Ele olhou para ela com esperança. — Por quê? Você tem falado?

Zoe deu de ombros e tentou não olhar diretamente para Frank, cujo rosto estava ansioso. Ela se arrependeu de ter tocado no assunto.

— Nós trocamos algumas mensagens de texto — falou ela. — Só sobre, você sabe, coisas de menina.

— Isso é bacana — disse Frank, esforçando-se para parecer despreocupado. — Isso é ótimo.

— Você não precisa fingir que está contente com isso — respondeu Zoe. — Eu sei que deve ser esquisito.

— Eu não estou fingindo. Fico feliz que vocês duas conversem. Vocês nem sempre se deram bem.

— Isso porque eu era realmente imatura no ano passado — disse Zoe, magnânima. — Eu gosto mesmo dela... mas posso tentar evitar se isso te deixar triste.

Frank balançou a cabeça.

— Ela ainda pode ser sua amiga, mesmo que não seja minha.

Zoe inclinou a cabeça.

— Mas ela nunca foi sua amiga. Não de verdade.

Frank olhou para o colo dele.

— O problema é que ela era minha melhor amiga.

Zoe olhou para o irmão e viu que ele estava sofrendo. Ela realmente não tinha parado para pensar, com todos os seus problemas, em como Frank estava se sentindo. Ela deduziu que ele estava chateado, é claro, mas agora, olhando para o rosto amarfanhado e contraído, viu que ele estava realmente com o coração partido. Zoe olhou para ele com preocupação e fez uma anotação mental para nunca se deixar ferir assim. Frank tomou o último gole e tentou sorrir.

— Mas então — ele disse —, vamos mudar de assunto. Como estão as suas notas?

Ela foi salva de ter que responder pela aparição de Santiago, que emergira das portas basculantes da cozinha com seus pratos de ovos ao alto, como a balança da justiça. Ele estava magro como Zoe jamais o vira e parecia vários anos mais novo.

— Veja! — gritou Frank. — É o incrível homem encolhedor.

Ele deu um tapa na circunferência substancial de Santiago de forma apreciativa. Santiago inclinou a cabeça, brilhando com orgulho que ele mal conseguia esconder.

— Ouvi dizer que a garota mais bonita de Nova York estava no meu restaurante e eu tive que vir ver pessoalmente.

Ele deslizou a comida sobre a mesa e se inclinou para beijá-la.

— Frank está certo — disse Zoe. — Você está muito bem.

Santiago virou-se para Frank e colocou a mão grande no ombro.

— E esse cara! O cabelo está *muy guapo*.

— Hum, não mude de assunto — disse Frank. — O que está acontecendo com você, cara? Você parece estar bem. Você está até *cheirando* bem. O que há de novo?

— Nada de novo! Andei comendo melhor, você sabe, fazendo meus exercícios, e...

— Você conheceu alguém, não foi? — disse Zoe.

Santiago sorriu.

— Eu tenho uma amiga nova, sim.

— Você está escondendo-a de mim! — gritou Frank. — Quem é ela? Quando eu posso conhecê-la?

— O nome dela é Dominique — disse ele. — Tivemos três encontros.

— E? — perguntou Zoe.

— Ela é quente como o sol.

— Uau, cara — disse Frank. — Por que você não me contou?

— É recente — disse ele. — E com você e Cleo, eu não queria...

— Ei — disse Frank. — Pare com isso. Só porque terminamos, não significa que não posso ficar feliz pelo meu amigo quando ele encontra o amor.

Santiago puxou uma cadeira de metal e montou nela.

— Eu agradeço, meu irmão — disse ele. — Agora Zoe, me diga, ele já chorou com você? Ele precisa chorar. Quando um casamento termina, um homem deve derramar lágrimas como batimentos cardíacos.

— Eu não quero falar sobre isso — disse Frank.

— Ele não quer falar sobre isso — repetiu Zoe.

— Mas você deve falar sobre isso — rebateu Santiago. — É a única maneira de curar.

Zoe, de fato, nunca viu Frank chorar. Ele costumava brincar que a mãe deles ficava tão aborrecida com lágrimas que ela expulsou dele esse hábito na tenra idade de cinco anos.

— Você vai continuar casado? — perguntou Santiago. — Por causa do visto dela?

— Se ela quiser — disse Frank. — Honestamente, eu não sei. A última notícia que tive é que ela estava com Quentin, que, com certeza, está fazendo um bom trabalho em colocá-la contra mim.

— A última *notícia?* — indagou Santiago. — Por que você não liga para ela, cara? Eu me lembro dos pratos que eu fiz para o seu casamento como se fosse ontem. *Foi* ontem. Ela ainda te ama, eu sinto isso. Uma garota como Cleo ama para sempre.

— Não tenho certeza se isso é verdade para ninguém — disse Frank.

— Xiiii. — Santiago fingiu que ia cobrir os ouvidos de Zoe dessa opinião nada romântica. — Eu tenho tentado ligar para ela — continuou ele. — O hospital não me deixou entregar meu arroz-doce. Eu queria fazer para ela novamente.

— Hospital? — perguntou Zoe.

Frank olhou furioso para Santiago. Zoe percebeu imediatamente.

— Não hospital! — ele exclamou. — Desculpe, meu inglês é confuso. Eu quis dizer... equipe de hospitalidade! Minha equipe não me deixou dar minha receita secreta de arroz-doce. Eles podem ser muito rigorosos.

— Isso é estranho — disse Zoe. — É a sua receita.

Zoe olhou para Frank, que estava encolhendo na cadeira, segurando o peito outra vez. Ela podia sentir nas suas entranhas que Santiago estava mentindo. Sua primeira reação seria atormentar Frank sem parar até que ele não tivesse escolha a não ser contar para ela — afinal, ela era filha do teatro, e tratava os segredos como uma fonte vital de sustentação — mas ela se conteve. De repente, podia ver exatamente como Frank era quando criança. Aquela expressão de esperança e temor enquanto olhava para o mundo por trás dos óculos. Ela queria alcançar a mesa e segurar a cabeça dele entre as mãos. Zoe queria que ele soubesse que ela sempre o acolheria, sempre estaria do lado dele, e que, mesmo que ele nunca lhe dissesse o que aconteceu com Cleo, ela entenderia. Porque ele era o irmão dela e ela a irmã dele. Era simples e complicado assim.

— Santiago, esses ovos parecem estar incríveis — disse ela.

Ela sentiu que o maior ato de bondade que ela poderia fazer por Frank agora era afastar Santiago do assunto de Cleo, e seria mais fácil de fazê-lo falando de comida. Ela deu outra mordida.

— Isso é páprica?

— Você tem que falar com ela, cara — falou Santiago.

— Os melhores ovos da cidade — disse Frank, colocando o que parecia ser metade do prato na boca.

— Eu acrescentei um pouco de *ají panca* também — Santiago avisou, cedendo.

— Dá para perceber — comentou Frank, engasgando-se no guardanapo.

— Vamos falar sobre Zoe então. — Santiago se virou e passou o braço na parte de trás da cadeira. — Me diga, como é possível que uma garota como você não tenha namorado? Precisamos encontrar um cara bacana para você. Você não conhece ninguém, Frank?

— Se depender de mim, Zoe vai morrer virgem.

— Não se preocupe, mi amor. — Santiago piscou para ela. — Eu vou encontrar um cara legal para você.

Zoe odiava conversas desse tipo, em parte por causa do medo crescente de ela não ser uma menina legal. As meninas legais ficavam vermelhas e riam quando bebiam, podiam pedir vinho e deixar metade da bebida no copo. As meninas legais iam para a aula de spinning e tinham cadernetas de poupança. Não tinham convulsões. Não tinham dívidas. Não deixavam os velhos fazerem sexo com elas nos quartos de hotel e irem embora antes de elas acordarem. Não viam o irmão só quando precisavam de dinheiro.

— Acho que não quero ter um namorado — declarou Zoe.

— Bom — disse Frank. — Concentre-se no seu trabalho da escola.

— É claro, mantenha o foco — concordou Santiago. — Mas, também, a juventude e a beleza são coisas terríveis para se desperdiçar.

Frank começou a dizer algo, pensou melhor e continuou avançando nos ovos.

— Bem, é um dia lindo, e estou feliz em ver vocês dois. — Santiago descansou a mão na mesa entre eles. — O que é esta cerveja que você está bebendo? — Ele balançou a cabeça e chamou o atendente, que estava limpando ansiosamente o balcão brilhante do bar. — Uma garrafa de prosecco para meus amigos! — Ele se virou e sorriu para eles. — Para que mais servem os sábados, hein?

...

O dia já estava terminando quando Zoe abriu a porta do apartamento. Tali estava fora, e o lugar cheirava a incenso, cigarros e lixo. Ela precisava descansar. Se ela dormisse cedo, ainda poderia ter um dia inteiro amanhã, talvez para visitar um museu e depois ir para a escola na segunda-feira revigorada pela primeira vez. Ela deitou na cama e ouviu a multidão de sábado do lado de fora da janela.

Mas sua mente recusou-se a se acalmar. Em vez disso, ela continuou preenchendo as lacunas da noite passada. Ela se lembrou de ter aberto uma garrafa do minibar com os dentes, espalhado M&Ms no chão acarpetado, estar de quatro... Ela chutou os sapatos com um golpe violento. Precisava pensar em outra coisa. Abriu o laptop e a tela iluminou-se com seu extrato bancário. Fechou os olhos. Não pediu dinheiro a Frank. Não pediria.

Ela estava mergulhando em um sono profundo quando o som do telefone tocando na bolsa acordou-a assustada. Era uma mensagem da mãe, perguntando como estava indo o estágio. As mensagens da mãe eram piores do que nenhuma mensagem. Ela jogou o telefone de volta na bolsa, depois abriu a gaveta da mesa e inspecionou o cartão de Portia. Não foi a primeira vez que considerou usá-lo desde que a encontrou no grupo de Rumo ao Clímax da Consciência, mas foi a primeira vez em que se sentiu desesperada o suficiente para tomar uma atitude. Ela arrancou-o do esconderijo e levou-o junto com o laptop para a cozinha. Não havia vinho nem cerveja, então pegou a garrafa de rum aromatizado meio vazia de cima da geladeira e colocou alguns dedos da bebida em sua caneca azul da Tisch. Então ela deslizou até o chão com as costas apoiadas no armário e digitou o endereço do site.

Uma imagem de um casal atraente com roupas de gala apareceu na tela sob as palavras "Encontre um relacionamento mutuamente benéfico...". O site era simples e corporativo, nem um pouco excitante, até que Zoe clicasse na guia Sugar Babies, que revelou imagem após imagem de meninas. A maioria fora enviada pelas próprias meninas, fazendo beicinho, olhando para a lente da câmera levantada acima das suas cabeças, mas também havia meninas na praia, meninas em carros, meninas no sofá, meninas em barcos, meninas na cama. No alto da página, os dizeres: "Quer oferecer companhia em troca de ser mimada como a princesa que você é? Inscreva-se aqui e conecte-se instantaneamente!" — Zoe drenou a caneca e clicou.

Ela preencheu os dados de forma rápida e mecânica. Em religião, ela colocou "Marlon Brando". Quando foi pedido que ela enviasse uma foto, ela percorreu suas fotos e escolheu uma foto sua em um vestido preto justo, tirada após sua noite de estreia em *Antígona*. O sol havia bronzeado a pele e adornado seus cachos com ouro; ela parecia dourada e saudável. Apertou enviar e seu perfil apareceu no site. Nada de um processo de triagem rigoroso, observou. Ela se deitou no chão de ladrilhos frios. Tinha sido quase fácil demais.

Ela ainda estava deitada lá, equilibrando a garrafa vazia de rum na testa, quando seu laptop sinalizou uma mensagem. Zoe ficou surpresa ao ter uma resposta tão rápida. Esses homens ficam sentados esperando que as meninas novas apareçam? Virou-se para encarar a tela, a garrafa fez barulho atrás dela. Era de um homem chamado Jiro Tanaka. Ela clicou no perfil dele antes de ler a mensagem. Ele era japonês, quase quarenta anos, com um rosto largo bronzeado que enrugava ao redor dos olhos. Sob os interesses, ele listou esqui, esportes aquáticos e Tina Turner. Não era o que ela esperava. Ela pensou que os homens do site seriam grisalhos, com manchas senis, como criminosos sexuais em ternos mais elegantes. Zoe deslizou de bruços e abriu a mensagem

Oi, Zoe!

Você tem um nome lindo e é uma gracinha!

Você está livre para um drink hoje à noite? Eu conheço um ótimo bar de saquê no centro da cidade e acho que você vai gostar.

Jiro.

Ela esfregou os olhos e leu a mensagem várias vezes. Bem devagar, usando apenas dois dedos, ela digitou uma resposta.

Oi, Jiro,
Você também tem um nome bacana. Estou livre para um encontro hoje, sim.

Ela fez uma pausa, substituiu os pontos finais por sinais de exclamação e efetuou o envio. Ele respondeu quase instantaneamente com o endereço e sugeriu que eles se encontrassem às 19h. Isso deu a Zoe pouco mais de uma hora para se preparar e caminhar até lá. Tudo estava acontecendo muito mais rápido do que ela esperava. Ela pressionou o rosto contra o chão e gemeu.

Zoe correu para o norte em Bowery e procurou alguém para filar um cigarro. Três garotas com casacos em tons de joias passaram por ela, emanando perfume. A garota de esmeralda, mais atrás, tinha um cigarro preso entre os lábios. Zoe se virou para se aproximar delas, mas elas se afastaram, rindo, refratárias como a luz. Sob o casaco de leopardo, ela estava vestindo o mesmo vestido preto que usava na foto, e desejou estar trajando outra coisa. Tentou revirar a bolsa para achar o batom, mas continuou tentando manter o equilíbrio. As pontas dos dedos tocaram a calçada. Que diferença poderia fazer o batom? Deu uma risada. Ela era o que era!

O bar de saquê ficava no fundo de um edifício esbelto em uma rua residencial. Ela parou em uma loja de conveniência na esquina para comprar chiclete, ela pensou, mas saiu com uma lata de cerveja. Ela caminhou até o meio do quarteirão e ficou do outro lado da rua do bar, nas sombras. Ela segurou o casaco fechado com uma mão e bebeu. Através das janelas iluminadas, ela podia ver uma fileira de pessoas sentadas no estreito balcão dourado. Apenas um homem estava sozinho, o cabelo preto intenso e brilhante. Maços de flores de cerejeira cor-de-rosa pairavam na tela de papel acima da cabeça dele como se fossem pensamentos. Que aventura ela estava vivendo. Como um personagem de um filme. Ocorreu-lhe que a vida adulta era muito difícil e emocionante, algo que nos oprime repetidas vezes, como uma onda batendo sempre enquanto ela tentava ficar de pé.

...

Jiro, em carne e osso, para seu alívio, não era tão diferente da fotografia. O mesmo rosto largo, bronzeado, com os olhos curiosos. Na verdade, parecia um pouco mais jovem do que na foto. Ele tinha o que Frank chamava de "brilho do dinheiro", um bronzeado de inverno sob uma camisa visivelmente cara e a leve suavidade de que vem se alimentando bem e com frequência. Ele estava observando a aproximação dela pelo bar estreito quando seu rosto se retorceu por um instante em um olhar extravagante de espanto; as sobrancelhas subiram uns dois centímetros, o olhos se arregalaram, a boca se abriu. Zoe piscou, e as feições dele retornaram à aparência anteriormente serena. Era o tipo de cara que alguém poderia fazer para divertir uma criança ou assustá-la, embora tenha passado tão rápido que ela se perguntou se estaria enganada. Zoe parou a um braço de distância dele.

— Uau, Zoe — disse Jiro, saltando do banquinho. — Estou tão contente que você pôde vir.

O jeito de falar era cortado e americano, mas com uma ligeira ênfase nas vogais. Ele colocou as pontas dos dedos nos ombros dela e beijou-a no rosto. Temendo que pudesse estar cheirando a cerveja, ela se afastou rapidamente. Desejou ter comprado chiclete naquela loja de conveniência. Ela queria ter entrado no estado confiante e charmosa, para saborear essa pequena atuação como uma sedutora profissional, mas ela estava tão cansada.

— Oi, Jiro — ela disse suavemente.

— Você é tão bonita quanto sua foto — elogiou ele.

Zoe observou que ele não havia dito *mais* bonita e ficou desapontada na hora. "Tão bonita" era praticamente um insulto.

— Você também — disse ela. — Não bonita. Eu quis dizer... Quer dizer, obrigada.

— Tudo bem se você acha que eu sou "bonita". — Os olhos de Jiro enrugaram com um sorriso enquanto ele subia de volta no banquinho. — Bem, espero que você goste de saquê.

— Você precisa me dar quinhentos dólares — disse Zoe.

Ela havia percebido na caminhada que não houve discussão sobre dinheiro. Ela decidiu por quinhentos dólares porque parecia um valor médio, razoável, o suficiente para provar que ela não era amadora, mas não o suficiente para assustá-lo. Ela não tinha a intenção de deixar a fala escapar naquele exato momento, mas algo estava acontecendo em seu cérebro, que dificultava conter as ideias.

Jiro inclinou a cabeça para um lado como um pássaro olhando para um pedaço de comida que não tem certeza se pode levar, depois estendeu a mão para pegar sua jaqueta debaixo do balcão. O arrependimento estava em toda parte, instantaneamente. Quinhentos era muito; ela deveria ter almejado menos. Afinal, algumas centenas era melhor do que nada.

Mas Jiro não vestiu a jaqueta. Em vez disso, ele a colocou no colo com cuidado e retirou um envelope do bolso interno. Ele abriu, lambeu o polegar e o dedo indicador e separou uma parte das notas da pilha de dentro, depois entregou-as a ela. Com uma percepção que era bastante física, Zoe o observou deslizar o envelope ainda recheado de volta para o bolso da jaqueta. Então ela pedira muito pouco. Claro.

— E agora que isso está resolvido — falou Jiro. — Você prefere quente ou frio?

Um benefício do fato de Zoe estar bebendo a noite toda foi que isso a deixara com uma náusea resmungante que determinava que ela tomasse golinhos de saquê lentamente, uma bebida da qual não gostava muito de qualquer maneira, entremeados com goles de água. A ressaca da cocaína a deixara sem vontade de falar, então também foi capaz de fazer algo que ela não fazia com frequência, que era ouvir outra pessoa sem se concentrar apenas no que ia dizer a seguir. Jiro estava contando a ela sobre seu trabalho em algo chamado capital privado enquanto Zoe assentia vigorosamente durante as pausas dele.

— Vamos pedir comida também, certo? Vejo que você não bebe muito. A comida daqui é muito boa.

Zoe tentou convencê-lo de que ela não estava com fome, mas ele ignorou as objeções dela e fez um pedido generoso. Ele empurrou em sua direção uma das tigelas nubladas de sopa de missô que rapidamente apareceu. Para sua surpresa, o líquido adocicado e simples desceu facilmente pela garganta, abrindo o apetite. Chegou um prato de bolinhos grelhados em óleo de cebolinha, e Jiro assistiu com prazer evidente quando Zoe devorou um após o outro, acabando com todos os seis e depois avançando sobre uma tigela de arroz. Em seguida, vieram pãezinhos brancos de carne de porco. Jiro abriu um deles, liberando uma pequena nuvem de vapor. Zoe curvou o rosto sobre o ar adocicado e sorriu.

Ele pediu mais e, enquanto ela comia, ele falava. O que ela ouviu de Jiro foi o seguinte: o sabor da solidão é um copo de chardonnay e um sanduíche de peru frio em um bar de aeroporto. O formato da solidão é o da cama de solteiro do seu filho, que ele usa nas raras noites em que está em casa, enquanto seu filho dorme no quarto principal ao lado da esposa. O início da solidão foi se mudar do Japão para Bruxelas, aos nove anos, depois para Toronto aos onze, depois para o Missouri, Paraguai, Suíça... um novo lar a cada dois anos até os dezessete anos. Foi ganhar o apelido de "Caramba" em uma das escolas internacionais que frequentou, um americanismo que ele aprendeu e usava com muita frequência, até que as outras crianças começaram a imitá-lo. Foi retornar ao Japão para a escola de negócios para descobrir que não era mais japonês o suficiente. Foi se casar com uma mulher que ele mal conhecia antes do seu pai morrer para que ele pudesse deixar este mundo em paz. Foi obedientemente fazer amor com sua esposa até que ele lhe desse um filho, que por sua vez o substituiu, o que o deixou livre e sozinho mais uma vez.

— É por isso que você usa o *Daddy Dearest*? — perguntou Zoe. — Porque você e sua esposa não... mais?

Jiro balançou a cabeça com um olhar de aversão.

— Eu não faria isso com ninguém além da minha esposa. Isso não seria apropriado.

Zoe tentou esconder o sorriso de alívio que estava flutuando na superfície do seu rosto.

— Então você apenas usa para... sair?

— Gosto de saber o que os jovens fazem nas cidades que visito.

Zoe levantou as sobrancelhas.

— Os rapazes também?

— Não. — Ele sorriu. — Estou menos interessado no que eles fazem.

Zoe terminou com toda a comida que Jiro havia pedido e olhou, surpresa, para a variedade de tigelas e pratos à frente dela. Jiro seguiu seu olhar.

— Caramba — disse Jiro. — Você foi muito bem.

— Caramba! — Zoe riu.

— Sim. — Jiro esfregou uma mancha de molho de soja no balcão, em frente a ela, com o guardanapo. — É um apelido apropriado para mim. Muitas vezes fico impressionado com as coisas.

— Isso é bom — disse ela. — Muitas vezes fico decepcionada com as coisas.

— Você é jovem demais para ficar decepcionada.

— Ficar desapontada faz parte de ser jovem. Minha geração tem expectativas maiores do que as suas.

Jiro olhou para ela.

— Você quer saber qual é a chave para uma vida feliz, Zoe?

— Há apenas uma?

— Apenas uma que importa — respondeu Jiro. — Nada de expectativas. Nada de preferências. Se você preferir um resultado a outro na vida, provavelmente ficará decepcionada. Eu não prefiro nada e sempre me surpreendo.

— Então, você está dizendo que, se você tem duas opções agora, uma que eu lhe dê um beijo e a outra que eu lhe dê um soco na cara, você não tem preferência?

— Eu tentaria não ter.

— Mas no seu coração você prefere o beijo, certo?

— Talvez você me beije e eu tenha uma afta. Talvez você me dê um soco e me traga uma nova perspectiva sobre a dor. Se eu não tenho preferência, o resultado me mostra o que é benéfico ou prejudicial em minha vida. Eu não imporia esse valor.

— Você é budista ou algo assim?

— Não. Eu sou apenas mais velho que você. Eu aprendi algumas coisas.

— Quantos anos você tem?

— Trinta e oito.

— Sim — disse Zoe, pensativa. — É bem velho.

Jiro jogou a cabeça para trás em uma risada. Sua garganta era da cor de cobre.

— Você quer tomar um sorvete comigo?

...

A sorveteria estava silenciosa e aquecida, com a luz amarelada. Zoe e Jiro estavam sentados em bancos altos perto da janela, à vista. Ela cutucou com um canudo a bola de sorvete flutuando na coca-cola e sorriu. Algo inesperado estava acontecendo; ela estava se sentindo melhor. Talvez tenha sido a percepção das cinco notas de cem dólares nítidas e aninhadas no bolso do casaco, ou a primeira refeição de verdade que teve em dias, ou talvez fosse a combinação paliativa de açúcar e cafeína que ela estava consumindo atualmente, mas sentiu a mente e o corpo se unirem pela primeira vez no que parecia ser um longo tempo.

— Veja, acho legal que você tenha pedido chá verde — disse Zoe, cutucando a colher na xícara de Jiro e se encostando contra o ombro dele. — Mostra que você não tem medo de aderir ao estereótipo, sabe?

— Pelo fato de eu ser japonês? — Jiro riu. — Sabe o chá verde originou-se na China. E observe que eu pedi chocolate também.

— *Todo mundo* pede chocolate.

— Você pediu baunilha!

— Sim, mas junto com coca-cola. Isso é tradicional. — Zoe lambeu a colher de metal e sorriu. — Eu poderia dizer algo inapropriado agora, mas não vou.

— Sobre o sorvete?

— Sobre você claramente gostar de chocolate. — Zoe levantou uma sobrancelha. — Porque, você sabe, você está em um encontro comigo.

— Você acha que é por isso que entrei em contato com você?

— Eu acho que deve ser uma parte. Quer dizer, cara, você mencionou Tina Turner em seus interesses.

— Eu gosto das músicas dela — explicou Jiro.

Ele se movimentou na cadeira para que eles não estivessem mais tocando.

— E a negritude dela — disse Zoe.

— Você se considera negra, Zoe?

— Eu não me *considero* negra. Eu sou negra. É um fato, não uma opinião.

— Mas você também é branca, não?

— Minha mãe é branca. O meu pai é negro. Então, sim, eu também sou branca. Mas isso não me deixa menos negra.

— Parece-me que é exatamente o que acontece.

— E o que você sabe sobre isso? — Zoe podia sentir seu rosto esquentando.

— Minha mãe é meio coreana — disse Jiro. — Então eu entendo um pouco. Foi muito difícil para ela crescer no Japão. Eu acho que ela sempre se sentiu, não tenho certeza... inferior.

— ... Bem, *eu* não me sinto inferior — rebateu Zoe. Seu tom de voz estava ficando mais alto.

— Claro — disse Jiro. Ele tentou colocar a mão sobre a dela, mas ela esquivou-se. — Espero que você nunca se sinta assim. Estou apenas contando a experiência da minha mãe.

— Eu não sou sua maldita mãe.

— Por favor, acalme-se — pediu Jiro. — Eu não vejo as coisas desse jeito. Raça não é importante para mim. Eu estava simplesmente...

— Ah, sem essa. — Zoe revirou os olhos. — É como homens que dizem "eu amo mulheres!" Se eles sentem a necessidade de dizer isso, é porque não amam. Quem diz que não se importa com a raça obviamente se importa. Muito.

— Você conhece a piada sobre café e opiniões? — perguntou Jiro. Zoe balançou a cabeça. — A diferença entre um café e sua opinião é que eu pedi um café.

— *Que seja,* cara. — Zoe bateu a colher na mesa. Um casal com cabelos loiros esbranquiçados combinando olhou para eles assustados. — Você vem de um dos países mais racistas do mundo. Vocês são, tipo, cremes clareadores de pele e guarda-sóis e odiar os chineses.

— Você já foi ao Japão?

— Não, mas...

— Então talvez devêssemos ter essa conversa quando você tiver ido.

— Só porque eu não estive lá não significa que não sei nada.

— Talvez. Mas essa não parece ser a conversa mais produtiva para este momento. Sobretudo porque seus julgamentos até agora parecem se basear em... — Zoe ficou satisfeita ao ver Jiro perder um pouco da calma dele — não sei bem em quê! Desenhos animados, eu acho.

— Tudo bem — disse ela. — Não precisamos conversar.

— Se você preferir.

— Aproveite seu sorvete e seu racismo latente — falou ela.

Ela se arrependeu imediatamente, lamentou todo o rumo da conversa, mas não tinha a intenção de se desculpar. Zoe olhou para o conteúdo do copo e bateu a colher até que o sorvete se dissolvesse em um redemoinho marrom espumoso. Do outro lado da rua, um grupo de jovens da sua idade estava caminhando em direção a um bar. Um dos garotos estava carregando uma garota nas costas e eles estavam rindo. Ela havia se esquecido de que era sábado à noite.

Jiro estendeu a mão para pegar um canudo. Ele removeu o invólucro de papel, amassou-o até se transformar em uma sanfona apertada e colocou o pedaço de papel enrugado na frente de Zoe. Então, ele colocou a ponta do canudo no copo de água e, com cuidado, deixou uma gota cair no papel. As dobras se abriram e o papel começou a oscilar no balcão. Ele se transformou em um verme de papel se contorcendo. Jiro deixou outra gota cair e o papel cresceu novamente, contorcendo-se em direção a Zoe. Ela se virou para olhar para o rosto dele, aberto e ansioso.

— Caramba? — ela disse.

— Caramba — ele concordou.

— O que você acha de irmos embora desta sorveteria? — sugeriu ela. — Vi um lugar ali na rua, e podemos beber alguma coisa.

...

Zoe acordou em outro quarto de hotel, desta vez em uma esfera de vidro iluminada. Ela deu um tapinha no corpo. A jaqueta, o vestido e as meias ainda estavam no lugar. Ela estava sozinha na cama. Ela se sentou e examinou a suíte espaçosa. Janelas quadriculadas com vista para o rio Hudson, uma escrivaninha elegante e frigobar, uma mesa de café adornada com flores e uma pilha de revistas brilhantes. Tudo brilhante, arejado e moderno. Jiro estava sentado a certa distância em um luxuoso sofá cinza, ainda vestido, lendo o jornal. Um cobertor e travesseiro estavam bem dobrados ao lado dele. Ele olhou para cima e sorriu para ela.

— Bom dia, Zoe — disse ele.

— Oi — ela resmungou.

Uma garrafa de água fora colocada ao lado dela, na mesa de cabeceira.

Ela abriu a tampa e tomou um longo gole.

— Você bebeu um pouco a mais ontem à noite. Espero que sua cabeça não reclame muito hoje.

Zoe passou as mãos pelos cabelos. Um bosque de nós.

— Eu ainda consegui vencê-lo na sinuca — disse ela.

— É verdade, uma vergonha. — Jiro riu. — E você dançou melhor que eu. Como é a expressão? Me deixou no chinelo.

Zoe deu uma risada.

— Você fez alguns movimentos. Eu vi você dançando como um robô.

Jiro improvisou uma mini versão dos movimentos da dança no sofá.

— Você está apenas sendo gentil — disse ele com uma voz de robô.

Zoe sentou-se na cama, ainda rindo.

— Você dormiu no sofá?

— Foi bem confortável — garantiu Jiro. — Estou acostumado com camas pequenas, como você sabe.

— Obrigada — agradeceu. — De verdade.

— Infelizmente não consegui decifrar o seu endereço.

— Sério, você poderia ter me colocado em um táxi. — Zoe suspirou. — Sou boa em chegar em casa sozinha.

Jiro franziu a testa para ela.

— Eu não permitiria isso. E nem você deveria permitir.

Zoe revirou os olhos e caiu contra a pilha de travesseiros atrás dela.

— Tudo bem, pai.

— Vou te dar o número da minha conta de táxis, apenas por precaução — propôs Jiro. — Você pode usá-la para chegar em casa a partir de agora.

Zoe piscou sonolenta para Jiro.

— Tudo bem, *daddy* — ela disse mais lentamente.

Jiro riu e desviou o olhar.

— Então, qual é a sua programação hoje?

Ela se sentou na cama. Seus cabelos estavam eriçados ao redor do rosto sonolento, de uma maneira que ela esperava parecer despenteada e bonita e não simplesmente como se tivesse levado um choque elétrico. Ela colocou o dedo no rosto, fingindo estar pensando, e então sorriu.

— Nada — ela respondeu.

— Não tenho compromissos até de tarde. Vamos tomar o café da manhã juntos?

— Você trabalha no domingo?

— Eu trabalho todo dia.

— Este é o hotel em que você costuma ficar?

Jiro concordou com um movimento de cabeça.

— O que você acha?

— Muito bom — disse Zoe, apertando as mãos atrás da cabeça. — Mas eu sempre julgo um hotel pela banheira.

— Você gostaria de tomar banho antes de ir tomar o café?

— Estamos em um *hotel*, Jiro! — exclamou Zoe, saindo da cama. — Vamos pedir o serviço de quarto.

E assim começou o que para Zoe era uma manhã perfeita. Ela esvaziou um vidro cheio de espuma para banho na banheira de mármore preta e se encharcou até ouvir o barulho do serviço de quarto chegando. Jiro tomou um banho, e ela estava livre para comer panquecas e bacon na cama com os dedos enquanto assistia a reality shows na TV. Ela tomou um bule inteiro de café com dois potes de creme. Quando ela reclamou do estado do seu cabelo, Jiro ligou para a recepção e pediu que eles enviassem uma escova de cabelos para ela, que foi enviada com o floreio de uma bandeja de prata. Mais tarde, ela e Jiro estavam lado a lado em cima da colcha, cada um com um robe branco felpudo, procurando filmes.

— Lixo, lixo, lixo — disse Zoe. — Vamos para os clássicos.

— Você tem convicção das suas opiniões — comentou Jiro.

— Eu já vi *tudo* — disse Zoe. — Você pode conhecer fundos de cobertura, Jiro, mas eu conheço filmes.

— Vi no seu perfil que Marlon Brando é sua religião. — Jiro balançou a cabeça e riu. — O que você gosta tanto nele?

— Seus maneirismos, sua emoção, a maneira como ele respira. — Zoe chutou as pernas no ar para enfatizar. — Eu tenho o pôster dele na cabeceira da minha cama desde os dez anos.

— E você sempre quis ser atriz?

— Claro, Jiro.

— Por quê?

Zoe deu de ombros.

— Eu simplesmente amo.

— Mas por quê?

— Eu acho... Bem, quando você é uma atriz, pode ser vista e não ser vista ao mesmo tempo. Está falando, mas não as suas próprias palavras. Expressa sentimentos, mas não os seus próprios sentimentos, ou pelo menos não normalmente. Pode interpretar um personagem sem ser julgada pelo seu próprio caráter. É libertador, sabe? Te liberta de ser você mesma.

— Você não quer ser você mesma?

Jiro olhou para ela e, de repente, suas feições se contorceram na mesma expressão exagerada de surpresa que ela viu quando eles se conheceram. Era como assistir a uma rachadura de raios em zigue-zague no centro do rosto. Zoe olhou para baixo, brincando com o cordão do robe.

— O que é essa careta que você faz? — ela perguntou.

Ele levou uma mão levemente ao rosto.

— Isso acontece há alguns anos — disse ele. — Desde que meu pai morreu. Ninguém sabe ao certo o porquê.

— Isso te incomoda?

— Muitíssimo.

— Eu tenho uma coisa assim — disse Zoe. — Bem, é pior na verdade. Eu tenho um tipo de... convulsão às vezes.

Jiro virou o rosto em sua direção e arregalou os olhos.

— Você tem epilepsia, Zoe?

Zoe sentiu um caroço se formar na garganta enquanto concordava. Ela raramente dizia a palavra em voz alta.

— Lamento ouvir isso — respondeu Jiro. — Isso te assusta?

Ela engoliu. Foi um esforço encontrar as palavras.

— Muito — ela conseguiu dizer.

Jiro concordou com um lento aceno de cabeça.

— Sabe... Aristóteles acreditava que convulsões eram um sinal de genialidade. Ele tinha, e seus professores Platão e Sócrates tinham antes dele.

Zoe sorriu com tristeza.

— Mas esses são todos homens brancos mortos.

Jiro riu.

— E ocidentais! Mas ainda podemos considerar o argumento dele.

— Definitivamente não me acho um gênio — disse Zoe.

— Quem sabe o que você será? Ainda está se tornando.

Zoe alisou o robe sobre o colo e esticou os dedos dos pés.

— Eu acho que isso é verdade — ela admitiu.

— É por isso que você foi ao grupo de meditação sobre o qual estava me contando ontem à noite? Onde você ouviu falar do *Daddy Dearest*? Para ajudar com as convulsões?

— Ah, Deus! Eu te contei? — Zoe afundou o rosto nas mãos. — Eu só fui porque minha colega de quarto me arrastou. É uma longa história.

— Você parecia estar bastante tocada por isso — disse Jiro. — Pareceu uma experiência especial.

Zoe se mexeu na cama. Ela não se lembrava de ter falado sobre esse assunto com Jiro. Ela fechou os olhos. Ela se perguntou se era a nova medicação para convulsões que ela estava tomando que causava esses apagões na sua mente quando ela bebia, como um rolo de filme que de repente acaba, crepitando na escuridão. Ou talvez fosse assim quando ela bebia. Do mesmo jeito que

Frank bebia. Do mesmo jeito que sua mãe aparentemente bebia, quando ela bebia.

— Você acredita nessas coisas, então? — ela perguntou. — De clímax à consciência?

— Disso, eu nunca tinha ouvido falar. Mas sim, acredito nos benefícios da meditação. Quando tenho tempo, pratico *zazen*, que vem do zen budismo.

— Viu? — disse Zoe, cutucando-o no ombro. — Eu sabia que você era budista.

Jiro riu.

— Você gostaria mais de mim se eu fosse um monge zen?

— Os monges não têm direito a serviço de quarto — disse Zoe. — E eu gosto de você do jeito que você é.

— Gosto de você como você é também, Zoe — respondeu Jiro.

Eles se entreolharam e sorriram.

— Certo — ele disse. — Assistimos ao seu filme favorito do Marlon Brando e depois vou para minha reunião. Combinado?

Zoe girou o cordão do seu robe, feliz.

— Combinado.

...

Quando Zoe acordou novamente, a sala estava banhada em sombras. As persianas estavam fechadas nas janelas, mas um quadrado fraco de luz ainda brilhava em volta das bordas. Então ainda era a luz do dia. Ela rolou e seu rosto encontrou um bilhete no travesseiro ao lado dela.

Eu não queria te acordar (é bom que você durma, eu acho). Voltarei da reunião às seis e trarei comida, caso você esteja com fome. Se tiver que ir embora antes de eu voltar, não hesite.

Obs.: Marlon Brando também é a minha religião agora.

O relógio da mesa de cabeceira emitiu um brilho digital. Já eram 17h30. Ela devia ter cochilado durante o filme — mas isso nunca acontecia. Normalmente, Zoe tinha que estar bêbada para adormecer com um homem. Ela se sentou encostada na cabeceira da cama e esticou os braços à frente, girando os pulsos. Sentiu um ronco de fome no estômago e algo mais a baixo, algo novo. Levou as mãos sob as cobertas até a virilha. Podia sentir uma dor de prazer enquanto a pressionava. Essa foi uma nova sensação. Zoe já havia se tocado lá antes, mas nunca se sentiu assim. Depois de um tempo, ela simplesmente desistiu de tentar. Sempre assumiu que parte de seu corpo estava com defeito, assim como seu cérebro epiléptico. Ela havia acordado, no entanto, se sentindo diferente.

Zoe deitou-se de novo na cama grande e abriu o roupão abaixo da cintura. Ela hesitou, olhando outra vez para o relógio. Ela morreria se ele entrasse, mas estimava que tinha tempo mais do que suficiente antes de Jiro voltar.

— Quadrante superior esquerdo — ela disse suavemente para si mesma.

Ela guiou os dedos para o local certo e fechou os olhos. Respiração profunda. Seus dedos circularam lentamente. Nada estava acontecendo. De repente. Algo estava acontecendo. O tempo passou, o tempo começou a desaparecer. Não parecia muito... até que parecia tudo. Como descrevê-la, essa crescente? Uma agonia requintada, cada parte dela tensa em rigidez insuportável, dedos rígidos, uma concentração paralisante, a certeza de que, se ela soltasse um pouco, mesmo pouco, poderia perder isso, isso poderia perdê-la... Mas não, não poderia porque estava aqui, ela estava bem no limite, suspensa sobre ele de maneira agoniante, estava perto, tão perto e, em seguida, sim, agora estava aqui, ela estava caindo, afundando, correndo para o centro doce e vermelho, como veludo, como veludo, uma onda rolando após a outra, puro prazer, lá foi ela novamente, aquela imensa intensidade, aquela imensidão intensa e, novamente, a onda de veludo veio, para além das palavras e melhor do que qualquer palavra, tinha acontecido, ela estava lá, lá era aqui, e era uma garota de verdade, uma garota de verdade, uma garota de verdade...

Ela abriu os olhos e deixou sua mão cair. Uma nova umidade cobrira os dedos. Ela se sentiu vazia e plena ao mesmo tempo. Uma deliciosa ternura entre as pernas. *Então é isso que gera tanto alvoroço,* ela pensou. E então ela estava rindo, pressionando o lado do rosto contra o travesseiro quente. Uma poça de prazer, é isso que ela era.

Quando ouviu a porta se abrir um pouco mais tarde, ela ainda estava largada na cama. Jiro estava na porta, uma sacola de comida para viagem em cada mão, sorrindo.

— Eu sei que você vai dizer que sou um clichê — ele afirmou. — Mas eu trouxe sushi.

Ele fez uma pausa, olhando para ela. Ela podia sentir que suas bochechas estavam quentes e rosadas, seus olhos extraordinariamente brilhantes. Tentou sorrir para ele, mas o riso voltou outra vez, e subiu por dentro dela como uma multidão de balões coloridos. Jiro largou as sacolas e começou a rir também. Por fim, quando os dois ficaram sem fôlego, ele se sentou na beira da cama e olhou para ela.

— Mas então — disse ele, enxugando os olhos. — Do que é que estamos rindo?

CAPÍTULO QUINZE

MAIO

Cleo estava hospedada na casa de Audrey há uma semana, quando ela notou o vizinho observando-a pela janela. Ela acabara de tomar um banho e estava nua no quarto de Audrey, aplicando loção para o corpo, quando ela olhou para cima e o viu. Ela ficou congelada. Fechar as cortinas significaria avançar na direção dele; retirar-se apenas ofereceria uma visão alternativa dela, na parte de trás. Em pânico, ela se deitou no chão e rastejou de volta ao banheiro, deixando sobre as tábuas de madeira atrás de si uma trilha brilhante de hidratante, como um caracol.

Ela empurrou a porta com o dedo do pé e sentou-se curvada no chão de azulejos. Não era só o fato de ele tê-la visto nua. Era a cicatriz dela. A fina trincheira roxa que corria de seu pulso até o cotovelo, trinta pontos como trilhos em uma ferrovia. Por que ela se importava se ele tinha visto? Ele não era ninguém. Mas sua cicatriz a deixava mais nua do que a nudez, era mais secreta que o seu sexo. Ninguém a tinha visto, exceto Frank. E ela não via Frank há dois meses.

Quando ela abriu a porta do banheiro outra vez, o vizinho já tinha ido. Cleo se vestiu rapidamente com jeans vintage de cintura alta e uma das jaquetas de seda que ela pintou no início daquele ano, espalhando pavões gigantes e corvos pretos brilhantes nas costas. Ela trouxe algumas na mala quando deixou Frank; ela separou qualquer coisa com mangas compridas. Ela verificou as mangas da jaqueta agora. Elas ficavam ligeiramente soltas, deslizando para cima e para baixo no seu braço livremente. Ela tirou-a e vestiu uma blusa de mangas compridas em malha por baixo, depois colocou a jaqueta. Estava agradecida por ainda não ter feito calor na primavera.

Audrey estava descansando no sofá, com seu novo namorado Marshall esfregando-lhe os pés, quando Cleo entrou na sala de estar. Marshall era alto e de cabelos castanhos, com o rosto quadrado e simétrico. Ele tinha o que Cleo tinha ouvido chamarem de "boa aparência de substituto", uma beleza genérica que não possuía nenhuma falha ou caráter discernível.

— Uau, você está ótima — comentou Audrey.

— Acho que seu vizinho estava me vendo nua — disse Cleo. Ela empoleirou-se no braço do sofá para trançar os cabelos.

— Pervertido — xingou Audrey. — Eu o peguei observando-nos fazer sexo outro dia.

— Querida, foi porque você não quis fechar as cortinas — disse Marshall.

— Eu prefiro a minha aparência à luz natural, queridinho.

— Tudo o que estou dizendo, docinho, é que não era muito privado.

Cleo sorriu internamente diante da conversa. Quanto mais petulantes eles ficavam, mais melosos ficavam seus apelidos. Isso, juntamente com o talento de Marshall para oferecer o insight psicológico mais básico possível em qualquer situação ("os relacionamentos são complicados", "as pessoas são cheias de surpresas"), se apresentavam como uma fonte confiável de diversão para ela.

— Essa é a coisa louca de Nova York — comentou Audrey. — Nem mesmo o seu quarto é privado. O mundo todo é um palco, eu acho.

— E os homens e mulheres simplesmente cobram demais dos locatários — disse Cleo.

— Nova York é *tão* superfaturada — acrescentou Marshall.

Audrey acariciou afetuosamente o rosto de Marshall com o dedão do pé. Eles se conheceram no primeiro restaurante de Santiago, onde ela ainda era *hostess* e Marshall até pouco tempo era atendente. Agora, Marshall ganhava a vida de forma alegre, assediando turistas para comprar ingressos para espetáculos de comédia na MacDougal Street, onde ele também se apresentava de vez em quando com seu grupo de improvisação. Cleo foi poupada por Audrey de ter que assistir a essas apresentações, já que ela não acreditava no teatro onde, como ela disse, "ninguém se preocupava em aprender suas falas". Marshall foi o primeiro namorado de Audrey, de fato, o primeiro homem que Cleo soube ter dormido com ela mais de uma vez.

— Então — disse Audrey —, eu deveria começar a me arrumar também. Você está tão bonita, Cleo. Eu quero usar algo assim.

— Sério? — perguntou Cleo. — Eu tenho mais umas peças se você quiser dar uma olhada na pilha ao lado da minha mala.

Audrey levantou-se e desapareceu no quarto.

— Vantagens de ter Cleo como colega de quarto! — ela cantou.

— Só hóspede! — gritou Cleo. — Eu prometo que estarei fora do seu sofá em breve.

— Não se preocupe — disse Marshall. — Nós adoramos ter você aqui.

Cleo levantou uma sobrancelha. Nós? Até onde ela sabia, Marshall morava em um loft em Red Hook com outros seis atores sem trabalho. Audrey ressurgiu do quarto vestindo uma das jaquetas sobre um vestido tão curto que acabou parecendo um pequeno roupão de banho.

— *Tcharam.* — Audrey girou sobre os saltos altos. — O que você acha? Bom o suficiente para a festa do ano?

Eles estavam indo para a estreia do novo show do artista Danny Life, *Revelações Mortais.* Danny e Cleo estavam na faculdade quando ele ainda usava aparelho nos dentes e ainda era chamado de Danny Rodriguez, razão pela qual ela conseguiu colocá-los na lista para o que seria, sem dúvida, a festa mais animada e exclusiva oferecida por um círculo de artistas conhecidos por produzirem festas animadas e exclusivas.

Localizado em um armazém de bebidas abandonado na Randall's Island, o evento estava sendo patrocinado por empresas imobiliárias que esperavam obter o apoio para duas torres de luxo que planejavam construir no lugar do armazém. Foi o impulso central de um esforço para reclassificar o bairro como um lar viável para profissionais urbanos criativos, a maioria dos quais nunca tinha ouvido falar de Randall's Island. Mas Cleo não estava indo pela animação, pela lista de convidados ou pelo prazer de poder dizer àqueles que não foram convidados que ela estava lá. Frank estaria lá. Ela ia ver Frank. Ela estava indo para que Frank pudesse vê-la.

Imaginando corretamente que um trajeto de metrô de uma hora desanimaria a multidão que eles esperavam no evento, os organizadores da festa haviam providenciado uma frota de ônibus escolares amarelos para transportar os convidados da Union Square até o armazém. Os ônibus estavam alinhados ao longo da 15ª Street, ao lado de uma banca que vendia mangas em formato de flor em palitos, um caminhão de kebab e uma mulher que oferecia leituras de palmas das mãos. *Isso que era especial em Nova York*, Cleo pensou enquanto eles andavam em direção aos ônibus. *Ela nunca sabia o que você queria, então lhe oferecia tudo.*

— Você vai ficar bem se encontrarmos o Frank? — Audrey perguntou.

— Pode ser difícil ver um ex — disse Marshall.

— Ele não é meu ex — respondeu Cleo. — Ainda não.

Depois que eles voltaram do norte, eles concordaram que seria uma boa ideia passar algum tempo separados. Cleo havia voltado para seus antidepressivos e finalmente estava voltando a ser quem ela era. Seria bom para Frank vê-la em um evento social onde ela poderia parecer despreocupada e normal, mais como ele a conhecera, pensou Cleo. E era certeza que Frank estaria lá. Ele comprou uma das primeiras pinturas de Danny e nunca perderia uma festa dessa magnitude. Cleo desmanchou a sua trança e começou a refazê-la. Ela esperava estar bonita. Deveria ter usado mais maquiagem.

— Uau, é tão *suburbano* — gritou Audrey quando eles subiram no ônibus escolar.

Cleo examinou os assentos. Nada de Frank. Ele provavelmente estava em outro ônibus. Ela seguiu Audrey e Marshall pelo corredor, passando por um homem com uma cacatua com crista cor salmão empoleirada no ombro. Ele usava uma camiseta com uma foto do que parecia ser a mesma cacatua impressa nela.

— Camisa legal — disse Audrey quando eles passaram por ele.

Ele lhe deu um olhar de desaprovação e depois se virou, em uníssono com sua cacatua, para olhar de volta pela janela.

Quentin já estava sentado no fundo, parecendo ansioso enquanto atirava uma bituca de cigarro pela janela. Ao lado dele estava Alex. Cleo passara a maior parte dos últimos dois meses na casa de Quentin até que Alex, o amante russo que ele conheceu por meios sombrios, sobre os quais Cleo achava melhor nem perguntar, apareceu. Ele alegou que estava sendo despejado do seu apartamento perto de Brighton Beach, e Quentin prontamente o convidou para ficar, o que Cleo tomou como sugestão para ela se mudar para o de Audrey.

Alex era lindo, mas estava aniquilado. Era como abrir um casaco de pele de vison brilhante e encontrar o forro manchado e comido por traças. Ele observava Quentin constantemente com olhos cautelosos e assombrados, aceitando sem agradecer quaisquer drogas, bebidas ou comida que Quentin lhe oferecesse.

— Ele não é um cachorro de rua — Cleo havia repreendido Quentin. — Você não deveria ter que alimentá-lo para ele ficar por perto.

Mas isso apenas fez com que Quentin lhe desse o apelido de Alex *Pies,* a palavra em polonês para cachorro. Como Alex raramente falava perto dela, Cleo nunca soube como se sentia com relação ao seu novo nome.

— Não é divertido? — disse Quentin quando ela o alcançou.

— É como fazer uma excursão escolar. Só que com drogas.

Quentin estava usando um espartilho sob uma jaqueta de couro com jeans pretos justos e botas de motociclista de salto alto. Seus ossos da clavícula se projetavam visivelmente acima do decote do corpete, e suas maçãs do rosto naturalmente altas tinham uma qualidade oca e esquelética. Ela não podia acreditar que ele havia emagrecido tanto em apenas algumas semanas. Cleo nunca tinha visto ele usar nenhuma das suas roupas de mulher fora de casa e tomou cuidado para não deixar seu rosto mostrar muita surpresa.

— Você está maravilhoso — elogiou Cleo. — Tem certeza de que conseguirá andar?

— Eu tenho praticado — respondeu Quentin e piscou para ela. Suas pálpebras brilharam com glitter preto.

Alex, Cleo notou com certo alarme, estava vestido inteiramente com as roupas de menino antigas de Quentin. Cleo encontrou seu olhar e percebeu que ele a estava observando registrar sua roupa com satisfação.

— Au — ela chamou e se sentou à janela atrás deles.

O ônibus havia criado a combinação ideal de nostalgia da infância e folia adulta; uma atmosfera de empolgação quase frenética permeou o local enquanto os convidados passavam garrafas pelos corredores e tentavam, sem sucesso, cantar em grupo os sucessos dos anos 1990. Cleo se viu, infelizmente, sentada ao lado de Guy, um maquiador francês e velho amigo de Frank que ficou tão bêbado no jantar de casamento que ele entrou na lixeira do prédio e vomitou no ralo.

— Oi, Guy — ela cumprimentou, incapaz de resistir a pronunciar o nome dele do jeito americano, que ela sabia que o irritava.

— Sem essa, é *Guy* como em gui-lho-tina — respondeu ele. — Há quanto tempo já nos conhecemos?

— Tempo suficiente para saber melhor.

Ela sorriu, pressionando a face contra a dele. Ela teve o cuidado de respirar pela boca, já que Guy fumava como um verdadeiro francês: sem parar. Mas, para sua surpresa, ele cheirava apenas a xampu. Ela esperava que ele não perguntasse de Frank. Ainda não era do conhecimento público que eles não estavam mais morando juntos. A melhor tática, ela sabia, era fazê-lo falar de si mesmo.

— Você está ótimo — comentou ela.

— Eu sei — ele respondeu. — Estou sóbrio há quase seis meses.

— Sério? — Audrey se virou no assento para vê-lo. — Eu pensei que os franceses, ao contrário de nós, podiam beber e fumar em segredo.

— Eu costumava dizer o mesmo — disse Guy. — Mas então eu fui a uma turnê.

Quando o ônibus entrou na rodovia FDR, ele lhes contou os quatro meses que passou fazendo maquiagem para uma grande banda de rock em uma turnê que durou um ano pelos Estados Unidos e pela Europa. O ciclo infinito de bebida e drogas grátis que o cercavam, a briga de bar em Amsterdã, onde ele perdeu metade do lóbulo da orelha, a prostituta em Bruxelas que o roubou apontando-lhe uma faca e, por fim, a vez em que ele acordou completamente nu em um corredor de hotel, sem ter ideia de que horas eram, em que quarto ele estava hospedado, ou mesmo se estava no hotel certo. Ele cambaleou pelo corredor sem fim, perdido, nu e em pânico. À sua frente, viu uma luz brilhando da porta entreaberta de um armário de vassouras. Como se estivesse em transe, caminhou em direção à luz. Abriu a porta. No interior, encontrou um robe felpudo em um cabide. No seu interior, encontrou Deus.

— Então foi assim? — Audrey perguntou. — Você vestiu um roupão e parou de usar drogas?

— Não. — Guy deu de ombros. — Eu fui para o México para beber ayahuasca e viajei por três dias. Então eu parei de usar drogas.

— Como foi isso?

— Primeiro — disse Guy, segurando um dedo manchado de tabaco — você vê a cor laranja. Então — ele imitou uma explosão de ambos os lados da cabeça com as mãos —, você percebe que nunca amou de verdade.

— Uau! — exclamou Marshall. — Um momento pode mudar sua vida para sempre.

Quentin virou-se para olhar para Cleo e revirou os olhos.

— Agora, estou viciado apenas em meditar — explicou Guy.

— Meditação como medicação — concluiu Audrey, evidentemente satisfeita consigo mesma.

— *Exactement.* — Guy concordou. — Meu objetivo é um dia possuir apenas uma tanga e uma tigela tibetana.

— Não se esqueça da escova de dentes — indicou Quentin.

Cleo ficou em silêncio, olhando pela janela para a escuridão do East River que passava correndo, as luzes de Long Island City distantes, o letreiro art déco da Pepsi-Cola na sua dramática escrita vermelho-rubi. Ela estava pensando no dia em que saiu do hospital. Frank a despiu no banheiro escuro da cabana, deslizando a camisa sobre os braços erguidos como se ela fosse uma garotinha. Ela colocou as mãos nos ombros dele enquanto ele se ajoelhava para tirar o jeans dela passando pelos tornozelos e pés. Ela podia sentir o ar sussurrando em torno dos pontos. Ele tirou a calcinha dela. Ela desvencilhou-se com cuidado. Seu corpo parecia drenado de todo sexo. Ela voltou a ser criança. Ele descansou a testa no espaço abaixo de seu umbigo. Ela segurou-lhe a cabeça entre as mãos, seu lindo cabelo encaracolado brotando entre seus dedos. Devocional. Essa era a palavra para dois corpos assim. Eles deveriam ter sido mais devotos, ela entendia isso agora.

— Cleo? — Era Quentin olhando para ela. — Você está bem?

— Estou bem — disse ela. — Enjoo do trajeto, talvez.

— Estou só verificando, você sabe — comentou ele. — Sendo um bom amigo.

Ela queria dizer a ele que um amigo realmente bom não sentiria a necessidade de indicar como ele estava sendo um bom amigo para ela o tempo todo, mas deixou para lá. Quentin voltou-se para Alex, cujos olhos amarelos estavam fixos nele. Sem olhar para ele, Quentin tirou um saco plástico do bolso e o colocou no colo de Alex. Dentro havia o que pareciam fragmentos de gelo. Ela podia ver, na sua faixa de visão entre os assentos, apenas o canto da boca de Alex se contorcendo em um sorriso.

— Olhe, lá está Zoe! — indicou Audrey.

Eles estavam ultrapassando um dos outros ônibus escolares indo para a festa. Pela janela, eles podiam ver a bela cabeça encaracolada de Zoe apoiada no ombro de um homem asiático mais velho que vestia um terno. O ônibus deles acelerou e ela desapareceu atrás deles.

— Essa garota é um enigma — comentou Audrey, balançando a cabeça. Quentin levantou os braços acima da cabeça e sacudiu as mãos.

— Já chegamos? — ele gritou.

Audrey riu.

— Não é possível que você já esteja entediado de verdade.

— Você me conhece — disse Quentin. — Prefiro chorar em uma limusine a rir em um ônibus.

...

Trinta minutos depois, eles chegaram aos portões de entrada do armazém e estacionaram perto de um pátio grande. Do outro lado do rio escuro, o horizonte pontiagudo de Manhattan piscou para eles. Os convidados se acumularam e caminharam por uma passarela ladeada por tochas acesas em direção a duas mulheres esculturais segurando pranchetas. Ao lado de cada uma delas havia uma fila de seguranças com rostos de pedra. Cada convidado dava o nome para as garotas altas na frente, todos, exceto Alex, que ficou ali olhando desafiadoramente para elas.

— Ele não vai entrar — disse a garota com a prancheta.

— Esta é a ex-namorada de Danny — respondeu Quentin, empurrando Cleo em direção a ela. — Ele é o convidado dela.

Era um exagero, mas Cleo havia dormido com Danny de vez em quando por mais de um ano até que, no que acabou sendo a jogada mais inteligente da sua carreira, ele começou a namorar a filha de um dos maiores donos de galerias de arte contemporânea em Nova York. Ela levou o pai para a exposição do trabalho de conclusão de curso dele e, dois anos depois, Danny era o jovem artista de maior sucesso comercial da cidade, vendendo uma pintura por 250 mil dólares quando tinha apenas vinte e seis anos. Mas, recentemente, a carreira de Danny havia dado uma guinada, e uma série de exposições com muitas vendas, mas sem sucesso de crítica, provocou boatos de que ele estava se tornando o exemplo mais recente de como o sucesso precoce pode arruinar a integridade da carreira de um artista.

Depois que Cleo comprovou com uma série de mensagens de texto resgatadas com pressa que Danny a convidara pessoalmente, a garota da prancheta permitiu, de má vontade, que todos entrassem. Eles passaram para uma área de docas de paralelepípedos ladeadas por dois grandes bares ao ar livre, além de food trucks e uma estação de fotos. No centro havia uma escultura de gelo de Danny segurando uma garrafa de bebida de um dos patrocinadores da festa. A escultura era comicamente diminuta, do tamanho de uma criança, com apenas alguns de seus dreads característicos brotando da cabeça.

— Eles não podiam gastar com uma em tamanho real? — perguntou Quentin, apontando para a escultura. — Quer dizer, eles têm gelato.

Enquanto Cleo olhava em volta, uma sensação líquida de fracasso aumentava dentro dela. O que ela esteve fazendo nos últimos anos? Ela já estava tão atrasada. A técnica de Danny era menos desenvolvida do que a dela na escola, mas ele já havia conseguido tudo isso. Ela não havia feito nada, não havia feito nada de si mesma.

— Você sabe o que eu amo nas festas de arte? — disse Quentin. — Você pode olhar em volta e ver pelo menos três pessoas usando gola alta preta a qualquer momento.

— E pelo menos um chapéu ridículo — acrescentou Audrey, assim que um homem em um fez passou.

— Tudo bem, vamos testar essa teoria — propôs Marshall. Ele espichou o pescoço para ver a multidão e começou a rir. — É sim, eu vejo três de gola alta.

Cleo olhou em volta e contou um, dois... e lá, o terceiro, era Anders. Ela examinou as pessoas de ambos os lados dele. Ele estava sozinho. Nada de Frank. Ele parecia incrivelmente mais jovem do que ela já o vira antes, esbelto e bronzeado. Típico, Cleo pensou. Ele estava abrindo caminho na multidão em direção a ela. Então ele a estava puxando para perto dele, passando os braços em volta das costas dela e pousando os lábios contra o topo da cabeça dela. O cheiro dele. Ela não aguentou. Afastou-se. Os braços dele se soltaram dos dois lados quando um olhar de vergonha sofrida passou-lhe pelo rosto.

— Fico feliz em vê-los — disse ele, dirigindo-se aos amigos dela para cumprimentá-los com seu sotaque dinamarquês entrecortado. — Oi, oi.

— Estávamos apenas vendo quantas pessoas usando gola alta preta poderíamos contar aqui — respondeu Quentin.

— Bem — falou Anders, olhando para o peito dele como se só agora percebesse o que estava vestindo. — Você me pegou! O que isto significa?

— Que você é um clichê — disparou Quentin. — Estou brincando.

Cleo sentiu a dupla sensação familiar de orgulho e humilhação; orgulho da proteção de Quentin para com ela, humilhação pela maneira sarcástica em que ele a demonstrava.

— Você já notou — começou Anders, voltando-se para Cleo — como sempre que um americano diz "estou brincando", ele nunca está só brincando?

— Olá, eu sou polonês — respondeu Quentin.

Anders pegou o braço de Cleo enquanto falava com Quentin.

— Vou pegar sua amiga emprestada agora.

Ele puxou Cleo com ele para uma área tranquila perto das tochas. Eles ficaram de frente um para o outro, com a luz do fogo lambendo-lhes o rosto. De perto, Cleo viu que, sob o rosto bronzeado de Anders, ele não parecia mais jovem, de fato, mas sim talhado pela exaustão. A luz do fogo não chegava até seus olhos.

— Como você está? — ele perguntou. — Você parece bem.

— Você também — disse ela. — Muito... californiano.

— Ah, sim — respondeu ele, esfregando a bochecha. — Eu moro perto da praia agora. Eu até surfo às vezes.

— Jonah deve amar isso — comentou ela.

— Na verdade, Jonah ainda não foi. — Ele olhou para os pés.

— Ah, eu achei que ele...

— Não é um problema. — Anders acenou com a mão à frente dele. — Você sabe como são os adolescentes. — Ele deslizou o telefone para dentro e para fora do bolso, em gestos nervosos. — Mas eu adoro lá. O ar fresco... Tudo. E, sabe, eu conheci alguém.

— Eu ouvi dizer — disse Cleo.

Na verdade, ela tinha visto. Ela descobriu a nova namorada dele por meio de uma busca imprudente no Google. Ela era linda, é claro, uma modelo. Havia duas fotos deles juntos, ambas do mesmo evento para a revista dele em Los Angeles. A primeira era do lado de fora, com as mãos entrelaçadas, as cabeças levemente inclinadas, se aproximando. Então eles estavam dentro da festa, segurando taças de champanhe, ambos risonhos. Cleo se sentou encurvada no sofá de Audrey, banhada pelo halo azul da luz da tela do computador, o som da Audrey e do Marshall fazendo amor, passando suavemente através das paredes, e ela clicava e voltava nas imagens deles sorrindo e rindo, rindo e sorrindo...

— Ela está aqui? — perguntou Cleo.

— Não, infelizmente ela viaja muito a trabalho — disse ele. — Está nas Bahamas agora.

Cleo deu um sorriso fino.

— Vida boa.

— Vim apenas passar o fim de semana, de fato — disse Anders. — Esperava levar Jonah ao cinema hoje à noite, mas ele queria ver seus amigos, é claro. — Ele evitou encará-la e olhou por cima da cabeça dela, registrando a presença de outra pessoa que ele conhecia na multidão. Fez um aceno de cabeça para quem quer que fosse e murmurou um olá.

— Onde está Frank? — ela perguntou.

— Frank? — Anders voltou sua atenção para ela. — Ele não achou que seria apropriado vir, já que Danny era seu colega de escola.

Ele passou as mãos pelos cabelos. Agora estava mais claro, com mechas quase brancas em alguns lugares devido ao sol.

— Entendo — disse Cleo. Ela se concentrou em manter sua expressão o mais neutra possível. A decepção era tão física que estava preocupada que seu rosto pudesse realmente mudar de cor. Sentiu-se desesperada para ir para casa, ficar sozinha de novo, sem toda essa falsidade. Mas para onde? Ela estava muito longe de qualquer casa.

— Ele achou que você ficaria aliviada — explicou Anders.

— E você? — ela perguntou, levantando a cabeça para encontrar o olhar dele. — Você não achou que deveria ficar longe também?

— Eu queria ver você. Eu queria ter certeza de que você estava bem.

— *Agora* você se importa se eu estou bem?

— Sem essa, Cleo. — Ele puxou o telefone do bolso novamente, incapaz de sustentar o olhar dela. — Ainda somos amigos, não somos? Eu queria te dar espaço, você sabe, para descobrir como você se sentia.

— Espaço? Você chama nunca mais falar comigo de espaço?

Ela costumava imaginar como seria ver Anders novamente. Nas suas fantasias, ela era como metal, brilhante, fria e impenetrável. Mas todos os seus sentimentos, seus estúpidos sentimentos feridos, continuavam borbulhando à superfície.

— O que eu deveria fazer? — perguntou Anders, levantando as mãos como se fosse para se proteger. — Você disse que o deixaria. Você não o deixou. Então eu... acho que tentei seguir em frente.

Cleo queria dizer que não poderia deixar Frank sem a garantia de que Anders estaria ao seu lado, uma garantia que ele não pôde dar a ela quando ela a pediu. Ela se odiava por ter pedido. Estava com muito medo. E realmente acreditava que poderia amar Anders, embora agora percebesse que simplesmente se apegara a ele porque não conseguia ver outra saída. Ela odiava pensar nisso.

Ela que tinha vinte e pouco anos, queria lembrá-lo. Ele e Frank estavam na casa dos quarenta. Eles tinham as carreiras. Eles tinham dinheiro. Eles tinham cidadania, estabilidade, poder. Em comparação, ela não tinha nada além de si mesma.

— Eu liguei para você — foi o que ela disse.

— Tomei a decisão que eu achei que seria a melhor — justificou Anders. — Por favor, tente entender o meu lado da situação. Conheço Frank há vinte anos.

Um grupo de pessoas que seguiam em direção ao bar passou entre eles, gritando animadamente entre si por sobre os ombros. Anders se afastou para deixá-las passar.

— Você nem se despediu — disse ela.

— Sinto muito, Cleo. Eu não sei o que dizer. Eu fiz o que achei que estava certo.

Anders olhou para ela e seu rosto expressava muita pena. Ele deve ter pensado que ela era patética. Ela queria pegar e retirar sua expressão como se fosse uma folha de papel de desenho, amassando-a entre as mãos. Ela cruzou os braços e se afastou dele. Não havia mais nada a dizer. Ele estendeu a mão para tocar levemente o cotovelo dela.

— Cleo — ele falou suavemente.

Na boca dele, o nome dela soou como alguma coisa caindo, dois saltos abaixo em uma escadaria. *Cle-o.*

— O quê?

Ele começou a dizer algo, pareceu pensar melhor.

— Não seja uma estranha — ele disse, então.

— Alguns dos meus melhores amigos são estranhos — disse ela, e voltou para a multidão.

Ela abriu caminho entre as pessoas que se aproximavam dos bares e entrou na primeira sala do armazém. Um caixão cheio de buracos de bala girava na órbita lenta de uma grossa corrente de metal suspensa acima de um monte de espelhos quebrados. Ela olhou para baixo e viu centenas de fragmentos do seu rosto refletidos, uma lasca de bochecha, de garganta, de olho. Quem era ela? Uma artista que não faz arte. Uma mulher sem marido. Uma filha sem mãe.

— Aí está você! — Quentin a agarrou pelo braço. Seus olhos eram esferas pretas e brilhantes. — Você viu Alex?

Cleo balançou a cabeça. Quentin segurou o braço dela com força suficiente para machucá-la. Ela colocou a mão sobre a dele e arrancou os dedos dele.

— Você está bem?

— Maravilhoso! — respondeu Quentin com sotaque britânico e jogou a cabeça para trás em uma risada dramática, com a boca escancarada. Ele curvou a cabeça para a frente, seu rosto de repente ficou sério. Seus olhos não refletiam nenhuma luz.

— Preciso encontrar Alex.

— O que você tomou? — Cleo perguntou, mas Quentin estava se afastando dela e entrando na multidão. Ela continuou vendo a parte de trás da cabeça dele até a sala principal do armazém, antes de piscar, e ele desaparecer no enxame de corpos.

Ela passou por um corredor em que os convidados estavam descascando alegremente as tábuas do chão, como crostas da pele. A pista de dança já estava lotada, a multidão se movimentando ao som de uma música que Cleo não conhecia. Ela podia sentir o baixo nos pelos dos braços, vibrando contra a pele. Ela viu Audrey e Marshall dançando juntos em um canto, perto da parede.

— Aqui! — Audrey gritou. Ela lhe deu uma garrafa de água.

— Quer um pouco? Colocamos uns aditivos nela.

Sim, ela queria um pouco. Queria algo que passasse por ela como uma inundação, que levasse embora anos inteiros da sua vida. Aqueles meses finais de esperança quando acreditou que sua mãe estava melhorando. Eliminados. A noite em que ela conheceu Frank, seu sorriso, seus elogios, a mão dele escorrendo sob o vestido para encontrar abrigo entre as pernas dela. Eliminada. Aquelas semanas com Anders. Eliminadas. Todos os homens que, de fato, haviam se enterrado dentro dela, beijando-a e transado com ela. Queria que eles saíssem. Queria um rio volumoso com os corpos masculinos sugados de dentro dela. Queria a morte por inundação.

Ela pegou a garrafa e virou-a na boca, sobras da água escorriam dos dois lados dos lábios.

— Ei, calma — Marshall gritou. — Essa coisa é forte.

— Bom.

Ela jogou a garrafa de volta para ele e chegou até os dois passando pela massa de dançarinos. Ela estava levando cotoveladas e sendo empurrada por todos os lados. Todo mundo se sentia mais alto que ela. Um homem com uma tatuagem de caveira cobrindo sua cabeça raspada agarrou sua cintura e começou a dançar com ela, apertando os quadris contra os dela. Ela se firmou contra ele por um momento quando ele a puxou para mais perto, empurrando o rosto úmido dele no pescoço dela. Ela agarrou os braços dele e depois cravou-lhes as unhas com a maior força que conseguiu.

— Que porra é essa? — ele gritou, empurrando-a para longe dele. Ela podia ouvi-lo gritar enquanto voltava para a multidão. *"Vadia maluca"*.

Ela abriu caminho até as extremidades e se agachou em uma sala lateral cheia de velas altas em vidros pintados com imagens da Virgem Maria. A sala inteira brilhava em amarelo. E lá, no centro da luz, estava Danny Life. Ele estava todo de branco, vestindo um macacão personalizado e botas de couro branco imaculado. Com ele estava um crítico de arte conhecido de Cleo. Ele estava segurando com ansiedade um dispositivo de gravação na frente de Danny, embora parecesse estar falando durante a maior parte da conversa.

— Até que ponto o seu trabalho é autobiográfico? — o crítico perguntou.

— O que você quer dizer com autobiográfico?

— Você sabe — disse o crítico. — Como suas próprias experiências com a violência nas ruas fundamentaram o seu trabalho? Você...

— Escute, cara — interrompeu Danny. — Eu cresci em Pound Ridge. Minha mãe é uma epidemiologista. Procure se você não souber o que é isso.

— Mas as armas...

Cleo ficou atrás dele e imitou ficar vesga e se dar um tiro na cabeça. O rosto bonito de Danny se abriu em um sorriso. Seus dentes brancos brilhavam.

— Com licença. — Ele passou pelo crítico e deu um abraço em Cleo. — Cleo, a gata. Eu esperava te ver.

— Olhe para você. — Cleo sorriu. — O mais badalado da cidade.

— Este sou eu. — Ele riu. — Como você está?

O crítico olhou Cleo com desprezo e se afastou.

— Sem teto. Desempregada. Solteira. E você?

Ela podia sentir algo dentro dela se soltando, como as primeiras rachaduras nas paredes antes de um terremoto.

— Que merda, cara. Indo melhor do que você, com certeza.

Cleo riu. Danny não era propenso a compaixão, algo de que ela sempre gostara nele. *Carinho* era a melhor palavra em que ela conseguia pensar para descrever o que eles sentiam um pelo outro. Carinho era morno, mas não tépido, a cor de âmbar, mais afetuosa que a amizade, mas menos complicado do que amor. Relembrando os dias de escola, eles ficavam juntos enrolados nos seus lençóis, batendo a cinza dos baseados em uma lata de coca-cola perto da cama e conversando confortavelmente sobre o trabalho deles, sobre os artistas que eles estavam pesquisando, as outras pessoas com quem estavam dormindo.

— Você está mesmo sem teto? — perguntou Danny. — Acabei de ser convidado a indicar alguém para esta residência em Roma. Tem interesse?

Cleo não sabia o que queria. Ela foi salva de ter que responder por uma garota vestindo um sutiã de couro e calças que corria em direção a Danny e pulou nas costas dele.

— Te amo, Danny — ela gritou, beijando o lado do rosto dele.

— Amo você também, baby — disse Danny. — Mas vou precisar que você me solte agora.

A garota se afastou dele, rindo e foi se juntar a seus amigos e tirar fotos. Danny olhou para Cleo e pegou na mão dela.

— Você quer vir comigo? Eu preciso de uma pausa dessas pessoas. Eles me deram meu próprio trailer. É louco.

O trailer estava forrado com carpete grosso e tinha um sofá grande de veludo e uma penteadeira, com filas de garrafas de bebidas alcoólicas e champanhe. Mais acima, um lustre piscou para ela. Ela podia sentir a luz como penas na sua pele. Ela sentiu como se seu sangue tivesse sido gaseificado. Danny olhou para os olhos dela e gargalhou.

— Você tomou alguma coisa? — ele perguntou. Cleo concordou com um sinal afirmativo de cabeça. — Quer uma bebida?

Cleo concordou novamente. Ela podia sentir o brilho do lustre que a aquecia por dentro. Ela estendeu as mãos e tocou uma das lágrimas de cristal. Um arco-íris de luz girou em seu rosto.

— Como está se sentindo? — ele perguntou. Ela fechou os olhos.

— Maneira — disse ela. — Devíamos usar mais essa palavra. Maneeeeeira.

— Aqui.

Ele se aproximou e soltou um cristal de seu fio do candelabro. Muito gentilmente, ele removeu a tachinha do lóbulo da orelha direita dela e passou o fio do cristal pelo orifício. Ela podia sentir o puxão repentino no lóbulo quando ele afastou as mãos, o peso nada familiar perto do rosto.

— Agora você aparenta ser maneira também. — Ele pegou uma garrafa de champanhe e bebeu direto no gargalo, depois passou-a para ela. — Você está com fome?

Eles sentaram-se no sofá e Danny deu a ela o maior saco de batatas fritas que ela já tinha visto. Ele pegou um punhado e devorou-as.

Ele deu de ombros.

— Patrocinadores.

— É maior do que a sua escultura no gelo — disse Cleo.

Eles começaram a rir, e as risadas foram crescendo até que não conseguiam parar, gargalhadas desamparadas e chorosas, tirando todo o fôlego dos seus corpos. Cada vez que um olhava para o outro, começavam a rir novamente. O estômago de Cleo chegou a doer. Fazia tanto tempo desde que ela ria assim. Depois que os últimos espasmos diminuíram, Danny enxugou os olhos e olhou para ela, sério.

— Então — ele disse. — Você acha que eu me vendi?

Cleo tocou o pingente de lustre pendurado na sua orelha e ficou observando Danny.

— Acho que você vendeu — disse ela.

— É a mesma coisa, de acordo com eles. — Ele acenou com a cabeça para a porta do trailer e deixou-se cair de volta no sofá. — Todo mundo quer que eu seja a porra do próximo Basquiat. Basquiat se cercou de pessoas brancas e depois se matou. Deus me ajude se eu acabar como Basquiat, cara.

— Eu começaria evitando as drogas injetáveis — disse Cleo. — E gente branca.

— É mais fácil falar do que fazer — disse Danny.

— É verdade — disse Cleo.

Ela tomou mais um pouco de champanhe e passou a garrafa de volta para ele. Ele tomou um gole e continuou.

— Às vezes parece que eles *querem* que você esteja chapado o tempo todo. Minha agente me mataria se achasse que fazendo isso eu venderia mais.

— Pelo menos você tem tudo isso — disse Cleo. — Agora só precisa decidir o que fazer com isso.

Danny assentiu lentamente e comeu mais um punhado de batatas fritas.

— E você? — ele perguntou. — Você está expondo em algum lugar? Você sabe, você foi uma das melhores do nosso programa. Todos os professores achavam. Eu me lembro da sua exposição final. Foi... majestosa, cara. — Ele tomou um gole. — Majestosa, porra — ele repetiu e arrotou.

Cleo se virou para encará-lo. Ele havia espalhado as migalhas de batatas fritas por toda a sua frente. Ela estendeu a mão para limpá-las. Danny abriu a boca para dizer algo, depois agarrou o pulso dela. Ela seguiu o olhar dele. Era a cicatriz, saindo da manga como um ponto de exclamação. Ela viu os olhos dele se arregalarem para absorver o comprimento. Cleo puxou seu ante-braço suavemente para longe das mãos dele. Danny olhou para ela, e seus olhos estavam escuros e líquidos, incrivelmente suaves.

— Você quer falar sobre isso? — ele perguntou.

Cleo inclinou a cabeça. Muito gentilmente, ele beijou a testa dela. Eles ficaram assim, seus lábios descansando contra a linha dos cabelos dela, pelo que parecia um longo tempo. Ele se afastou lentamente.

— Vamos — disse Danny. — Quero fazer uma coisa junto com você.

Ele pegou a mão dela e a puxou para fora do trailer, de volta para a festa. Eles se esforçaram para abrir caminho pela sala principal e pelo corredor. Danny pegou um pedaço de madeira da pilha que os convidados haviam arrancado do chão e fez um gesto para ela fazer o mesmo, depois a levou de volta ao pátio. Ele caminhou em direção à sua escultura de gelo e, em um movimento rápido, arrancou a cabeça do corpo com a tábua de madeira. Ele se virou para ela e sorriu.

— Sua vez.

Cleo pegou a madeira com as duas mãos e a bateu no tronco da escultura. A reverberação do impacto estremeceu-lhe os braços. A metade superior do corpo rachou e escorregou pelos paralelepípedos. Os fragmentos de gelo voaram como faíscas ao seu redor. Danny bateu nas pernas e nos pés que haviam restado no chão e continuou a esmagá-los em pedaços menores com a prancha. As pessoas estavam se reunindo para assistir e tirar fotos.

"Isso faz parte do show?", ela ouviu alguém perguntar.

Danny se espremeu entre a multidão, ainda segurando a tábua no alto. Ele correu em direção ao armazém e atacou a primeira janela que viu. O vidro quebrou em volta dos pés e das pessoas que se reuniam atrás dele.

— Estrela dançante da porra! — ele gritou.

A energia passou pela multidão como uma corrente elétrica. Alguém subiu no food truck de tacos e começou a arremessar comida da vitrine do balcão. Um burrito explodiu contra a parede do armazém com um ruído. Os corpos estavam colidindo e ricocheteando, todos se acotovelando para estar perto de Danny, o Flautista Mágico Anárquico. Uma tocha acesa foi empurrada quando uma multidão de convidados avançou rumo ao armazém. Cleo se virou na direção oposta.

Ela o viu de costas. Anders alto, Anders bonito, Anders brilhante, para quem as dificuldades da vida escapavam como um vestido de seda deslizando de um cabide. Alguém estava chamando o nome dela. Ela não se importou. Ele pensava que ela era Cleo, a boneca chinesa, Cleo, que afundou e não aguentou a pressão, Cleo, que estava esvaziada. Não mais. Ela largou a madeira e pegou um balde de gelo prateado do qual alguém havia acabado de arrancar uma garrafa de vodca. Apoiou o balde no ombro, sentiu o peso se inclinar e balançar por um momento, e, depois, com toda a sua força, puxou-o para trás para colocá-lo na cabeça de Anders. A água gelada escorreu pelos ombros. O balde pousou perfeitamente sobre a cabeça dele como um chapéu de burro. Cubos de gelo derraparam no chão em volta dos seus pés. Ele se esforçou para levantar o balde e virou-se para olhá-la, os cabelos escurecidos e pingando, um olhar de choque profundo no seu rosto empalidecido. Alguém a agarrou por trás.

— Credo, Cleo. — Zoe estava agarrando-a pelos ombros, procurando pelo seu rosto. — Você ficou louca?

A segurança se aglomerou em torno deles. Anders jogou o balde para o lado e estava curvado com as mãos apoiadas nos joelhos, tentando recuperar o fôlego. Seus olhos não se desviaram de Cleo. Ele olhou para ela através de uma mecha de cabelo. Ela podia sentir suas mãos sendo puxadas para trás, seus pulsos beliscados. Então ela estava sendo empurrada para o chão, suas pernas nocauteadas por baixo.

— Solte ela! — gritou Zoe.

A bochecha de Cleo estava contra os paralelepípedos frios. O pulsar monótono de um baixo pesado viajava pelo chão sob o ouvido. Ela estava completamente mole, drenada de toda luta. Seus pulsos estavam sendo travados com algemas de plástico. Sua cicatriz. Ela esperava que eles não vissem sua cicatriz. Acima dela havia gritos, o barulho de metal, passos correndo. Riffs de guitarra elétrica cortavam ao ar. Uma multidão estava cantando o nome de Danny. Em algum lugar, uma garota estava gritando por Danny, fora de sintonia com os outros, em um apelo longo, repetido e dolorido.

Cleo fechou os olhos. Quando ela os abriu novamente, o rosto de Zoe estava ao lado do dela. Ela havia se deitado no chão ao lado de Cleo, de modo que os olhos delas estavam no mesmo nível. Ela colocou a mão no rosto de Cleo e fez barulhinhos discretos. Acima deles, um segurança estava dizendo para ela se levantar. A voz dele parecia aço inoxidável.

— Apenas respire, Cleo — pediu Zoe. — Eu não vou te deixar. Eu não vou a lugar nenhum. Você está segura.

Cleo sorriu para os olhos com brilhos dourados de Zoe. Tudo o que ela sempre quis ouvir de um homem vinha da boca de uma garota. Os olhos de Zoe eram da cor da Lyle's Golden Syrup. Cleo adorava a calda caramelizada quando criança e colocava-a em tudo. O logotipo era antiquado, mesmo pelos padrões ingleses, com a ilustração de um leão morto cercado por um enxame de abelhas. Por baixo, estavam as palavras "Dos fortes surge a doçura". Assim era Zoe. Um leão cercado de abelhas.

— Zoe linda e forte — disse Cleo. Os olhos de Zoe se ampliaram em um sorriso.

— Cleo linda e forte — repetiu ela.

— Que diabos está acontecendo aqui?

As botas brancas de Danny apareceram no nível dos olhos de Cleo. Nem um arranhão. Zoe se levantou.

— Senhor, essa mulher acabou de agredir um homem. — Aquela voz masculina dura de novo. — Tivemos que algemá-la.

— Agrediu? — disse Zoe. — Ela só derramou um balde de gelo nele. Grande coisa.

— Quem é você? — perguntou Danny.

— Sou a cunhada dela. Quem é *você*?

— Eu sou a porra do Danny Life. Espere um minuto, a cunhada é uma *irmã*? Eu pensei que ela tinha se casado com um cara velho e branco.

— Eu casei — disse Cleo no chão.

— Temos que pedir para o senhor se afastar para que possamos prender essa mulher.

— Olha, isso não vai acontecer. Eu contratei vocês. Vocês não são da polícia.

— Ela poderia ter ferido...

— Não, ela não poderia. — A voz de Anders parecia impassível e resignada. — Só deixe ela ir.

Cleo foi levantada. Olhou para Anders. Anders olhou para ela. Ela havia embalado aquele rosto nas mãos, beijado suas pálpebras, encostado a bochecha na dela, circulado pela caverna escura da boca dele com a língua. Ela conhecia o rosto dele. Ele conhecia o dela. Não havia como desfazer isso. Anders estava abrindo a boca para falar quando o crítico de arte correu em direção a eles com um olhar selvagem.

— O armazém está pegando fogo! — ele gritou. — O armazém está pegando fogo! — Atrás dele, do fundo do prédio, estava realmente subindo uma nuvem negra de fumaça no ar. Cleo viu uma única chama laranja lamber o céu escurecido.

— Que merda — falou Danny, e saiu correndo em direção à obra da sua vida.

...

Vinte minutos depois, os convidados da festa estavam todos reunidos à beira da água, ao lado de escombros e pedras. As luzes dos caminhões dos bombeiros iluminaram os rostos em flashes de escarlate e azul. O incêndio foi contido rapidamente, mas todos tiveram que ser evacuados. É claro que o drama só tornaria a festa mais lendária. Marshall foi procurar Alex e Quentin na multidão, deixando Cleo em pé entre Audrey e Zoe. Eles olharam para o rio East, para Manhattan. Um cobertor cinza que um bombeiro havia fornecido sem explicação cobria os ombros dos três.

— Acho que aquelas pinturas que ele fez com gasolina não vão sobreviver a isto — comentou Audrey, tremendo no seu vestidinho. — O que você acha que Danny vai fazer?

Zoe deu de ombros.

— Chamar de arte performática?

Audrey riu.

— Começar de novo — falou Cleo.

Eles observaram a fumaça dar saltos mortais sobre a água.

— Então — disse Zoe. Ela colocou o braço em volta de Cleo por debaixo do cobertor. — Você e Anders?

Cleo olhou para os pés dela e fez um aceno de cabeça.

— Garota, já estive lá — confessou Zoe.

— Eu também — admitiu Audrey. — Esse homem estava merecendo um balde de gelo há muito tempo.

As três riram. Cleo sinalizou para um homem asiático que vestia um traje social e caminhava na sua direção com uma expressão hesitante.

— Acho que alguém está procurando você — disse ela.

— Quem é ele? — perguntou Audrey.

— Só um novo amigo — falou Zoe, rindo e correu para encontrá-lo. Ele sussurrou algo em seu ouvido, e ela sorriu.

— Enigma — disse Audrey, balançando a cabeça. — Eu provavelmente deveria ir encontrar Marshall. Você está bem aqui?

Cleo concordou com um sinal de cabeça e voltou para a água. As sirenes piscavam, banhando o rio com a luz. Vermelho. Manhattan foi ampliada diante dela como um punhado de joias. Azul. A cidade que nunca queria que você fosse embora. Vermelho. Então, ela oferecia tudo, qualquer coisa. Azul. Era hora de ir embora.

CAPÍTULO DEZESSEIS

AGOSTO

Não tão milagrosamente, estou desempregada. No entanto, não fui "convidada a me retirar", o que já é um progresso em relação à última vez. Na verdade, eu me convidei. De alguma forma, chegar à cidade todos os dias para escrever sobre empreendimentos de condomínio, esfoliações corporais e bebidas energéticas não parecia mais tão importante. Meu pai está doente. Mais doente do que doente, ele está morrendo. Primeiro, ele fraturou o quadril ao escorregar no chão de linóleo Naquele Lar. Então ele pegou pneumonia. O mal de Parkinson não mata pessoas, os médicos continuam nos lembrando. Todo o resto o faz.

.

Minha enfermeira favorita no hospital é Stacy, de Trinidad e Tobago. Ela usa cores como verde kiwi e fúcsia neon e me conta as melhores piadas de enfermagem. *O que a enfermeira disse quando encontrou um termômetro retal no bolso? Algum idiota pegou minha caneta!*

.

Minha mãe está folheando uma revista na sala de espera, enquanto meu pai está fazendo mais uma bateria de exames.

— Nada disso faz sentido para mim — ela diz.

Eu imaginei que ela estivesse falando sobre a doença dele, a precariedade da vida, a saúde e a riqueza e todas as suas implicações, mas ela apontou para uma página de anúncios na revista.

— Para que serve isso? — ela pergunta.

— Ah, isso é fácil — digo. — Este é para TPM. Este é para um relógio chique. E este é para uma velha tendo convulsões.

— Você tem um dom — fala ela.

— Menos de um ano na publicidade, querida.

.

Frank e eu não nos falamos desde que eu saí da agência. Faz três meses. Ainda sonho com ele, admito. Ontem à noite, por exemplo, sonhei que ele estava escovando meu cabelo. Minha cabeça estava descansando no colo dele, e eu estava feliz. Então eu pus a mão no couro cabeludo e senti apenas a pele. Olhei para o chão e meu cabelo estava espalhado ao nosso redor, como algas marinhas. Quando me sentei, Frank se foi. Eu estava careca e sozinha. Não sou Carl Jung, mas isso parece pouco auspicioso.

.

Meu pai ainda tem todo o cabelo, pelo menos. Isso é algo de que eu tenho orgulho. Você ficaria surpreso com a raridade que é uma cabeça cheia de cabelos ou conjunto de dentes por aqui. Espero que seus dentes ainda estejam intactos também. Acho que se ele sorrir novamente, eu saberei.

.

Estou na sala quando minha mãe grita algo da cozinha que eu não entendo.

— O que foi? — grito do sofá.

— O que você disse? — ela grita de volta.

— O quê!

— O quê?

— O quê!

— O quê?

— Deixa para lá!

.

Envio os dois primeiros episódios de *Lixo Humano* para minha agente em Los Angeles. Surpreendentemente, ela nunca me demitiu, mesmo depois que eu chamei a produtora do programa do gato clarividente de puta. Ela, no entanto, ainda não respondeu. Eu acho que um programa sobre dois parasitas chamados Restolho e Resíduo que vivem em uma pilha de lixo no final do mundo não tem o mesmo apelo comercial que o programa que ela queria que eu escrevesse, sobre uma advogada durona, mas sexualmente disponível, que estava tendo um caso com seu traficante de drogas.

.

Eu saí do hospital para tomar um pouco de ar. Ao meu redor, os idosos se inclinam para frente em suas cadeiras de rodas e tragam os cigarros com uma determinação sombria. Se quiserem convencer os adolescentes a não fumar, deviam trazê-los aqui. Tente achar sexy fumar depois de ver uma pessoa de oitenta anos de idade, trêmula, com manchas senis, soltar os tubos nasais do tanque de oxigênio para poder acender um cigarro.

.

Stacy traz um carrinho com uma bandeja de cateteres. Hoje ela está usando amarelo manga.

— Como você está, querida?

— Ah, estou bem — digo. — Como está seu filho?

— Ele tem três namoradas. — Ela revira os olhos. — Diga-me, como eu dei à luz meu ex-marido?

Eu rio.

— Seu pai está em cirurgia? — ela pergunta.

Eu concordo com um aceno de cabeça e sinto meus olhos arderem.

— Você precisa se distrair — sugere ela. — Ele não quer que você fique sentada aqui se preocupando.

— Eu sei — eu digo. — Eu vou.

— Boa garota.

Ela dá um aperto ao meu ombro.

— O que os enfermeiros de transplante mais odeiam? — ela pergunta.

— O quê?

— Rejeição!

.

Eu aceito o conselhos de Stacy e vou até a loja de presentes procurar algo para ler. Eu abro uma revista de moda. Bem no alto do cabeçalho está o nome do amigo de Frank, Anders. Penso no seu rosto bonito na festa de final de ano do escritório, piscando no ritmo das luzes da árvore de Natal. Parece-me absurdo agora, em pé na hostil fluorescência da loja de presentes do hospital, que eu tenha conhecido essa pessoa. Eu coloquei a revista de volta na prateleira.

.

Meu pai acorda da cirurgia. Ele está, nós fomos informadas, sentindo uma dor tremenda. Passo ao lado dele, observando-o, mas ele não pode me ver. Ele abre e fecha a boca em um protesto idiota. Seus olhos passeiam ao redor do teto. O pescoço dele está sinuosamente magro, ele não consegue levantar a cabeça, mas a boca continua trabalhando, procurando palavras. Ele se parece com a antiga tartaruga que minha turma de jardim de infância tinha como animal de estimação; costumávamos segurar uma pétala de rosa fora do alcance da boca e observávamos enquanto ela se espichava, muda, repetidas vezes, determinada a alcançá-la.

Minha mãe se levantou e se inclinou sobre o rosto, para que ele pudesse vê-la. Ela acaricia os vincos entre as sobrancelhas dele com o polegar e diz "aqui, aqui". Ela beija a têmpora dele. Lágrimas estão escorrendo dos olhos dele em suas enormes orelhas macias. Eu saio da sala.

.

— Enquanto houver frango a parmegiana no freezer — diz uma senhora ao telefone enquanto passa por mim —, não haverá problema.

.

Meu pai está dormindo. A enfermeira noturna usa um crucifixo em volta do pescoço, brincos em formato de cruz nas orelhas e um anel de diamante em formato de cruz.

— Você acha que ela está *cruzando* a linha? — eu digo para mim mesma.

A máquina de trocadilhos continua.

.

Nossa máquina de lavar louça barulhenta finalmente chutou o balde, então minha mãe e eu estamos lavando a louça à mão. Ela lava, eu seco.

— Por que você ainda cuida dele? — pergunto. — Você não está casada há anos.

Minha mãe olha para mim pelo canto do olho e continua esfregando. Eu cutuco o cotovelo dela. Ela abaixa a esponja.

— Quando alguém está tão doente como seu pai está — diz ela — é muita responsabilidade. A família dele nunca foi de muita ajuda, como você sabe, e eu não acho justo que o ônus recaia sobre você e Levi.

— Espere um minuto — peço, olhando pela sala. — Levi esteve aqui todo esse tempo? Devo precisar de óculos mais fortes.

— Tudo bem, é muito para *você*.

— Eu agradeço, obrigada — eu digo. — Mas estou bem, mãe, de verdade.

— As pessoas que sentem a necessidade de dizer "estou bem" nunca estão bem, querida — ela rebate.

.

Meu pai não consegue falar, não consegue se mexer, não consegue ler ou escrever, mas pode ouvir. Eu o li metade de *Moby Dick,* pulando alguns trechos mais longos sobre anatomia de baleia porque quem tem tanto tempo? Na verdade, nós temos. O tempo se move tão devagar neste hospital que é como se tivéssemos um dia de bônus todos os dias. Há uma frase em Shakespeare, esqueço em qual peça, onde um personagem é descrito como tendo "um rosto tão longo quanto o domingo". É assim aqui. Todo dia é domingo.

.

Jacky vem me visitar. Já que moro no hospital agora, não há outro lugar para entretê-la além do corredor das máquinas de venda automática. Sentamo-nos em duas cadeiras de plástico e sorrimos uma para a outra. As máquinas emitem um zumbido baixo ao nosso lado como se estivessem meditando.

— Aqui está, querida. — Ela me entrega um sanduíche de pão pita do meu restaurante de falafel favorito na cidade. — Coma. Então, como está o velho? Como você está?

— Estou bem. Ele vai... — Eu dou de ombros.

— Você sabia que meu pai morreu quando eu estava na faculdade?

— Eu não. Eu sinto muito.

Eu olho para o pacote sem abri-lo.

— Aneurisma cerebral. Caiu morto um dia. Só tinha cinquenta anos, coitado do sacana.

— Você sente falta dele?

Jacky balançou a cabeça e sorriu.

— Ele não ficava por perto o suficiente para eu sentir falta. Foi isso o que achei mais difícil. Eu não estava perto do meu pai, e ele morreu. Fim da história. Pelo menos enquanto ele estava vivo, havia essa esperança de que um dia isso poderia mudar. E então essa esperança se foi, sabe? É isso o que eu lamentei, eu acho.

Concordo com um movimento de cabeça. Ouvimos um pouco mais do zumbido das máquinas de venda automática.

— Meu pai trocou minha mãe por uma lésbica — eu digo.

Jacky concorda sem julgamento.

— Coma — pede ela.

Desembrulho o papel alumínio e dou uma mordida. Tem gosto de Frank. Este era o nosso local favorito. Jacky me olha com sua perspicácia usual.

— Eles se separaram, você sabe — diz ela. — Ela foi para a Itália com uma bolsa de estudos de pintura.

Eu me engasgo um pouco com o pedaço de falafel.

— Não que você tenha algum interesse, certo?

Eu como em silêncio até que Jacky bate as mãos, irritada.

— Ligue para ele — diz ela. — Parem com essa birra.

— Ele não sente a minha falta.

— E como você sabe?

— É tarde demais para tudo isso.

— Xiu. Nunca é tarde demais quando se é jovem.

— Eu tenho trinta e sete anos. E meio.

— Querida, isso é *jovem*.

Inexplicavelmente, meu rosto fica molhado. Jacky tira um lenço de papel da manga e me entrega. Ela acaricia minhas costas e faz um gentil som de chiu.

Fiquei maravilhada, mais uma vez, ao ver como Jacky está preparada para todas as situações, simples e complicadas.

.

Stacy e eu estamos fazendo exercícios de circulação no meu pai, dobrando cada perna na altura do joelho, girando os tornozelos, flexionando os braços, girando os pulsos. Eu faço cada tarefa com gosto e suavidade. A palavra mais temida que já ouvi aqui é *escaras*.

— Você já viu muita gente morrer? — eu pergunto.

— Aham — diz ela.

— E isso te deixa triste?

— Aham.

— O que você faz para não ficar triste? — pergunto.

— Eu me permito ficar triste.

.

O que você dá para um homem que tem tudo?

Antibiótico.

.

Outro jantar para duas, outra noite de lavar louça.

— Como é que você nunca se casou de novo? — pergunto para a minha mãe.

— Sabe, há um estudo que diz que as mulheres viúvas são o grupo demográfico mais feliz.

— Você não é viúva. Ainda.

— Eu queria tentar alguma coisa nova.

— Ser divorciada?

— Acho que chamaria de ser eu mesma.

— Tudo bem. Mas afinal, o estudo está certo? Você ficou feliz?

— Bem, eu virei o assunto da sinagoga durante alguns anos, até que o filho do rabino saiu do armário. Foi demais.

— Foda-se esse povo — eu digo.

— Olhe a língua — alerta minha mãe. — Esse é o seu povo.

— Você é o meu povo.

Ela aperta minha mão.

— Pendure os panos de prato para secar, ou eles vão ficar cheirando — ela diz.

Eu passei a ler poesia para o meu pai. Eu li os livros que encontrei na sua antiga estante — Rudyard Kipling, W. H. Auden, Wallace Stevens. E, como esses são todos homens brancos e mortos, eu peguei alguns da minha estante — Anne Sexton, Terrance Hayes, Tracy K. Smith. Nunca é tarde para expandir os horizontes, eu acho.

.

Estão dando banho no meu pai, então eu faço uma pausa na leitura para me sentar no corredor. Uma mulher de cabelos brancos passa por mim se arrastando, puxando o suporte de soro ao lado dela. Ela me olha de cima abaixo.

— Estou tentando peidar — diz ela. — Você se importa?

.

Não há ninguém na recepção do hospital, então pego o controle remoto atrás da TV e vou passando pelos canais. Ainda há muita vida acontecendo por aí, eu vejo. Um garoto de vinte e um anos recebeu um adiantamento de um milhão de dólares para escrever um livro e gastou o dinheiro sem escrevê-lo. Os preços de plano de saúde atingiram uma alta histórica. A pessoa mais bonita do ano é um cachorro. O divórcio de um casal de Hollywood ficou feio. Há um novo motivo para não comer queijo.

.

Eu preciso ganhar dinheiro. Eu preciso escrever hoje. Eu preciso lavar o banheiro. Eu preciso comer alguma coisa. Eu preciso abandonar o açúcar. Eu preciso cortar o cabelo. Eu preciso ligar para a operadora de celular. Eu preciso saborear o momento. Eu preciso encontrar o cartão da biblioteca. Eu preciso aprender a meditar. Eu preciso me esforçar mais. Eu preciso tirar aquela mancha. Eu preciso encontrar um plano de saúde melhor. Eu preciso descobrir meu perfume especial. Eu preciso me fortalecer e tonificar. Eu preciso estar no momento presente. Eu preciso aprender francês. Eu preciso ser mais indulgente comigo mesma. Eu preciso comprar unidades de armazenamento organizacional. Eu preciso ligar de volta. Eu preciso desenvolver um relacionamento com um Deus do meu entendimento. Eu preciso comprar creme para os olhos. Eu preciso usar o meu potencial. Eu preciso me deitar.

.

— Certo — fala minha mãe. — Você vai sair.

Estou cochilando em uma das cadeiras do corredor do hospital, um pacote de Fritos aberto no meu peito. Ela chuta as minhas pernas de um jeito indelicado.

— Não é bom para você ficar aqui à toa dia e a noite — diz ela.

— Mãe, eu não estou aqui *à toa* — falo. — Meu pai está morrendo.

— Sim, e ele permanecerá assim amanhã. Tome aqui. — Ela coloca um maço de dinheiro na minha mão. — Vá para a cidade. Encontre um amigo. Veja um espetáculo da Broadway. Vá para qualquer lugar, menos aqui, por favor.

— Mas mãe...

— Boa noite e boa sorte!

Minha mãe me dá as costas e se afasta.

— Eu nem gosto de shows da Broadway! — grito atrás dela.

— Ótima! Noite! E! Boa! Sorte! — ela grita por cima do ombro.

.

Eu pego o trem PATH para a cidade. Alguém vomitou no extremo mais distante do vagão. O vômito no trem é um evento geralmente reservado aos principais feriados como o dia de São Patrício, ou pelo menos um final de semana prolongado. Já sinto falta da assepsia clínica do hospital, onde todas as rebeliões do corpo são registradas e ocultas.

Eu desço do trem na 6ª Avenida e paro na esquina. Ao longo do último ano a livraria fechou e o restaurante de hambúrguer acabou sendo transformado em uma casa de sucos. Há um casal com um pit-bull amarrado pedindo esmolas do lado de fora da loja de alimentos naturais, mas até eles sentiram a necessidade de especificar que são veganos na sua placa de papelão. Eu não me importo. Não tenho nostalgia daquela velha Nova York, com suas prostitutas, os viciados em heroína e a ameaça constante de roubo ou estupro. Fico feliz em sacrificar as refeições em lanchonetes fast-food e os livros capa dura em troca da segurança pessoal geral, o que eu acho que me torna tão chata quanto é possível ser.

Eu caminho para o sul em direção às quadras de basquete perto de West 4ª. Eu percebo que não tenho para onde ir e ninguém para ver. Passo pelo bar de karaokê subterrâneo na Cornelia Street, aonde eu fui com uma turma do escritório há alguns meses. Myke revelou ser um belo barítono e fez uma apresentação de "It's Not Unusual", de Tom Jones, que fez Jacky e eu simplesmente nos matarmos de rir. Eu meio que espero encontrá-los lá quando entro, mas o bar está quieto. Que droga, eu penso, e me reservo uma sala privada.

Beber uma margarita de um copo que parece um aquário redondo e cantar três músicas de Stevie Nicks seguidas. Nem tente me dizer que eu não sei me divertir.

De volta para fora, uma mulher pega um cigarro de um homem e o olha de cima abaixo. "Sua camisa está me dizendo que você mora no Brooklyn", ela diz.

Estou tentando decidir se é tarde o suficiente para satisfazer minha mãe ou se devo matar mais uma hora em uma massagem nos pés em algum lugar da 8ª Street. Gosto de qualquer forma de massagem que não exija nudez.

Estou olhando para verificar em que rua estou quando um táxi passa. Dentro está Frank. Ele está de perfil, inclinado para a frente dizendo algo ao motorista. É apenas um flash. O táxi passa pela luz verde, e ele se vai. Faço todo o esforço para não ficar de quatro e perseguir o táxi pela cidade como um cachorro que escapou.

Eu me sento no trem PATH e tento não pensar em Frank. É impossível. Em vez dele, tento me concentrar na lista de todos os tipos diferentes de queijo que conheço de cabeça. Queijo Camembert. Gouda. Suíço. Cheddar. Manchego... Estaria ele realmente sentindo a minha falta? Mas se ele estivesse, por que ele não me disse que Cleo tinha se mudado? Talvez ele pense que eu não ligo?

Como ele poderia achar que eu não me importo? Provolone. Feta. Stilton. Muçarela... Eu nem me despedi no dia em que saí da agência. Mas ele sabia como entrar em contato comigo... Brie. Pecorino. Ricota. Fundido. Ele não pensa em mim, ou teria me procurado. Essa coisa toda está na minha cabeça. Pepper jack.

Não satisfeita com minha traquinagem na cidade, minha mãe insiste que eu a acompanhe na aula de bonsai. O professor está vestido como um escoteiro antigo, com as meias puxadas com força sobre os joelhos e os shorts apertados no umbigo. Seu único material de apoio ao ensino é um pedaço de papel coberto de esboços de bonsai de vários formatos que ele segurava, trêmulo, à sua frente. Ele tem a tendência de dizer "Isto é o que chamamos..."

sobre as coisas mais óbvias — isto é o que chamamos de folha —, mas termos como ramificações e broto apical, aparentemente, não precisam de explicações adicionais.

.

— E então, o que você achou? — pergunta minha mãe no caminho para casa. — Aposto que você nunca olhará para uma árvore de bonsai da mesma maneira, não é?

— Isso é o que chamamos de desperdício do meu tempo — digo, gesticulando para o carro, para essa conversa, para o estado de Nova Jersey, para o mundo inteiro.

— E isso — diz minha mãe, gesticulando para mim — é o que chamamos de idiota.

.

Meu irmão Levi veio do norte.

— Cara, eu odeio hospitais — diz ele, esfregando os calcanhares contra o piso de linóleo.

— Esse não é tão ruim — falo. — As enfermeiras são legais e elas têm uma sala de TV.

— Ellie — ele diz — é um lixo. Papai merece mais do que isso.

Eu tenho vontade de dar-lhe logo um soco no pescoço, mas me contenho. Era o Levi típico, evitando artisticamente qualquer responsabilidade e, em seguida, aparecendo no último minuto para oferecer uma crítica bem pensada.

— Esse é um ótimo feedback, Levi — eu digo. — Você quer que escrevamos um comentário no Yelp ou algo assim?

Levi me olha com indignação.

— Mamãe te contou que eu fui banido do Yelp? — ele pergunta. — Eu disse a ela *com todas as letras* para não dizer.

.

Estou lendo para meu pai um de seus volumes da coleção de poemas cheio de orelhas quando paro em uma página visivelmente marcada a lápis. Ele sublinhou dois versos de um poema de Derek Walcott de forma muito fina, quase provisória, como se tentasse não bagunçar a página.

Dias que mantive,
dias que perdi,
dias que ultrapassam... como filhas,
o abrigo dos meus braços.

Ao lado deles, há uma marcação desbotada. Um risco pequeno e restrito. Meu coração.

.

Eu não consigo dormir, então estou acordada assistindo a um documentário sobre os habitantes da área rural dos Estados Unidos e sua batalha com vícios incapacitantes em metanfetamina. O homem que está sendo entrevistado no momento tem feridas vermelhas secas em todo o rosto que ele toca de um jeito distraído, quase com ternura, enquanto fala.

"Eu nunca tive um aniversário de verdade", diz ele. "Nenhum presente nem nada disso. Meus pais não se importavam. Mas na metanfetamina, posso ter um aniversário sempre que quiser. Eu posso fazer aniversário sete dias por semana."

.

Levi está tocando seu novo álbum solo *Table for One, Not by the Window* a todo volume nos alto-falantes na sala de estar.

— Desligue essa barulheira! — grita minha mãe.

Ele gira o botão do volume, não até desligar o aparelho, mas o suficiente para que a casa pare de vibrar.

— Meus tímpanos, que horror — diz minha mãe, desmoronando no sofá.

— Não é barulheira — Levi responde.

— É a definição de barulheira — diz minha mãe.

— Ouça — pede Levi. — Quando os primeiros programas de rádio chegaram à Índia durante o domínio britânico, pessoas de todas as partes se reuniam e sentavam-se para ouvir os programas de rádio ingleses. Foi praticamente a primeira vez que muitos deles ouviram música ocidental. Depois que os programas terminavam, havia longos períodos de ruído branco, apenas estática. E todos os indianos ficavam e ouviam isso também.

— O que você quer dizer com isso? — pergunta minha mãe.

— Eles nunca tinham ouvido aquilo antes, então, para eles, era música também.

— E daí? — pergunta minha mãe.

— Você não vê que tudo é questão de perspectiva, mãe? Nosso ruído branco era música para eles. Sua barulheira é minha obra-prima.

— É um fato bacana, Levi — falo, diplomaticamente. — Esse dos indianos.

— Você terá que viajar muito além da Índia para encontrar alguém que ache que isso é uma obra-prima — diz minha mãe.

.

Ele morreu.

.

Do lado de fora do hospital, eu espero minha mãe e Levi chegarem. Ao meu lado, uma mulher idosa embrulhada em um cobertor rosa, apesar do calor, traga o cigarro entre longos ataques de tosse.

— Me dá um cigarro? — peço.

— Troco com você por um dólar — diz ela.

— Eu não tenho um dólar — digo. — Meu pai acabou de morrer.

Ela olha para mim sob suas sobrancelhas finas.

— Nesse caso — fala ela — não.

Minha mãe foi de carro falar com o irmão do meu pai. Levi está no andar de cima, ao telefone com a namorada. Eu me sento no jardim e assisto aos pássaros correndo ao redor do alimentador. Hoje está quase no fim. O céu está cor de damasco com nuvens douradas. Um coro de gafanhotos me rodeia. A terra está viva. Eu estou viva. Eu espero para sentir qualquer coisa que eu tenha que sentir, mas nada surge.

.

Eu pratico formas de dar a notícia para as pessoas. Ele não está mais entre nós. Ele partiu. Ele está a sete palmos abaixo da terra. Ele está morto. Ele faleceu. Ele ascendeu. Ele repousa em paz. Ele não está mais neste mundo. Ele foi conhecer o seu criador. Ele bateu as botas. Ele está com o chefão no céu. Ele descansou. Ele se foi. Ele se finou. Ele desencarnou. Ele não existe mais. Ele vai reencarnar, não sabemos como, mas esperamos qualquer coisa, menos um fã dos Jets.

.

— O rabino ligou — avisa Levi. — Ele quer saber por que não estamos participando da semana de luto de Shivá.

— Qual é a dele? — eu digo.

— Eu vou tratar disso — responde minha mãe.

— O que você vai dizer? — pergunta Levi.

— Vou dizer "Quem tem energia para tudo isso?" — ela diz.

— E se ele discordar? — eu pergunto.

Minha mãe dá de ombros.

— E daí?

— É assim? — diz Levi. — Dez anos de escola hebraica e você diz isso? E daí?

— Vou te dizer uma coisa — afirma minha mãe. — Essas são duas das palavras mais poderosas do nosso idioma. Bem entre elas encontra-se uma vida livre e feliz.

Meu pai foi enterrado. Estou na garagem procurando semente para os pássaros para a minha mãe. Eu engatinho sobre pilhas de detritos de vida. Caixas de livros escolares. Uma bicicleta enferrujada estacionada. Um vaso feito por Levi no ensino médio. Finalmente vejo um saco de sementes de pássaros na prateleira de cima.

Estou apenas tentando pegá-lo quando tropeço em um fio elétrico e caio de joelhos no chão de cimento. Estou de quatro. A dor dispara dentro de mim. Pego o taco de beisebol e o uso para me apoiar. Então começo a bater. Espanco uma caixa de papelão cheia de decorações de Natal. Ataco a bicicleta estacionada. Acerto uma bola de futebol murcha como uma bexiga. Bati na porta de metal da garagem até ela amassar. Ela envia reverberações tão fortes pelas paredes que o vaso de Levi oscila e cai da prateleira. Ele se espatifa no chão e Levi aparece na porta. Ele olha para o vaso, depois para o bastão, então para mim.

— Sementes para pássaros — digo.

Encontro Levi agachado no chão do porão, colando o vaso.

— Nossa, Levi — falo. — Sinto muito. Não sabia que você se importava com isso.

Ele olha para mim, um fragmento de vaso na mão.

— Eu não ligo. — Ele dá de ombros. — Estou fazendo *kintsugi*.

— O quê?

— *Kintsugi* — diz ele. — É a arte japonesa de consertar cerâmica quebrada.

— De novo, o quê?

— Eles usam uma laca de ouro especial, então o objeto consertado fica mais bonito do que antes de ser quebrado.

— Mas você está usando apenas supercola — falo.

— Sim — diz Levi. — Mas o princípio é o mesmo.

Eu me sento no chão em frente a ele.

— Como você sabe todas essas coisas?

— Que coisas?

— Sobre a Índia e o Japão e tudo mais. Você nunca saiu dos Estados Unidos.

— Já fui ao Canadá.

— Certo.

Levi olha para mim a partir da peça que ele está colando, distraído.

— Eu fico o dia todo sentado atrás do balcão de comida quente — diz ele. — E eu leio.

Eu concordo.

— Você realmente acha que o vaso ficará mais bonito agora?

— Ah, sim — diz ele. — Mais personalidade.

— Bom.

Levi continua colando com concentração silenciosa. Suas mãos grandes e nodosas são como as do meu pai.

— As pessoas também são assim, sabe — comenta ele, por fim. — Nós quebramos. Nós nos montamos novamente. As rachaduras são a melhor parte. Você não precisa escondê-las.

— Você acredita mesmo nisso? — eu pergunto.

— Aham — ele diz. — Acredite. Veja isso em você.

— É meio Sessão da Tarde da sua parte, Levi — falo.

— O que eu posso dizer? — ele responde. — Sou um filho da puta sentimental.

Estou tentando escrever outro episódio de *Lixo Humano* quando um e-mail aparece na minha tela. Eu quase caio da cadeira. Só de ver o nome dele parece que levei um soco na vagina.

Querida E,
Jacky me disse que seu pai faleceu. Saiba que sinto muito por saber disso. Lembro-me de você falando dele e ele parecia um bom

homem. Eu sei que você vai sentir falta dele. Eu gostaria de poder estar aí para te confortar porque... Bem, meu Deus, Eleanor, eu sinto a sua falta.

Por favor, deixe-me ver você outra vez.

F.

.

É o dia do Shivá e metade da sinagoga está chegando. Minha mãe e eu acordamos cedo para terminar de preparar os pãezinhos, bolinhos de peixe, cream cheese e uma variedade de outros alimentos bege.

— Eles não vão achar estranho que estamos fazendo aqui? — eu pergunto. — Na casa da ex-mulher?

— O que eu disse sobre o que as outras pessoas pensam? — pergunta minha mãe.

— E daí? — eu digo.

— Exatamente.

.

A namorada de Levi veio nesse dia. Parece que há algumas coisas que Levi não nos contou sobre ela. Primeiro, que ela é uma mulher coreana pequenininha, o que eu acho que não é algo que tenha que ser mencionado. Segundo, que ela está grávida, o que eu acho que provavelmente é o mais importante da lista.

— Mãe, Eleanor — chama Levi. — Esta é Min.

Chocada. Essa é a única palavra que posso pensar para descrever a cara da minha mãe.

— É um prazer conhecê-la — diz Min. — Você tem um lugar onde eu possa ligar meu babyliss?

.

Aquele cara com quem eu tive um encontro, o filho do corretor da amiga da minha mãe, está aqui em minha casa, junto com a amiga da minha mãe e o corretor. Nada disso é boa notícia.

— Queamemóriadelesejaabençoadavocêaindaestásolteira — diz a amiga da minha mãe, desse jeito, sem respirar, depois borra a minha cara com batom.

·

O filho do corretor vem me encontrar mais tarde, parecendo tão presunçoso como sempre.

— Sinto muito pelo seu pai — lamenta ele.

— Obrigada — eu digo.

— Ele era bem velho, certo? — ele pergunta.

— Na verdade, não — falo. — Não tinha chegado aos setenta.

— Isso é velho para alguns padrões — diz ele.

— Certo — respondo.

— Então — ele diz. — Você ainda deseja cortar os pênis masculinos?

— Não de todos os homens — explico. — Só dos estupradores.

— Erro meu — diz ele. — Isso é muito mais razoável.

— Você realmente deveria aprender a ouvir — comento.

— E você provavelmente deveria aprender a filtrar — diz ele.

— Certo — respondo. — Boa noite.

Ainda não é meio-dia.

·

O irmão mais novo do meu pai, Bernie, tropeça. Toda família tem um bêbado. Bernie é o nosso. Quando criança, eu ficava encantada com ele. Ele cheirava a schnapps de pêssego e tirava moedas de trás das minhas orelhas. Agora me sinto menos generosa e apreciativa.

— Elly Belly, como vai você? — ele balbucia.

— Meio órfã — eu digo. — Mas me aguentando. Como você está?

— Pffff. Órfã? Meus pais são sobreviventes dos campos. *Eles* sabiam uma ou duas coisas sobre órfãos.

Minha mãe sai correndo, segurando uma bandeja de salame kosher assado e me olha com compreensão.

— Apenas continue oferecendo-lhe água com gás — ela murmura.

— Lá vai ela — diz Bernie, acenando com a mão solta na direção dela. — Ocupada, ocupada, bzzz bzzz. — Ele se inclina conspiratório para mim. Eu posso sentir o cheiro quente do levedo de cerveja na respiração.

— Posso te dizer uma coisa? — ele pergunta. — Um segredo.

— Você precisa? — rebato.

— Sou esquisito. — Ele encolhe os ombros. — Você provavelmente percebeu que sou um pouco estranho.

Eu faço um tipo vago de aceno de cabeça.

— Bem, *eu* sempre soube que era estranho — diz ele. — E agora eu sei o porquê. Os médicos me disseram.

— Entendi, disseram o quê? — Olho ao redor da sala para ver se consigo arrastar minha mãe de volta, mas ela desapareceu na cozinha. Bernie me puxa para mais perto.

— Eu tenho um cromossomo feminino a mais — diz ele. — Acabo de descobrir. Eu! Um metro e noventa e três. Forte como um touro. Mas isso explica muita coisa, isso sim.

— Certo — falo. — Uau.

— Hum — diz ele. — Esquisito, hein?

Eu consigo concordar fazendo um gesto de cabeça.

— Eu tenho uma consulta no dia dez para saber mais — conta ele.

— Então é amanhã.

— No dia dez.

— Sim, dia dez é amanhã.

— Amanhã, você diz? Então, vou saber mais em breve — diz ele com satisfação.

— Boa sorte com o médico. — Estou tentando me afastar.

— Isso explica muita coisa — ele reflete outra vez. — Pode ter certeza.

Com um movimento rápido, ágil como uma cobra, ele movimenta a cabeça em direção à minha e empurra a boca quente contra a minha orelha.

— Eu tenho um pequeno par de seios — ele sussurra.

— Água com gás? — eu pergunto. — Você quer uma água com gás?

— Não, não precisa — diz ele, dando um tapinha no meu ombro. — Mas você é uma boa menina. Você entende tudo. Boa menina.

.

O filho do corretor está conduzindo a conversa na sala de estar com alguns velhos da sinagoga.

— Curve-se para conquistar — ele está dizendo. — É isso que estamos fazendo com a orla da Randall's Island. Comprar com prejuízo para no final obter um lucro triplicado. Isso vale para a propriedade e — ele me dá uma olhada indiscreta — para as mulheres. Às vezes você precisa descer para ficar por cima.

— E, no entanto — falo ao passar — parece que você nunca fez sexo oral em uma mulher na sua vida.

.

O rabino está vindo na minha direção com seu sorriso benevolente, as orelhas enormes e ar educado e formal. Gostaria de ficar de quatro e rastejar para debaixo da toalha de papel da mesa.

— Que Deus a conforte entre os outros enlutados de Sião e Jerusalém — diz ele.

— Obrigada, rabino — eu digo.

Ele segura a minha mão. Sua pele macia como um papel me lembra dos minúsculos flocos de alimentos secos que eu costumava dar para o nosso peixe dourado.

— Sentimos sua falta na sinagoga.

— Eu sei, me desculpe — eu digo. — É que... eu não acredito de verdade.

— Em que você não acredita? — ele pergunta.

— O senhor sabe — eu digo, evitando os olhos dele. — Deus. Oração. Esse tipo de coisa.

— Você não ora? — o rabino pergunta com delicadeza.

— Hum, não — eu digo.

— É uma pena — lamenta ele. — Poderia ser um conforto.

— Eu não tenho nada pelo que orar.

— Você não precisa orar a Deus — responde ele. — Às vezes, apenas conversar com o ar na sala ajuda.

.

Mimi, uma das amigas da minha mãe do bridge, aparece e me dá um beijo cheio de pó-de-arroz no rosto. Ela cheira a Chanel nº 5 e Werther's Originals e a álcool isopropílico.

— Sinto muito pelo seu papai. Você está se cuidando?

— Eu estou — respondo.

— Hum... — Ela inspeciona o meu rosto. — Veja essas olheiras. Você está dormindo?

— O suficiente — eu digo.

— Você está se masturbando?

— O quê?

— Masturbando — ela diz novamente. — É o melhor sedativo, você sabe. Se você não está dormindo, precisa se masturbar mais.

— Por favor, pare de dizer masturbando — peço.

— Filme, melatonina e masturbação — diz ela, apontando as palavras na minha mão com o dedo. — A melhor noite de sono que você já teve.

.

Pego Levi escondido na cozinha com um prato de salada de batatas.

— A amiga da mamãe, Mimi, acabou de aconselhar que eu me masturbasse mais — eu digo.

— O primo de papai, Ezra, me disse que ele pegou clamídia duas vezes no ano passado — fala Levi. — Ele tem oitenta e dois anos.

— Você venceu — respondo.

— Aparentemente, está em toda as instalações da casa de repouso. Viúvas e viúvos brincalhões, sabe. Ele ficava me perguntando se eu estava usando proteção.

— Bom, é evidente que não — eu digo.

— Desculpe, eu ia contar sobre Min e o bebê. Mas aí papai morreu.

— Está certo — eu digo, batendo na testa. — O pai morto! Eu esqueci! — Levi olha para mim cansado.

— Mamãe me deu um puxão de orelhas por isso também. Então ela chorou e tentou me dar dinheiro.

— Eu já disse parabéns e toda essa bobagem?

— Não.

Eu puxo Levi para um abraço.

— Parabéns — eu digo. — E toda essa bobagem.

.

O rabino está indo embora quando eu toco o cotovelo dele gentilmente.

— O que eu diria? — eu pergunto. — Se eu quisesse, você sabe, orar?

Dois dos amigos da minha mãe da sinagoga me olham com ciúmes do outro lado da sala. Eu morreria se alguém ouvisse essa conversa.

— Bem, existem livros. Mas você também pode apenas dizer o que está no seu coração. Diga o que parecer certo para você.

— Mas... por onde eu começaria?

— Ah, você pode começar de forma muito simples — diz ele. — Duas das minhas orações favoritas são "'me ajude" e "obrigado".

— Essas são orações?

— Essas são excelentes orações.

Ele sorri e começa a recuar, depois se volta para mim mais uma vez.

— Você quer saber uma das minhas orações pessoais favoritas?

— Qual é?

— Uau — ele diz.

.

Minha mãe e eu estamos no pátio, enfrentando a última hora quente do dia, quando Levi sai.

— Onde está Min? — eu pergunto.

— Cochilando — responde ele. — Eu acho que ela ficou impressionada com toda a conversa sobre o Holocausto. Ela está se refugiando no sono.

— Mulher inteligente — diz minha mãe.

Levi puxa uma cadeira ao nosso lado e tira um baseado de trás da orelha. Ele acende, dá uma longa tragada e oferece-o para nós.

— Levi Jeremiah Rosenthal — repreende minha mãe. — Que diabos você acha que está fazendo?

— Mãe — ele diz enquanto exala a fumaça. — Qual é?! Papai está morto. Vou ter um bebê. Pegue aqui.

— Nunca é tarde demais para a primeira vez — falo e pego o baseado.

Minha mãe balança a cabeça e emite o que só pode ser descrito como uma gargalhada.

— Primeira vez! Com quem você acha que está falando? Quando seu pai e eu estávamos no ensino médio, costumávamos fumar maconha e dar uns amassos ao som de Bob Marley. E não é só isso! Quando eu estava fazendo meu treinamento de professora e ele estava em residência, adorávamos fumar um bagulho à noite. Como vocês acham que vocês dois foram concebidos?

— Que vulgar! — eu grito.

— Mãe! — diz Levi.

Minha mãe pegou o baseado de mim, inalou-o profundamente e soprou um círculo de fumaça perfeito. Encontro o olhar de Levi e ergo minhas sobrancelhas. Damos mais uma rodada e observamos o sol mergulhar atrás das cercas vivas do vizinho.

— Uau, meu bebê vai ter um bebê — fala minha mãe em silêncio.

— Minha mãe já foi um bebê — diz Levi.

Nenhum de nós sabia por que estávamos rindo.

.

Naquela noite, ligo o computador e abro o meu e-mail. Se Levi pode ter um filho e Bernie pode ter um cromossomo feminino a mais e Mimi pode se masturbar até a inconsciência, eu deveria conseguir fazer isso. Peço ajuda ao ar na sala e depois abro o e-mail de Frank e digito uma palavra.

Venha.

.

Levi e Min estão voltando para o norte do estado. O balcão de comida quente, pelo jeito, não espera por ninguém. Minha mãe insiste em amarrar um travesseiro em torno do abdômen de Min para a viagem de carro, como se isso pudesse proteger o bebê de tudo o que a vida irá causar-lhe. Ficamos na calçada abraçadas enquanto eles vão embora. Eu acho que é assim que a vida deveria ser; partir em uma longa viagem de carro com todas as suas preocupações e esperanças amarradas ao seu redor, as pessoas que nos amam mais acenando freneticamente enquanto nos distanciamos.

.

Estou vendo como se faz queijo grelhado, imaginando que diabos eu estava fazendo a vida toda, tão ocupada que nunca aprendi isso, quando a campainha toca. Frank está de pé na porta. Ah, aqui está o homem que eu amo, eu acho. O pensamento vem tão rapidamente, tão sem desculpas, que eu quase falo em voz alta. Em vez disso, eu digo, com um nível insano de alegria:

— Nova Jersey lhe dá as boas-vindas!

.

Frank e eu puxamos duas cadeiras e nos sentamos olhando para o jardim. Os móveis do pátio são velhos e estão em parte cobertos de cocô de pássaro. Pensei em ficar com vergonha e decidi que não vale o esforço.

— Você cresceu aqui? — Frank pergunta.

Eu concordo com um aceno de cabeça.

— Você tem sorte — comenta ele.

Um flash de esmeralda dispara em direção ao alimentador de pássaros à nossa frente.

— Você sabia que o néctar de beija-flor é apenas açúcar fervido na água? — eu digo.

Frank começa a rir.

— O que foi? — pergunto.

— Por que tornamos a vida tão complicada, porra? — ele diz.

.

Estamos no jardim há cerca de uma hora, conversando sobre assuntos gerais e de forma não reveladora sobre o que está acontecendo no escritório e depois ficando em silêncios significativos cheios de sorrisos tímidos, quando minha mãe chega em casa. Nós dois saltamos como se fôssemos adolescentes que foram pegos se chupando e então nos viramos para as portas de tela.

— Querida, você pode me ajudar com isso? — ela grita.

— Mãe, estou com uma visita! — eu grito de volta.

— Uma o quê? — ela grita.

— Uma visita! — eu grito.

Abro as portas e levo Frank de volta para dentro.

— Este é Frank — digo.

Minha mãe se vira do berço de madeira que ela está arrastando pelo chão da sala de estar.

— Frank quem? — ela diz.

— Frank do trabalho — eu digo.

— Ah!

Ela olha para ele de cima abaixo tão rapidamente que seria imperceptível para qualquer pessoa, exceto para mim.

— Que satisfação em conhecê-la — diz Frank. — Posso ajudá-la com...

— Não! — Minha mãe levanta a palma da mão. — Você é nosso convidado. Eu vou fazer um chá.

Isto não é um bom sinal. Quanto mais solícita minha mãe é para uma pessoa, menos ela gosta dela. Caia nas suas graças e você estará limpando a sarjeta. Caia em desgraça, e ela insistirá em fazer um chá de ervas. É um fato contraintuitivo, mas inegável. Nós a seguimos na cozinha enquanto ela coloca a chaleira no fogo.

— É um berço bonito — diz Frank.

— Para o meu novo neto — explica minha mãe. — Assim ele ou ela terá um lugar para dormir aqui quando nascer.

Frank olha para o meu ventre com alarme.

— Meu irmão — eu digo.

— Ufa — responde Frank. — Quer dizer, parabéns.

— Você tem filhos? — pergunta minha mãe.

— Não que eu saiba — diz Frank.

Minha mãe funga e puxa a caneca do pássaro preto da prateleira. Ela só dá o pássaro preto para as pessoas de quem ela não gosta.

— Frank tem que ir agora — falo. — Já é tarde.

— Eu tenho? — Frank pergunta.

— Aham — eu digo, guiando-o pela cozinha e em direção à porta da frente enquanto ele se despedia da minha mãe.

— Posso vir te ver de novo? — ele pergunta. — Amanhã?

— Amanhã.

Volto para a cozinha e pego a caneca do pássaro preto e jogo-a no lixo.

— O que é que... — diz minha mãe.

— Precisamos conversar — falo.

.

Eu me sento no sofá para comer. Ela se senta no de visitas.

— Ele ainda está casado?

— Não. Quero dizer, tecnicamente, sim. Eu acho. Ela se mudou para a Itália.

— Agora ele quer ficar com você?

— Eu acho que sim.

— Você quer ficar com ele?

— Eu acho que sim.

— E você está apaixonada?

— Mãe, nós nunca nos beijamos.

— E o que isso tem a ver?

— Certo, tudo bem. Acho que sim. Mas não conte para ninguém. Nem repita para você mesma.

— Por quê?

— Porque é humilhante.

— Querida, o amor *é* humilhante. Ninguém nunca te disse isso?

— Quem teria me dito isso?

— Você sabia que a palavra *humilhar* vem da raiz latina *humus,* que significa "terra"? E é *assim* que o amor deve ser sentido.

— Como húmus?

— Como a terra. Ele te aterra. Toda essa bobagem a respeito do amor ser uma droga, fazendo você se sentir flutuando, isso não é verdade. Ele deve mantê-la firme como a terra.

— Uau, mãe.

— O quê? Eu tenho coração, não tenho?

— Você também tem uma caneca de pássaro preto.

No dia seguinte, faço algo que quase nunca faço, ou seja, um corte de cabelo. Sendo honesta, um tratamento de canal seria preferível. Pelo menos não há espelhos no dentista. Eu suporto uma hora e meia de ensaboar, pentear, cortar, e de conversa fiada, evitando o contato visual com o cabeleireiro ou comigo mesma.

— Então — começa o cabeleireiro. — O que acha de franja?

— Eu não sei — falo. — O que acha?

— Você tem um ótimo rosto para franja — diz ele.

— Certo — respondo. — Vamos pirar.

Pirada, é isso o que eu sou. Pirada. Ninguém fica bem com franja. As franjas são apenas uma barba na testa, um chapéu de cabelo que você nunca pode tirar.

Assim que entro no carro, verifico o espelho retrovisor para ver se está tão ruim quanto eu pensava. Mesmo nessa pequena faixa de reflexo, os resultados são claros: sou um ovo cozido de peruca.

Frank aparece à noite logo depois do trabalho.

— Por que você está usando um boné de beisebol? — ele pergunta quando eu atendo a porta.

Felizmente, tenho pouco tempo para me preocupar com o que Frank está pensando do meu cabelo porque agora estou mais preocupada com o fato de minha mãe insistir em fazer o jantar. O jantar é fritada na wok, a grande panela chinesa; é a única coisa que minha mãe consegue fazer, além do bolo de carne.

— Parece ótimo — diz Frank quando vê o que está acontecendo na cozinha. — Wok 'n' roll.

— Você é mesmo um publicitário — minha mãe diz, então pede para ele achar os talheres e pôr a mesa.

— Você está bonita hoje — elogia Frank enquanto estamos lavando os pratos. — Você mudou o cabelo?

— Eu pareço um ovo cozido de peruca — digo.

— Ei — ele começa, agarrando meus ombros. — Quero que tentemos algo.

Estamos olhando diretamente um para o outro, suas mãos pousadas com força em mim. É o tempo mais longo que já nos tocamos. Meu coração é uma britadeira.

— Certo.

— Eu vou dizer "você está bonita" — ele me fala. — E então você vai dizer "obrigada".

— Mas...

— Nada de piadas de ovo cozido. Nenhuma piada de qualquer tipo. Apenas "obrigada". Você pode tentar fazer isso para mim?

Eu concordo com um gesto de cabeça, muda.

— Eleanor — ele diz. — Você está muito bonita com o cabelo assim.

Eu quero escorregar pelo ralo da pia, ligar o triturador de lixo e me moer até a inexistência.

— Obrigada — eu engasgo.

Ele ri.

— De nada — fala ele. — Vamos tentar de novo amanhã.

.

Eu esqueci de contar ao Frank o que o rabino disse sobre "obrigado" ser uma oração. Uma oração pode ser uma esperança, um pedido de ajuda e um ato de fé. Quando digo um "obrigada" a Frank, definitivamente parece uma oração.

.

Alguns dias depois, estamos de volta ao jardim. A mangueira está esparramada entre nós, regando com preguiça a azaleia da minha mãe. As abelhas voam alegremente de flor em flor. É a última semana de verão.

— Está sendo diferente sem você — diz Frank. — No escritório, quer dizer. Ninguém para me mandar à merda por causa dos meus trocadilhos ruins. Minha confiança está aumentando sem parar.

— *Soz* por isso — eu digo.

— O que é isso?

— *Soz*. — Eu dou de ombros. — É assim que os adolescentes britânicos pedem desculpas.

— Quão arrependido você pode estar se não consegue nem chegar até a segunda sílaba?

— Desde quando o comprimento das palavras é proporcional à sinceridade? "Eu odeio isso" me parece muito mais sincero do que, por exemplo, "eu anatemizo isso".

Frank ri.

— Como "há verdade nisso" *versus* "há verossimilhança"?

— Exatamente. Ou em "eu te amo" versus...

Eu paro. Então eu falei. Por descuido e para ilustrar um ponto linguístico, é claro, mas eu falei.

—... Não consigo pensar em uma maneira mais longa de dizer isso — digo.

— Adoro — diz Frank suavemente. — Estimo.

— Amar é melhor — falo.

— É — diz ele. — E eu também. Te amo, no caso.

.

Eu estou nos braços dele.

— *Soz* sobre como eu agi depois que conseguimos a conta da Kapow! Eu fui um idiota. E estava assustado.

— *Soz* eu ter desaparecido para você. *Soz* eu não ter dito tchau.

— *Soz* eu ter deixado você ir embora. Eu deveria ter lidado com isso de maneira diferente.

— *Soz* eu não ter te dado a chance.

— *Soz* eu ter esperado o verão inteiro para te contar que Cleo tinha ido embora.

— *Soz* Cleo ter ido embora.

— *Soz* pela morte de seu pai.

— *Soz* você não ter conhecido ele.

— *Soz* eu ter feito tanta confusão com tudo.

— Mas não por isto. Você não está pedindo *soz* por agora, não é?

— Não. Neste momento, nunca estive menos *soz* por qualquer coisa na minha vida.

E então ele me beijou.

.

Frank me conta como sua mãe costumava buscá-lo na escola bêbada. Ele me diz como a mãe de Cleo morreu. Ele me conta como a encontrou sangrando no chão da sala. Ele me diz o que aconteceu com o petauro-do-açúcar. Não é nada bonito. Ele me diz que, algumas semanas atrás, ele parou de beber e começou a ir a reuniões. Ele me diz que sempre pensou que odiaria o AA por causa da sua mãe, mas na verdade ele sente que está começando a se entender pela primeira vez, talvez em toda a sua vida.

— Será que você poderia... — diz ele. — Você poderia ficar com um homem que fez tudo isso?

Eu coloquei minha mão na dele.

— Você já ouviu falar de *kintsugi*?

.

Surpreendentemente, minha agente me envia um e-mail sobre o meu desenho animado para TV, o *Lixo Humano*.

Você é esquisita, docinho. Mas me mande mais três episódios e acho que consigo vendê-los.

Hoje eu vou escrever.

— Veremos — digo, e vou tomar banho.

— Melhor acreditar — digo, e ligo o chuveiro.

— Isso nunca vai acontecer — digo, e volto devagar para a cama.

— Pelo menos tente — digo, e vou marchando até a mesa.

·

Frank e eu vamos ao cinema juntos e damos uns amassos por duas horas seguidas. Visitamos as galerias em Chelsea. Vamos jogar boliche no Brooklyn. Comemos um rolinho de ovo e queijo no Washington Square Park. Trocamos livros. Voltamos a nos enviar e-mails engraçados. Vamos a um clube de jazz, depois percebemos que nenhum de nós gosta de jazz e saímos para tomar sorvete. Fazemos caminhadas. Comemos fatias de pizza.

Mesmo que esteja esfriando, pegamos a balsa para Rockaway para assistir ao pôr do sol. Dessa distância, toda a cidade é um grande reflexo do céu. Arranha-céus cor-de-rosa como templos de sal do Himalaia. Parece uma cidade mítica para os deuses, o que, de certa forma, ela é.

— A balsa é realmente apenas um ônibus com uma visão melhor — falo.

— É isso que eu amo em você — diz Frank. — Cínica mesmo diante do pôr do sol.

·

Eu vou para a Sala de Leitura Rosa na Biblioteca Pública de Nova York para trabalhar. Exceto pelas cadeiras estridentes, é o paraíso dos escritores. De fato, o paraíso está literalmente pintado no teto. Céu azul poroso e nuvens espumosas. Sento-me em uma das longas mesas de mogno pontilhadas com lâmpadas de leitura de esmeralda e sorrio para meus colegas de trabalho. Quem sabe quantas séries de sucesso e romances best-sellers foram escritos dentro dessas paredes cobertas de livros? Estou entrando no meu fluxo quando um homem se senta em frente a mim, abre uma enciclopédia no colo e começa se masturbar furiosamente sob ela.

.

Frank me permite usar uma sala de conferências extra na agência para escrever. Pelo menos assim, ele diz, a única pessoa se masturbando à minha frente com quem tenho que me preocupar é ele.

.

A melhor parte desse novo acerto é que Jacky e eu podemos almoçar outra vez.

— Então, você está transando com o chefe — começa ela enquanto nos sentamos no restaurante. — Fofoca.

— Não estamos transando — eu digo. — Estamos namorando.

— Isso é coisa do ensino médio — fala ela. — Vamos ser más e dividir batatas fritas.

Eu respiro fundo.

— Na verdade, no ensino médio, namorei um homem de quarenta anos — comento. — Ele costumava me obrigar a fazer coisas do tipo lavar a roupa e engolir o esperma dele. — Eu exalo. — Não foi bom.

Jacky se inclina na minha direção sobre nossos enormes cardápios pegajosos do restaurante.

— Ah, querida — diz ela. — Nas férias de primavera no ensino médio, fiquei bêbada e um grupo de formandos me trancou junto com um garoto em um armário de hotel e me disse que me dariam cem dólares se pudessem me assistir fazer um boquete nele.

— Que horrível — eu digo. — Você fez isso?

Ela deu de ombros com tristeza.

— Eu gostava de um dos meninos que estava do lado de fora e pensei... não sei o que eu pensei. Eu tinha dezesseis anos e cento e dez libras e tinha acabado de descobrir o chá gelado de Long Island.

Ela pega minha mão atravessando a mesa e a aperta.

— Sinto muito pelo que aconteceu com você, Jacky — eu digo.

— Sinto muito por você também. — Ela balança a cabeça. — Foda-se aquele velho.

— Bom, ele morreu em um acidente com o cortador de grama — eu digo. — Então pelo menos teve um final feliz.

— Deus nem sempre é justo — diz ela. — Mas ele tem senso de humor.

Nosso atendente vem e pedimos nossas saladas e batatas fritas.

— E um milk-shake de chocolate para eu me acabar. — Jacky pisca para mim. — Acho que precisamos.

Nós duas nos reclinamos nos assentos dos nossos sofazinhos e nos olhamos, sorrindo.

— Você pelo menos ganhou os cem dólares? — eu pergunto.

— Ah, sim, querida. — Ela ri. — Levei minhas amigas ao Benihana para jantar. Aqueles vulcões de camarão valeram a pena!

.

As folhas mudaram de tonalidade, estou usando uma jaqueta abóbora, a cor que está em todos os lugares, e alguém de fato me convidou para ir colher maçãs. Verdadeira e oficialmente, é outono.

.

Estou esperando na fila de café da Cooper Square e ouvindo os alunos da escola de arte conversando à minha frente.

— O que aconteceu com aquele cara, o artista performático islandês? — o primeiro amigo pergunta.

— Nós terminamos.

— Por quê?

— Ele dormiu em uma camisola vitoriana, teve um bebê chamado Jean-Pepe com suas vizinhas lésbicas e gritava "Olhe nos meus olhos!" cada vez que ele gozava.

— Então... por quê? — pergunta o primeiro amigo.

.

Frank está sóbrio há noventa dias. Ainda não dormimos juntos. Ele quer esperar e eu não me importo. Acho que esperei o suficiente por ele. O que são mais alguns meses? Celebramos da melhor forma que conheço com alguém que é ao mesmo tempo celibatário e abstinente. Fogos de artifício ilegais.

.

Não acredito, mas minha agente gostou dos novos episódios. Ela está oferecendo-o para um estúdio de animação no Japão. *Japão!*

.

Acontece que meu pai me deixou um pouco de dinheiro. Não é muito, mas é o suficiente para eu sair de Nova Jersey e conseguir um lugar para mim na cidade. Agora, tudo o que preciso fazer é encontrar um apartamento e um jeito de dizer à minha mãe que vou me mudar. Será que dar a notícia para ela poderia ser incluído na taxa do corretor?

.

Frank e eu passamos um domingo olhando os imóveis abertos para visitação no centro da cidade.

— Todos eles parecem apartamentos em que pessoas foram assassinadas — ele sussurra para mim.

— Acho que os apartamentos de "morte natural" estão fora da minha faixa de preço — eu digo.

— Alguns meses em um desses lixos, e você não terá que se preocupar com isso — fala ele. — Porque você se enforcará pendurada no teto.

— Não seja ridículo — eu digo. — Nenhum desses lugares têm tetos altos o suficiente para isso.

— Acho que poderíamos encontrar um lugar com tetos mais altos do que esses — comenta ele.

— Nós? — pergunto.

— Você e eu — diz ele. — Um novo começo em algum lugar novo. Pense nisso.

.

Eu penso nisso. Penso nisso a semana inteira sem parar. Encontro minha mãe no jardim cuidando das flores perenes de outono. Ela olha para mim e limpa a terra da testa com a parte de trás da luva de jardinagem.

— Você sabe como Nietzsche definiu a piada? — ela diz.

— Como um epigrama sobre a morte de um sentimento.

— Mãe — chamo. — Eu quero falar com você sobre um assunto.

— Não é brilhante? Nietzsche sacudiu o meu mundo.

— É sobre a minha situação de vida.

— Eu te dei *Assim Falou Zaratustra* quando você tinha quinze anos e teve a sua primeira crise existencial — diz ela. — Você ainda o tem?

— Frank me fez uma pergunta outro dia.

— Nietzsche tinha a alma de um poeta — diz ela. — Como você.

Pego uma espátula e começo a cavar. Eu nunca vou embora.

.

Em inglês, um grupo de corujas é chamado de parlamento. Um grupo de emas é chamado de multidão. Um grupo de cotovias é chamado de exaltação. Um grupo de pombas é chamado de pena. Um grupo de corvos é chamado de crueldade. Um grupo de flamingos é chamado de extravagância. Um grupo de pavões é chamado de ostentação. Um grupo de papagaios é chamado de pandemônio. Um grupo de estorninhos é chamado de declive. Um grupo de rolinhas é chamado de piedade. Um grupo de tentilhões é chamado de charme. Todas essas palavras também podem descrever um grupo de mulheres judias.

.

Eu vou buscar Frank na reunião noturna do AA na Perry Street. Lá fora, as pessoas estão fumando e rindo. Eles me parecem bem normais. Alguns ternos, alguns tipos de artistas mais velhos de Village. Uma pessoa parece ter passado por uma esfoliação cirúrgica.

Vamos ao restaurante italiano na 10ª Street, onde o atendimento terrível é inversamente proporcional à excelência da comida. Frank enfia o guardanapo na camisa antes do início da refeição, do seu jeito próprio, e pega um pedaço de pão do prato que está à nossa frente.

— O melhor pão da cidade — diz ele, molhando-o em azeite.

— Como foi a reunião? — eu pergunto.

— Incrível. Tão comovente. O orador tinha vinte e cinco anos e estava tão bem espiritualmente. E *agradecido,* sabe? A prática de oração e meditação dele foi fora de série.

Eu levanto uma sobrancelha. Frank esfrega a testa e ri.

— Eu pareço maluco — diz ele.

— Você parece feliz — eu corrijo.

— Eu estou — diz ele. — Ainda me parece estranho até dizer isso.

— Bem, vá se acostumando, querido — falo. — Você, graças aos céus, não será o tio Bernie da sua família.

— Quem da minha família?

— Meu tio Bernie tem problema com a bebida — explico. — E, aparentemente, um cromossomo feminino a mais.

— Certo — diz Frank. — Você quer dividir uma entrada?

— A salada de tomate parece boa — comento.

— E os aspargos?

— Você precisa ir ver Cleo — sugiro.

Frank engole o pedaço de pão na boca com dificuldade.

— Eu preciso de quê?

— Você precisa ir ver Cleo — repito. — Sua mulher.

— Eu sei quem ela é.

— Em primeiro lugar, você ainda está casado, o que torna isso que estamos fazendo agora tecnicamente um caso extraconjugal.

— Eu não tinha ideia de que você era tão puritana.

— E em segundo lugar, você precisa ter certeza de que ela está sendo cuidada por lá.

— Cleo pode se cuidar — afirma ele.

— Se ela pudesse — digo em voz baixa — o que aconteceu não teria acontecido.

Ele olha para mim, e vejo como essa experiência trouxe uma tristeza aos olhos dele que não existia antes.

— Prossiga.

— Ela ainda é muito jovem e não tem muito uma família, o que significa que você e eu somos a família dela. Temos a responsabilidade de garantir que ela esteja bem estabelecida.

— Você quer dizer financeiramente? Posso mandar dinheiro.

— Algumas coisas precisam de um pouco mais do que dinheiro.

— Eu nunca soube que você estava tão preocupada com o bem-estar dela. Isso é alguma coisa do *Clube das Primeiras Esposas*?

Eu tento não olhar para ele como se ele fosse o homem mais estúpido do planeta.

— Não, Frank — digo bem devagar. — É sororidade.

Frank pega minha mão gentilmente por cima da mesa.

— Eleanor — começa ele. — Você é uma boa mulher.

— Vamos pedir a salada de tomate — falo.

Minha mãe e eu passamos a noite assistindo a uma antiga temporada de *Sing Your Heart Out*. Acho que talvez tenhamos ficado investidas demais no sucesso do jovem Harold, que adiou suas aspirações musicais para cuidar da sua mãe doente e diabética. Toda vez que ele se apresenta, eles reapresentam as mesmas filmagens dos dois juntos na casinha desorganizada deles em Nova Orleans.

— Ele é meu único orgulho — diz a mãe no vestido floral folgado. — Meu coração bate por ele.

Minha mãe se vira para mim e coloca a mão na minha.

— Frank me ligou — fala ela. — Vá.

.

Frank veio para ajudar minha mãe a preparar uma refeição de despedida. Incrivelmente, não parece envolver wok. Passei o dia inteiro fazendo as malas e preciso de um pouco de ar, então visto um casaco e saio para o jardim. Está tudo muito quieto, escuro e imóvel. Minha respiração faz pequenas nuvens cinzentas à minha frente. Acima da minha cabeça, as estrelas são apenas parcialmente visíveis. Eu posso sentir o cheiro de terra. Eu posso ouvir Frank e minha mãe rindo na cozinha. Em algum lugar, um cachorro late. Eu posso sentir a noite pressionando a minha pele. Está frio, mas estou quente. Minha respiração encontra o ar.

.

Uau.

CAPÍTULO DEZESSETE

JANEIRO

Roma estava no meio do seu inverno mais brando em cinquenta anos, quando Frank chegou. Uma brisa com uma cadência tropical acariciou-o pela janela do táxi enquanto ele se dirigia para o Instituto de Belas Artes, onde Cleo morava. O prédio que ele encontrou estava pintado de fúcsia desbotada, com palmeiras altas plantadas ao redor dos portões. Um palácio rosa. Parecia antigo e abafado, precioso e um pouco esquecido. Ele não podia imaginar um lugar melhor para ela estar.

Sem ser vista, atrás da vidraça da janela, Cleo o observou subir o caminho de pedra com sua familiar marcha saltitante até a entrada. Estava ali esperando que ele chegasse há algum tempo, seu coração batendo como um pássaro preso dentro do peito. Assistiu do alto quando Frank chegou à porta e examinou a lista de nomes, tocando a campainha ao lado do dela. Ele deu um passo atrás para olhar para a janela vazia da qual ela acabara de correr.

Passos, o som dos dedos arranhando a madeira, um xingamento baixinho, uma trava sendo puxada para trás e lá estava Cleo. Seu coração inchou como uma onda voltando para a praia.

Ela havia cortado os cabelos compridos para um chanel, um capuz dourado emoldurando-lhe o rosto. Seu lindo rosto em forma de coração, ele queria pegá-lo nas suas mãos e segurá-lo à luz como um globo de neve. Ela estava usando jeans desbotados pelo sol e um cardigã folgado que ele reconheceu. Seus tornozelos esbeltos se esgueiravam para fora dos sapatos de lona respingados de tinta. Que garota adorável ela era. Como uma borboleta branca em uma faixa de sol.

— Seu cabelo — falou ele.

— Curto — disse ela e passou os dedos entre eles.

— Bom. — Ele assentiu.

— Não ficou tão curto? — ela perguntou.

— Está lindo — disse ele. — Como uma estola de freira.

— Você quer dizer véu. A estola é o que elas usam em volta do pescoço.

— Viu! É por isso que preciso de você na minha vida. Quem sabe há quanto tempo eu venho cometendo esse erro. E se eu estivesse conversando com uma freira *de verdade*?

Cleo afastou-se da porta e segurou os ombros dele para guiá-lo. Alguma coisa no rosto dele estava diferente. Seus olhos pareciam mais claros; ela podia ver agora que eles não eram castanhos, como sempre pensara, mas cor de avelã dourada. Era como se as luzes tivessem se acendido dentro dele. Ela passou os braços em volta do pescoço dele e o puxou em sua direção até que ficassem com os rostos colados. Ele se sentiu como uma grande barraca desmoronando ao redor do eixo central do corpo dela.

— Entre — ela disse no ouvido dele.

Frank seguiu-a até o hall de entrada escuro e frio. Ela o guiou escada acima até um patamar iluminado pelo sol, apontando para a cozinha e a roupa com o orgulho tímido de uma aluna no Dia dos Pais. Espalhadas na mesa da cozinha, havia várias garrafas de vinho vazias deixadas da noite anterior, anéis carmesins profundos marcando a superfície da madeira. Frank olhou para elas com uma mistura de alívio e saudade. Ele nunca mais sentaria depois do jantar assim, conversando com paixão sobre absolutamente nada em especial, enchendo copo após copo enquanto a tarde se desdobrava em noite. Cleo seguiu o olhar dele. Frank havia dito a ela que parara de beber quando ligou de Nova York para sugerir a visita. Seis meses, ele disse, mas ela achou difícil acreditar. Agora, ela podia ver que, sóbrio, ele era diferente, mais suave. Qualquer defesa que o álcool havia lhe proporcionado desaparecera.

— Você quer água? — ela perguntou. — Ou chá? Leite? Chá *com* leite?

— Estou bem — disse ele. — É só a primeira vez que viajo assim, você sabe. Eu me sinto um pouco...

— Sensível?

Frank sorriu.

— Sim — disse ele. — Essa é exatamente a palavra para isso. — Eles se entreolharam, e um frisson de calor passou entre eles. — Por que você não me mostra seu quarto? — ele perguntou.

O quarto dela parecia uma mistura de um quarto de hospital e um dormitório, com pisos de linóleo manchados e uma cama de solteiro coberta com um edredom rosa. Cartões postais com pinturas de Lee Krasner e Jay Defeo cobriam a parede acima da mesinha. O Instituto de Belas Artes parecia, para Frank, um colégio interno para adultos, um espaço pessoal e também impessoal, refletindo um grupo de habitantes que necessariamente iria embora. Cleo adorou-o justamente por essa razão: era um lugar dedicado à criação.

Frank empoleirou-se na cama e sentiu algo duro embaixo de si. Ele colocou a mão embaixo do edredom e puxou uma pedra oblonga e lisa. Era cor de rosa opalescente e pálida, entremeada com branco, mais ou menos do comprimento da mão dele, fria ao toque e pesada para segurar. Ele olhou para Cleo, que riu.

— Opa, eu não percebi que isso ainda estava aí.

Ela tirou-a da palma da mão dele e deslizou-a na gaveta bagunçada da mesa. Lá dentro, havia folhas grossas de papel pintadas com aquarelas, uma pena branca cônica, uma caneta com um girassol plástico na extremidade.

— O que é aquilo? — Frank perguntou.

— É um cristal. — Cleo se inclinou contra a mesa para encará-lo. Uma faixa fina da barriga entre a blusa e o jeans apareceu, como o sol espiando entre nuvens. — Para colocar dentro de si. Na verdade, Zoe me explicou. Você pode usá-la para abrir os chacras, curar traumas, esse tipo de coisa... Você está revirando os olhos.

— Eu não estou!

— Você está rolando de rir por *dentro*. Eu sei disso.

— Você não sabe.

Mas ela sabia. A capacidade de Cleo de ver Frank sempre o irritou e o emocionou. Ele nunca se sentiu visto, realmente visto, até conhecê-la.

— Colocar dentro de você como? — ele perguntou.

— Bom, eu não a engulo.

— É uma coisa de sexo?

— É uma coisa de cura.

— Você precisa disso?

Cleo sorriu.

— Eu preciso de tudo.

— Essa é a vantagem de ter vinte e seis anos — disse Frank. — Você pode tentar qualquer coisa e parecer esperançoso. Aos quarenta e cinco, você fica apenas ridículo, mesmo para si mesmo.

Cleo bufou.

— Que absurdo! Olhe para você e suas reuniões. Você é uma pessoa totalmente nova!

— Você acha mesmo?

— Você está mais leve. É bom.

— E você! — exclamou Frank. — Você cortou todo o cabelo.

Cleo sacudiu o corte chanel em forma de tulipa.

— Acho que também estou mais leve — ela disse.

Frank concordou, sorrindo.

— Zoe te falou sobre o grupo feminista de positividade sexual que ela começou com as meninas de Gallatin?

Os olhos de Cleo brilhavam de diversão.

— Falou, com certeza.

— Se ela exaltar o poder do orgasmo feminino para mim mais uma vez...

Cleo jogou a cabeça para trás em uma risada. Zoe realmente a entreteve com histórias a esse respeito na última vez em que se falaram. Ela se comportou como se fosse a primeira mulher a descobrir o clitóris, mas seu entusiasmo juvenil também era charmoso.

— É bom para ela — disse Cleo. — Ela está explorando, você sabe. E... — ela olhou para ele tímida e orgulhosamente. — Eu também tenho uma terapeuta.

— Você tem?

— Ela é uma lésbica budista da Irlanda, mas já vive na Itália há anos.

— Eu não conseguia imaginar uma descrição melhor de um terapeuta para você.

— Eu confio nela — falou Cleo. — Ela é a primeira pessoa em quem confio há muito tempo.

— Entendo — disse Frank. — É assim que me sinto sobre meu padrinho.

— Uau, Frank — exclamou Cleo. — Olhe para nós, construindo relacionamentos saudáveis.

Eles se observaram em silêncio por um momento, tão familiares e desconhecidos ao mesmo tempo.

— Estou feliz em ver você — disse ele, por fim.

Na verdade, ele sentiu uma mistura rodopiante de alegria, terror e alívio ao vê-la, o mesmo que Cleo ao vê-lo, mas nenhum deles se sentia pronto para entrar nesse assunto.

— Eu também — respondeu ela. — Eu pensei que não nos veríamos até o ano que vem.

— Por quê?

— Por causa do casamento de Santiago e Dominique.

— Ah, sim, claro! Você pode acreditar que isso está acontecendo?

— Eu posso. Ele me escreveu duas cartas até agora, e ambas foram odes ao seu amor por Dominique, além de uma receita de massas.

Frank riu.

— Ele é o último romântico vivo. Você se lembra do discurso que ele fez no nosso casamento?

— Lembro. Ele disse que nós dois éramos de ouro ou algo assim.

— Eu não sei de mim, mas você certamente é.

Cleo sorriu. Ela realmente parecia dourada para ele.

— Quer ver meu estúdio? — ela perguntou. — Fica no outro prédio.

Frank seguiu-a para fora do quarto, cruzando o corredor. Ele observou a caminhada líquida e de passos suaves.

— Alguém já veio visitá-la aqui? Quentin?

— Não nos falamos mais — disse Cleo em voz baixa.

Frank esperou que ela detalhasse. Ela parou de andar e virou-se para olhá-lo de frente.

— Metanfetamina — disse ela. — Acho que Alex o colocou nisso. Ele não está indo bem.

A última vez que Cleo tinha visto Quentin, ela explicou, ele a convidou para ir a um hotel barato no centro. Quando ela chegou, havia três outros homens de olhos ocos andando pela sala com ele. Quentin estava meio nu e em crise, seu corpo fino e pálido sacudindo como se estivesse com eletricidade. Ele disse que precisava de dinheiro. Ficou sem a mesada mensal significativa que sua avó fornecia e ainda havia uma semana no mês. Quando ela tentou fazê-lo sair, ele a atacou. *Não ouse me julgar, sua puta do caralho.* Cleo fugiu do quarto e chamou Johnny, mas ele não a ajudou, e ela não tinha o número de nenhum membro da família de Quentin. Não havia nada a fazer senão deixá-lo lá.

Frank balançou a cabeça enquanto ela contava isso.

— Eu não fazia ideia.

— Ele nos deu cocaína de presente de casamento. Você não achou que ele poderia ter um probleminha com as drogas?

— Ele é um personagem! Eu simplesmente não achei que fosse ficar tão sério para ele. Quer dizer, se cheirar um pouco e beber demais te faz uma pessoa viciada, então todo mundo que conhecemos... — Frank parou por um segundo e franziu a testa. — Credo, Cley. Todo mundo que conhecemos em Nova York é viciado, não é?

Cleo concordou, sombria, com um gesto.

— Parece que sim.

— Você não tentou encontrá-lo de novo?

Ela olhou-o com expressão dolorosa.

— Tentei, é claro que tentei. Inúmeras vezes. Liguei para a reabilitação e encontrei leitos gratuitos, mas ele se recusou a ir. Então o telefone dele foi desconectado. Nesta altura, eu já nem sei mais com quem estaria entrando em contato se ligasse para ele.

— Você quer dizer que alguém ficou com o número dele?

— Quero dizer que não sei mais quem ele é.

— Você está bem?

Ela olhou para ele com seu sorriso exausto.

— Um de nós tem que estar.

— Você tem sorte de ter saído de Nova York naquela ocasião.

— Foi por um triz — ela respondeu.

Ela o guiou para o estúdio, que era bagunçado e pequeno, não exatamente o espaço de um galpão bem iluminado que ele estava imaginando. Baixas vigas de madeira no teto, cheiro químico da tinta no ar, piso de concreto empoeirado listrado de vermelho-escuro. O coração de Frank deu um pulo. Seria sangue? Não. Era tinta, é claro. Ele viu a mesma cor de ferrugem nas telas que cobriam a parede.

Frank lembrou-se do trabalho de Cleo como florido e carnudo, as cores de um ferimento no estágio feio da cicatrização, cremes amarelos ácidos e violetas escuros e com tons carmesins. Essas telas tinham linhas vermelhas muito mais simples e limpas em fundo branco ou cinza. Ele olhou com mais cuidado e viu que as linhas eram partes abstratas do corpo de mulheres, nádegas gêmeas, uma curva do abdômen, a curva pesada de um peito.

Ele nunca soube realmente se ela era boa como artista. Ela com certeza estava infeliz o suficiente para ser boa. Mas o que isso significava? Pessoas talentosas eram muitas vezes infelizes, mas pessoas infelizes não costumavam ser talentosas. Frank sempre pensou que o principal dom de Cleo era o jeito dela. Ela era atraente de um jeito exclusivo, não apenas na aparência, mas na essência. Ela tinha uma maneira de trazer luz para a sala onde ela estivesse, como uma janela ao ser aberta.

Cleo observou Frank enquanto ele se ajoelhava para examinar uma pequena tela quadrada e a imagem, que antes era a curva de um joelho dobrado com o movimento humano, tornava-se apenas uma linha. Eram corpos apresentados como ausências; quando você se aproxima, eles se retiram. Ela estava orgulhosa dessas pinturas, que eram menos obviamente figurativas do que seu trabalho anterior, dando a ela a liberdade e o anonimato da abstração. Ela observou o rosto dele, tentando decifrar seus pensamentos.

Frank olhou para cima e viu Cleo observando-o com aquela curiosidade intensa dela. Ela estava esperando algo dele, ele sabia, alguma resposta que ele não sabia dar. O que ele entendia era de linguagem. Marcas. Quão suja essa palavra havia se tornado, mas havia uma objetividade nela que beirava o sublime para ele. Todas as interações foram, na essência, transacionais; pelo menos a publicidade não fingia. Este mundo sutil de sombra e linhas que Cleo ocupava, tão ostensivamente cheio de significado, potencialmente tão sem sentido... Frank sentiu como se estivesse tentando abrir um pacote com as instruções escritas do lado de dentro.

— É muito inteligente, Cleo — disse ele. — Tão... artístico.

Cleo riu. Ela podia ver que ele estava confuso, mas ela ficou surpresa ao perceber que se importava menos com a reação dele do que era esperado. Independentemente do que ele pensou, ela estava satisfeita com o trabalho.

— Vou fazer uma exposição no mês que vem — contou ela, incapaz de esconder o orgulho na sua voz. — Em uma galeria pequena em Monti.

— Você tem o título?

— *Linhas de Vida* — disse ela.

— Apropriado.

— Como assim?

— Apenas apropriado — ele disse outra vez, de forma vaga. — Para você.

— Há uma peça de instalação também — acrescentou ela. — Eu acho que é a melhor parte. Se você quiser ver...

Ela era tão sincera, tinha tanta esperança. Frank sentiu compaixão. Não havia garantia de que ela faria sucesso; de fato, provavelmente ela não faria. Ele lembrou-se de quando a conheceu, andando pelas ruas de Nova York, declarando que ela era uma artista com um orgulhoso e enfático movimento de cabeça. Ele viu a mesma confiança na luta de Zoe para se tornar uma atriz, negociando sua juventude e beleza, usando-as sem nenhum retorno. Elas ainda não sabiam o que ele sabia. Que você pode ser talentoso, trabalhador, determinado, ter até um pouco de sorte, e ainda assim não fazer sucesso, ou se você fizesse, ele poderia não durar. Nunca vivenciar realizações proporcionais ao seu talento, nunca receber pagamento adequado pelos seus esforços era terrível e desmoralizante.

Frank seguiu Cleo para o pátio que separava os prédios. A brisa mediterrânea quente, atípica para a estação, circulava ao redor deles como se fosse um gato se esfregando contra os tornozelos.

— A instalação está no galpão — disse Cleo. — Eu só queria fumar um cigarro primeiro.

Ela enrolou um cigarro e passou-o para ele, depois fez outro para si.

— Eu não fumo — disse ele, colocando-o entre os lábios.

Ela sorriu.

— Todo mundo que para de beber começa a fumar, só um pouco.

Fazia silêncio, exceto pelo som mínimo do rádio de uma janela aberta acima deles. Cleo colocou a carteira de tabaco no bolso de trás e cruzou os braços. Era hora de eles falarem sobre aquilo que o trouxera até aqui.

— Então. Fale-me de Eleanor. Não da sua mãe.

Frank tossiu a fumaça que ele havia inalado. Ele pressupôs que seria ele a tocar no assunto de Eleanor. Ele não sabia que Cleo ouvira falar do relacionamento em uma conversa com Zoe semanas antes. Para Cleo, ouvir que Frank estava apaixonado por outra pessoa era como ser queimada por uma água-viva; depois da surpresa da primeira dor, havia apenas uma dor torpe. Nunca mais doeria tanto. E Cleo estava determinada a ficar feliz por ele — mas primeiro, eles tiveram que conversar a esse respeito.

— Eu li seus e-mails no ano passado. — Ela deu de ombros, em um movimento com partes iguais de contrição e rejeição. — É engraçado porque eu estava muito chateada, mas também estava rindo. Eu gosto dela. — Cleo forçou um sorriso. — Talvez até mais do que eu goste de você.

— Eu também — ele conseguiu dizer. — Com certeza mais do que eu gosto de mim.

O que ele poderia dizer sobre Eleanor? Ela tinha boa aparência, não era bonita e não chamava a atenção como Cleo, só de entrar em uma sala. Mas ela era feita com matéria mais densa e resistente. O melhor senso de humor que ele já encontrara em uma mulher, em qualquer pessoa, exceto, talvez, sua mãe. Mas ela era mais gentil do que a mãe, mais provedora, com a verdadeira capacidade de empatia de uma escritora.

— Nós... temos muito carinho um pelo outro — disse ele.

— Eu deduzi. Vocês estão juntos há pouco tempo, não?

Cleo estava tentando manter sua voz casual, mas já estava à beira do interrogatório.

— Acabamos de encontrar um lugar no Brooklyn — disse ele. — Eu ia te contar.

— Brooklyn! — A voz de Cleo subiu uma oitava. — Uau, as coisas devem estar sérias.

Frank esfregou a parte de trás do pescoço com a mão.

— Não muito longe no Brooklyn — disse ele. — Do outro lado da ponte.

— Brooklyn — Cleo repetiu para si mesma, incrédula. — Isso é muito adulto. Bom, eu acho que vocês dois são adultos. Qual a idade dela? — De alguma forma, ela estava perturbada, sem toda a graciosidade pretendida.

— Trinta e poucos — disse Frank, igualmente abalado. — Isso realmente importa?

— Eu estava pensando — disse Cleo. — Ela parece madura, simples assim. Mais madura do que eu.

Poderia ter sido uma ironia, mas sua voz era objetiva.

— Ela faz trinta e oito anos na semana que vem — disse Frank, inquieto.

Cleo inalou profundamente o cigarro. As brasas foram caindo pela perna dos seus jeans.

— Isso é ótimo — disse ela, tirando ferozmente as cinzas do joelho. — Diga a ela que desejei feliz aniversário. *Buon compleanno,* Eleanor!

Ela estava se esforçando para parecer alegre, mas havia exagerado e acabou no território dos maníacos. Frank olhou para ela por muito tempo, depois largou o cigarro e deu um passo em sua direção. Ele apertou os ombros estreitos em suas mãos.

— Lamento não ter contado antes de vir.

Cleo olhou para os pés dela.

— Você não me deve nada.

Ele balançou sua cabeça.

— Eu te devo tudo — disse ele. — E sinto muito.

Cleo levantou os olhos para os dele, e sua expressão se suavizou.

— Eu saí do país, lembra? — ela falou. — Você pode sair de Manhattan.

Frank exalou. Agora era a hora de falar do divórcio. Não poderia ser um momento mais natural. Afinal, Cleo havia ido parar no hospital tentando acabar com o casamento; um divórcio era uma abordagem bem mais gentil, por comparação. Mas algo o impediu.

— Na verdade, foi Eleanor quem sugeriu que eu viesse aqui — ele disse. — Para ter certeza de que você estava bem.

As sobrancelhas finas de Cleo franziram-se em uma carranca.

— Ela? Você mesmo não queria vir?

— Claro que sim — disse ele rapidamente. — Eu só quis dizer que... não há animosidade da parte dela, é o que eu quero dizer. Ela se importa com você. Eu acho que ela admira você. — Ele estava falando demais, mas não conseguiu parar. — Ela gostaria de conhecê-la se, quem sabe, as circunstâncias um dia permitirem.

As sobrancelhas de Cleo franziram ainda mais. Então Frank veio por causa de Eleanor. Claro que não era por causa dela. E lá estava a sensação que ela estava tentando negar, o ciúme escuro e oleoso que surgira nela ao ver que Frank fazia por Eleanor o que ele nunca faria por ela. Eleanor conseguiu *esta* versão de Frank, o homem sóbrio e atencioso que aceitou suas sugestões, enquanto Cleo havia suportado o antecessor bêbado como uma tola.

O impulso de perfurar a superfície lisa do novo amor de Frank avançou dentro dela. Não teria sido difícil; afinal, ela conhecera Eleanor, e sabia que dificilmente ela era o tipo de pessoa brilhante em quem Frank gostava de se ver refletido. Apenas uma observação, e ela podia perfurar sua felicidade como uma agulha com ponta de veneno.

Mas ela se conteve. Só se arrependeria. E em seu coração, ela sabia que Eleanor era boa para ele. Ela não estava mentindo quando disse que gostava dela. Cleo e Frank não podiam fazer um ao outro feliz, por mais que tentassem. Melhor deixá-lo ir, melhor mandá-lo embora com o amor dela nas costas dele como a brisa romana quente, mesmo que ela o levasse em direção a outra pessoa.

— Eu gostaria de conhecê-la também — Cleo respondeu. — Ela parece... sensacional.

Frank sorriu com alívio.

— Ela ficará satisfeita em ouvir isso — disse ele. — E ela é. Vocês duas são.

— Vocês dois... *estão* felizes? — Cleo examinou o rosto dele com sua concentração costumeira.

Frank pensou em como responder honestamente sem magoá-la. Na primeira vez em que ele e Eleanor dormiram juntos, ele pensou que poderia morrer de felicidade. Ele nunca havia esperado para fazer sexo com ninguém antes, com certeza nunca se apaixonara antes do ato. Ele estava incrivelmente nervoso, ela também. Tudo deu errado; ele não conseguiu abrir o sutiã dela, ela deu-lhe uma cotovelada no estômago, quase asfixiando-o e quando Frank finalmente a penetrou, ele durou cerca de trinta segundos antes de explodir. Os dois choraram de rir. Ela desabou no peito dele, os braços dele apertados nas costas dela, e adormeceu ali, bem no centro dele, seu coração batendo contra o dele, e ele também dormiu, preso sob ela, feliz, sim, feliz afinal.

— Estamos tentando ser — ele disse, finalmente. — E você? Você está feliz aqui?

Cleo correu o olhar ao redor do pátio. Ocorreu-lhe que, de alguma forma, por milagre, ela estava. Nos sete meses desde que chegara a Roma, ela produzira arte todos os dias, redescobrindo os prazeres da solidão e da comunhão. Ela tomava café da manhã na cozinha com os outros artistas em residência e eles se reuniam todas as noites para discutir o trabalho do dia, acompanhados de vinho e macarrão. Ela tinha visto a cama de solteiro onde Keats deu o suspiro final, e andou com o rosto virado para cima na Capela Sistina, devorando a mistura de ouro, carne e céu.

Ela amava Nova York, mas não era a cidade dela, tinha consciência disso agora. Ela se adaptara a fazer parte dessa intrincada rede de capitais europeias, umas a poucas horas das outras, cada uma contendo seus Caravaggios e Sorollas e Soutines. Até começou a conversar mais com o pai, agora que eles estavam separados apenas por uma hora.

E estava descobrindo que o ritmo mais lento de Roma a acalmava. Ela era trabalhadora, mas nunca ficava exausta. Dormia profundamente sozinha. Ela ainda não tinha um amante, embora um dos outros artistas, um designer suíço tímido da idade dela, tivesse confessado os seus sentimentos por ela em uma noite, já tarde, no estúdio. Precisava de mais tempo, disse a ele gentilmente. À tarde, ela tomava café expresso de pé no bar e via os italianos viajarem ocupados ao redor uns dos outros como borboletas. Finalmente aprendeu a ficar sozinha em público sem pensar no que os outros estavam pensando dela. Foi um alívio viver de dentro para fora.

— Tentando também — ela disse.

Frank concordou com um aceno de cabeça, satisfeito.

— Você quer me mostrar a instalação?

Ela o levou a um galpão pequeno atrás do prédio do estúdio. Cleo abriu a porta para revelar uma sala branca quadrada com um projetor configurado no centro e voltado para o teto. Terra escura cobria o piso. O cheiro o atingiu em uma onda nauseante, terrosa, intensa e adocicada.

— Cley... — Ele se deteve na porta.

— Eu sei — disse ela. — Por favor. Apenas se deite.

Ele deitou-se na terra, ainda adoecido com o cheiro. Cleo ligou o projetor e a sala ficou vermelha. Ela se deitou ao lado dele. A luz carmesim oscilou no teto como as rugas em uma pétala de papoula. O cheiro da terra estava por toda parte, levando-o de volta àquele momento...

O que o surpreendeu foi a onda de raiva que ele sentiu ao retornar àquele momento. Foi *ele* quem a encontrou e chamou a ambulância, ajoelhado no solo, tudo enegrecido pelo sangue dela, e, agora, aqui estava Cleo, transformando-o em arte. Colocando um cristal em si mesma e chamando-o de cura. A sala se transformou em um carmim cheio de sangue. Bem, que bom para ela. Ele estava feliz por se livrar dela. Ele também usou essa violência para se expulsar do casamento e ir para um relacionamento com uma mulher sã. Graças a Deus. Ele queria se sentar e falar com ela sobre os papéis do divórcio. Ele queria uma bebida. Ele queria mil bebidas. Ele queria pegar punhados de terra e triturá-los nos olhos e gritar como um bebê. Ele queria sua mãe, não a mãe de verdade, aquela bêbada egoísta, mas sua verdadeira mãe, ainda não descoberta, a mulher que realmente poderia cuidar dele. Ele queria Eleanor.

— Cleo. — Ele se sentou. — Não posso, não posso.

Cleo colocou a mão no braço dele, mas ele a afastou.

— É *demais,* Cley. — Ele se chocou ao cair em lágrimas. — É demais.

Ele inclinou a cabeça sobre as mãos e soluçou. Ele não conseguiu se lembrar da última vez que tinha chorado. Foi um exorcismo de lágrimas. Cleo o puxou para frente e embalou a cabeça dele no colo dela. Ela não queria magoá-lo, mas precisava que ele visse isso. Durante todo o casamento, ela se submeteu às versões que as outras pessoas faziam dela, recuando quanto aos seus desejos. Ela pensou no voto de Frank no dia do casamento. *Quando a parte mais sombria de você encontra a parte mais sombria de mim, ela cria luz.* Agora ela havia completado esse processo por conta própria. Ela conheceu a parte mais sombria de si mesma e criou isso.

Em torno deles, a sala mudou de cor para um âmbar profundo. A música começou a tocar. Era um rolo compressor ondulante de guitarras lamuriosas e sintetizadores, um som profundo, intenso e em expansão. Então o galpão ficou azul brilhante. Eles estavam em uma caixa de céu, com os vapores brancos das nuvens. *Linhas de Vida*. Aqui estavam as dela. Ela encontrou uma maneira de escolher sua vida. Ele também deveria.

— Divórcio — falou ele no colo dela.

— Eu sei — disse ela, acariciando o cabelo dele. — Eu sabia.

...

Eles se sentaram na parte externa de um café perto de Piazza di Spagna enquanto a luz rosada banhava as ruas. O dia de trabalho estava encerrado, e o langor da noite pesava no ar como o pólen. Após a intensidade da instalação artística de Cleo, foi um alívio estar no zumbido gentil da vida pública. Uma tranquilidade havia retornado entre os dois.

— É ótimo aqui — disse Frank. — Eu nem sempre fiz as melhores associações com a Itália por causa do meu pai. Mas agora que você mora aqui, vou pensar de maneira diferente.

Cleo mordeu um dos círculos salgados de salame que haviam sido colocados diante deles sem cerimônia, logo depois de sentarem-se. Seu rosto estava brilhando na luz cor de pêssego da noite.

— Fico contente — disse ela. — Ele não deve tirar a Itália de você.

Um garçom adolescente veio oferecer-lhes um aperitivo, visivelmente encantado com a oportunidade de praticar o inglês. Frank olhou para Cleo em pânico, mas ela pediu duas sodas limonadas em italiano com uma suavidade impressionante.

— Eu nunca pensei que poderia visitar Roma e não beber — disse ele, conforme os copos decorados eram colocados diante deles.

— O vinho é a parte menos interessante de Roma — comentou Cleo.

— E de você. — Frank deu a ela um sorriso indefeso. — Obrigado, Cleópatra.

— De nada, Frankenstein.

E lá, de repente, estava a lembrança do primeiro Halloween juntos, avançando para a frente da mente de Cleo. Eles se vestiram conforme os apelidos, Cleópatra e o monstro Frankenstein. Cleo passou a tarde inteira se preparando, pintando um capacete dourado e prendendo um vestido de linho solto. Ela usava uma longa peruca preta com camadas grossas de delineador preto, transformando-se na sua própria gêmea sombria.

— Você se lembra do Halloween? — ela perguntou de repente.

Eles foram com amigos para uma festa do Anders, todos amontoados em um táxi, brigando por qual estação de rádio ouvir, o primeiro pacotinho sendo passado pelo banco de trás como o bilhete de um amante.

— Claro — disse Frank. — O que fez você pensar nisso?

Cleo deu de ombros. Sua mente ainda tinha o hábito de buscar memórias dolorosas, um lembrete, ela supôs, para seguir em frente. Ao contrário de Frank, ela não era propensa à nostalgia.

— Quando penso em beber, tenho o hábito de lembrar da melhor parte de todas as noites — disse Frank, como se estivesse lendo sua mente. — Meu padrinho me diz: "Toque o vídeo para a frente". Eu tenho que continuar lembrando até chegar ao ponto em que elas deixaram de ser divertidas.

— Certo — disse Cleo. — Então, toque para frente. Você sabe como aquela noite terminou.

Frank avançou rapidamente até estar na festa de Halloween, onde se sentiu desconfortável em seu traje, que consistia em uma máscara de monstro que cheirava a cloro. Anders estava vestido, com efeito devastador, como algum tipo de assassino sexy. Avanço rápido até se sentir feio e esquecido, como um monstro de verdade, beber demais, e brigar com Cleo a caminho de casa, o som dela chorando no travesseiro enquanto ele ficava ao lado dela, observando o teto. Sim, havia as fronhas de manhã, todas manchadas com maquiagem preta que não era lavável;

ele jogou-as no lixo, assim como costumava fazer quando era criança com seus lençóis encharcados, para que sua mãe não os encontrasse. Era por isso que ele odiava se lembrar. Avanço rápido e ele sempre chegava à corrente sombria correndo sob cada noite aparentemente feliz, à tristeza secreta no coração de Cleo que ele não podia curar, às cicatrizes negras nos lençóis brancos que ele não podia tirar.

— Tenho vergonha de me lembrar — disse ele. — Como eu te magoei.

Cleo concordou com um movimento de cabeça.

— Você magoou — concordou ela. — Mas houve uma vantagem naquela noite. — Ela deu a ele um de seus olhares misteriosos e entendedores. — Você estava com tanta ressaca no dia seguinte que finalmente ganhei no Pinch Punch.

Frank começou a rir. Cleo havia mencionado uma vez, casualmente, que era tradição na Inglaterra, no primeiro dia do mês, dizer "Pinch, Punch, primeiro do mês!" E depois de o vencedor declarar "E sem revidar", eles estavam livres para dar beliscões e socos de leve, sem retaliação. O perdedor tinha que esperar um mês inteiro antes de ter a chance de dizer isso primeiro outra vez. Frank, que gostava de absurdos, havia participado deste jogo com uma competitividade fanática, acordando cedo no primeiro dia do mês e pairando sobre a figura adormecida de Cleo até que, ao menor sinal de ela despertar, ele lançaria seu ataque, gritando a rima da brincadeira com o tipo de dedicação que, Cleo tinha certeza, faria com que homens de meia idade tivessem ataques cardíacos.

— Eu esqueci disso. — Ele riu. — Você era horrível no Pinch Punch.

— Porque eu não queria colocar o despertador para a madrugada no dia primeiro de cada mês como uma maníaca!

Frank olhou para ela, sério.

— É isso o que é preciso para ser um campeão de Pinch Punch, Cleo.

Ele tentou ficar sério, mas os dois logo caíram na risada.

— Bem, agora você pode brincar com a Eleanor — disse Cleo, quando as risadas diminuíram.

Frank balançou a cabeça, sério outra vez.

— Eu não faria isso. É o nosso jogo. E ela não é inglesa.

Cleo olhou para ele com ternura.

— Certo — ela disse. — Fica sendo nosso.

— É estranho para você? — ele perguntou. — Que eu esteja com outra pessoa? Você pode ser honesta.

— É um pouco — respondeu ela lentamente. — Mas de um jeito estranho, você e Eleanor me dão esperança. Isso me faz sentir que, um dia, eu também posso encontrar o que você tem.

— Isso não será um problema para você. Você terá filas de homens. — Frank terminou sua soda limonada com um ruído de satisfação.

— Eu gostaria de me casar novamente — disse ela. — Por mais tempo da próxima vez.

— Você se casará. Só não escolha alguém como eu.

Cleo levantou uma sobrancelha.

— Você quer dizer um alcoólatra ativo quase vinte anos mais velho do que eu?

— Pá! — Frank desabou contra a cadeira como se tivesse baleado. — Sim, é exatamente isso o que eu quero dizer — disse ele, voltando à vida.

— Você não escolheu alguém como eu.

— Não. Eleanor não é como nenhum de nós.

— Como ela é diferente?

— Você realmente não se importa de falar sobre ela?

— Estou curiosa.

— Certo, bem, tem a mãe de Eleanor. Ela me intimidou a princípio, porque ela só... ela é *feroz*. Ferozmente afetuosa. E Eleanor cresceu em uma casa nos subúrbios com um jardim e algo chamado sofá de visitante e, sabe, três tipos diferentes de alimentadores de pássaros.

Cleo assentiu.

— O auge da vida doméstica.

— Exatamente. E não era perfeito, seus pais se divorciaram quando ela era jovem, e ela tinha esse relacionamento estranho quando adolescente com um cara mais velho, mas eu poderia dizer que ela se sentia segura naquela casa. Ela cresceu se sentindo segura e amada ferozmente.

Quando ele olhou para cima, ficou surpreso ao ver que os olhos de Cleo estavam vitrificados com uma fina película de lágrimas.

— Parece bom — disse ela em voz baixa.

— E você e eu não tivemos isso, não porque não merecíamos, nós só acabamos recebendo outra coisa. Mas as pessoas que tiveram esse amor cresceram para serem diferentes de nós. Mais seguras. Talvez elas não sejam tão brilhantes ou bem-sucedidas quanto você e eu sentimos que temos que ser. Mas não é porque não sejam interessantes. Simplesmente não sentem que precisam dar shows de sapateado, sabe? Não precisam *provar* a si mesmas o tempo todo que merecem serem amadas. Porque elas sempre foram.

Cleo sorriu com tristeza.

— Como você pode parar de dançar, se você é como nós?

— Eu estou cansado demais, Cley — confessou ele. — Os sapatos não me servem mais. E quando fiquei parado, Eleanor estava lá ao meu lado. E acho que você merece estar com alguém assim, que possa oferecer essa segurança e essa quietude para você de um jeito que eu nunca pude. Mesmo que Deus saiba que eu queria, Cleo. Eu queria de verdade.

Cleo segurou a mão dele do outro lado da mesa. As mãos sardentas de Frank. Ela se lembrava delas sempre em movimento, passando pelas superfícies, ajustando os óculos, acentuando palavras no ar com um enfático gesto de palmas abertas que era, simplesmente, *ele*. Ela apertou os dedos dele entre os dela.

— Eu sei que você queria — disse ela. — Eu queria fazer isso por você também.

O jovem garçom trouxe a conta, e do jeito que Frank costumava fazer quando se sentia um pouco para baixo, ele tentou elevar seu ânimo com um ataque de generosidade desnecessária, colocando uma gorjeta de cinquenta euros acrescentados à conta.

Quando o garoto a pegou, uma pequena comoção começou a acontecer na praça. Um jovem casal estava correndo com os membros soltos pelas grandes pedras planas e rindo alto, gritando um para o outro, sem motivo aparente, além da alegria de serem jovens e belos em um lugar antigo e belo. Eles não são muito mais jovens que Cleo, pensou Frank. Eles são muito mais jovens que eu, pensou Cleo. Um homem velho e barbudo pelo qual eles passaram também riu e acenou com a bengala, gritando atrás deles em italiano. Cleo e Frank observaram os rostos do casal, corados e livres, enquanto passavam correndo.

— Você entendeu o que o homem estava dizendo? — Frank perguntou.

Cleo balançou a cabeça quando o garçom apareceu ao seu lado.

— Signor, isto não está certo! — A conta estava aberta entre suas mãos como um livro de oração. — É muito!

— Não, não, está tudo certo — disse Frank. — É para você. Você ouviu o que aquele homem estava dizendo? Para os jovens que estavam correndo?

— Sim, acho que sim — disse o garoto. — Mas isto...

— Você pode traduzir?

— Mas essa gorjeta — disse o garoto. — É... muito americana.

Cleo riu quando viu a conta.

— Fico feliz que nem tudo em você mudou — disse ela.

— Você pode me dizer o que ele disse? — Frank perguntou novamente.

— Como você é estranho — disse o garoto olhando de um para o outro. — É um ditado italiano. É mais ou menos como: "Seja qual for o lugar a que você está indo, ele está esperando por você".

— Seja qual for o lugar a que você está indo, ele está esperando por você? — Frank repetiu. O garoto se virou para Cleo, com um olhar de desculpas.

— Não parece tão bom com ele falando — disse ele.

...

Cleo e Frank saíram do café e caminharam de braços dados pela escadaria de Spanish Steps em direção ao hotel, onde os papéis do divórcio estavam esperando. Do lado de fora dos restaurantes, grupos de pessoas sentadas desfrutavam do clima ameno, seus copos de vinho brilhando na luz. Acima deles, um bando de estorninhos encheu o céu. As pessoas viraram o rosto para cima para assistir. Os pássaros giravam e cadenciavam, formando um enxame preto e denso, depois rodopiavam loucamente em um redemoinho de mergulhos e subidas, uma constelação solta de Vs. Frank ficou hipnotizado quando eles se transformaram de uma nuvem dançante em uma onda pulsante como uma respiração pulmonar de inspiração e expiração.

— Isso é chamado de murmúrio — disse Cleo, surpreendendo-o, novamente, com a amplitude das coisas que ele não sabia e que ela sabia. — É mais quente aqui na cidade, então eles retornam todas as noites das áreas ao redor.

— É lindo — admirou ele.

— E destrutivo. Eles cobrem tudo com cocô. Você pode ver pessoas na cidade toda de manhã lavando carros e motocicletas.

— Mas como eles fazem isso? Todos se movimentam juntos?

Cleo havia lido sobre isso quando se mudou para cá, e ficou feliz por saber a resposta.

— Cada estorninho tem consciência de apenas cinco outros pássaros — disse ela. — Um em cima, um embaixo, um na frente e outro de ambos os lados, como uma estrela. Eles se movem com esses cinco, e é assim que eles permanecem em formação.

— Mas quem é o líder? Quem decide para onde eles vão?

— Não há líder. — Cleo sorriu. — Esse é o mistério.

Eles caminharam por uma praça onde estavam turistas ociosos em torno de uma fonte de mármore. Uma brisa quente levantou os cabelos da parte de trás dos pescoços deles. O ar cheirava a gasolina e azeitonas. Eles passaram por um beco de paralelepípedos escurecido por sombras onde um par de adolescentes se beijava apoiado em uma motocicleta. No outro extremo, uma cigana subia a saia e urinava em uma poça. Eles seguiram em frente.

— Quem são seus cinco, então? — perguntou Cleo. — Os que você observa?

— Minhas cinco pessoas? — Frank pensou por um momento. — Bem, Zoe é uma, claro. Santiago também. — Ele olhou para o chão, que de fato estava marcado com cocô de pássaros. — E Anders.

— Fico contente — disse Cleo, com sinceridade.

— E agora, Eleanor. — Frank olhou para ela com o canto do olho. Ela estava concordando lentamente.

— E você. São cinco.

— Eu?

— Você — disse Frank. — Sempre você.

Eles se entreolharam. O rosto de Cleo estava sereno como uma catedral. Ao seu redor, a cidade estava se acomodando à noite. Uma criança chorou chamando a mãe. Uma garrafa foi aberta. Uma moto roncou. Os estorninhos continuaram voando.

AGRADECIMENTOS

Foram necessários mais de sete anos para este romance ser concluído, e, durante esse tempo, ele foi nutrido e aperfeiçoado por muitas, muitas pessoas. Sou grata às seguintes:

Minha agente Millie Hoskins, que entendeu o âmago desta história e a apoiou desde o início. Meu desejo para todos os escritores em início de carreira é que eles tenham a sorte de encontrar uma Millie.

Minhas editoras Grace Mcnamee e Helen Garnons-Williams, que fizeram da edição desta história, muitas vezes pesada, uma verdadeira colaboração e uma alegria. Ela é tão melhor por ter tido suas mentes brilhantes trabalhando nela (ela tem até uma trama agora!). E também Jordan Mulligan e Sade Omeje, que chegaram com tanto entusiasmo para acompanhá-la até a publicação.

O programa de Mestrado em Belas Artes da Universidade de Nova York, em especial meus professores Amy Hempel, Nathan Englander, Darin Strauss e Rick Moody. Esses dois anos mudaram minha vida irrevogavelmente para melhor.

Meu grupo de escrita: Isabella Hammad, Steve Potter, Liz Wood e Allison Bulger pelas suas ideias e edições depois do mestrado.

Meus maravilhosos amigos Adam Eli, Olivia Orley, Zoe Potkin, Sophia Gibber, Sean Frank, Dayna Evans, Corey Militzok,

Margot Bowman, Max Weinman, Maya Popa e muitos outros. Obrigada por me incentivar a continuar e por tudo mais.

A comunidade sóbria do centro de Nova York, que realmente me amou até que eu pudesse me amar. Estou aqui porque vocês me carregaram.

Emily Havens, por todos os telefonemas, e por sempre me lembrar de que existe um plano em vigor infinitamente melhor do que o meu.

Karen Nelson, por me proporcionar um lugar seguro para eu me aprofundar e ser sincera. Sou uma pessoa e uma escritora melhor por conhecê-la.

Minha mãe, minha primeira leitora, que me ensinou a jogar meu coração adiante e a correr para encontrá-lo. Este livro é para você.

Meu pai e o amor pela linguagem que você instilou em mim. Obrigada por saber que eu era escritora antes de sê-lo.

Minha irmã mais velha, a bonita, inteligente e audaciosa Daisy Bell. Eu sempre serei sua gatinha.

Meus amados maiores irmãos Holly e George, e minha prima Lucie, por me mostrarem o caminho.

Minha avó Judy, de quem herdei um amor pelo açúcar e pelas travessuras.

Minha avó Edie, que eu nunca conheci, mas cujo sonho de se tornar escritora vive em mim.

E, por fim, meu Henry. Obrigada por me amar, por se casar comigo e por criar uma vida tão doce e harmoniosa a ponto de gerar uma ficção interessante. Sou sua.

Primeira edição (junho/2023) • Terceira reimpressão
Papel de miolo Ivory slim 65g
Tipografias Garamond Premier Pro e Double D NF Fill
Gráfica LIS